유머로 배우는 한국어

español(스페인어)
edición traducida(번역판)

• 유머 (sustantivo) : humor, humorismo
Acciones o chistes que divierten a la gente.

• 로 : No hay expresión equivalente
Posposición que indica el método o la forma de cierto lugar.

• 배우다 (verbo) : aprender, asimilar
Adquirir nuevos conocimientos.

• -는 : No hay expresión equivalente
Desinencia que hace que la palabra antecedente ejerza la función de un componente determinante, e indica que un suceso o una acción se produce en el presente.

• 한국어 (sustantivo) : idioma coreano, lengua coreana
Idioma que se usa en Corea.

※ 이 책의 폰트는 '함초롬 바탕체'를 사용하였습니다.

< 저자(autor) >

㈜한글2119연구소

- 연구개발전담부서
- ISO 9001 : 품질경영시스템 인증
- ISO 14001 : 환경경영시스템 인증
- 이메일(correo electrónico) : gjh0675@naver.com

< 동영상(vídeo) 자료(documento) >

HANPUK_español(traducción)
https://www.youtube.com/@HANPUK_Spanish

HANPUK

제 2024153361 호

연구개발전담부서 인정서

1. 전담부서명: 연구개발전담부서

[소속기업명: (주)한글2119연구소]

2. 소 재 지: 인천광역시 부평구 마장로264번길 33
상가동 제지하층 제2호 (산곡동, 뉴서울아파트)

3. 신고 연월일: 2024년 05월 02일

과학기술정보통신부

「기초연구진흥 및 기술개발지원에 관한 법률」 제14조의 2제1항 및 같은 법 시행령 제27조제1항에 따라 위와 같이 기업의 연구개발전담부서로 인정합니다.

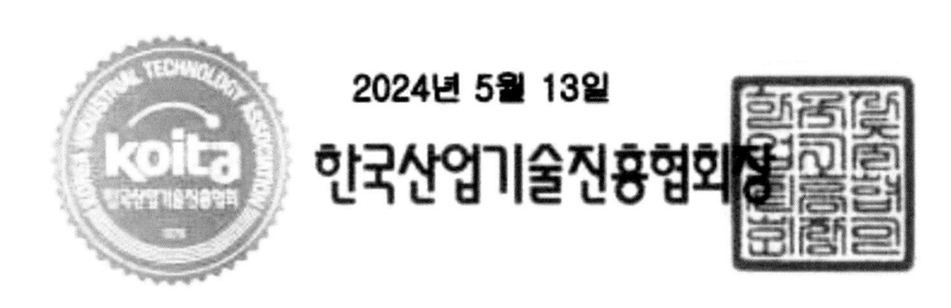

< 목차(índice) >

● 부록(apéndice)

< 1 단원(unidad) >

제목 : 깜짝 놀라서 티브이(TV) 전원을 꺼 버렸지.

● 본문 (contexto principal)

할머니께서 드라마를 보시다가 갑자기 티브이(TV) 전원을 꺼 버렸습니다.

그리고 며칠 후 초등학교 동창회에 참석하셨습니다.

거기서 할머니는 가장 친한 친구에게 티브이(TV)를 갑자기 끈 이유를 말했습니다.

할머니 : 갑자기 배우 한 명이 기침을 하잖아.

깜짝 놀라서 티브이(TV) 전원을 꺼 버렸지.

할머니 친구 : 바보야, 티브이(TV)를 왜 꺼.

얼른 마스크를 쓰면 되지.

할머니 : 맞네.

그런 기막힌 방법이 있었네.

● 발음 (pronunciación)

할머니께서 드라마를 보시다가 갑자기 티브이(TV) 전원을 꺼 버렸습니다.
할머니께서 드라마를 보시다가 갑짜기 티브이(TV) 저눠늘 꺼 버렫씀니다.
halmeonikkeseo deuramareul bosidaga gapjagi tibeui(TV) jeonwoneul kkeo beoryeotseumnida.

그리고 며칠 후 초등학교 동창회에 참석하셨습니다.
그리고 며칠 후 초등학꾜 동창회에 참서카셛씀니다.
geurigo myeochil hu chodeunghaggyo dongchanghoee chamseokasyeotseumnida.

거기서 할머니는 가장 친한 친구에게 티브이(TV)를 갑자기 끈 이유를 말했습니다.
거시서 할머니는 가장 친한 친구에게 티브이(TV)를 갑자기 끈 이유를 말핻씀니다.
geogiseo halmeonineun gajang chinhan chinguege tibeui(TV)reul gapjagi kkeun iyureul malhaetseumnida.

할머니 : 갑자기 배우 한 명이 기침을 하잖아.
할머니 : 갑짜기 배우 한 명이 기치믈 하자나.
halmeoni : gapjagi baeu han myeongi gichimeul hajana.

깜짝 놀라서 티브이(TV) 전원을 꺼 버렸지.
깜짝 놀라서 티브이(TV) 저눠늘 꺼 버렫찌.
kkamjjak nollaseo tibeui(TV) jeonwoneul kkeo beoryeotji.

할머니 친구 : 바보야, 티브이(TV)를 왜 꺼.
할머니 친구 : 바보야, 티브이(TV)를 왜 꺼.
halmeoni chingu : baboya, tibeui(TV)reul wae kkeo.

얼른 마스크를 쓰면 되지.
얼른 마스크를 쓰면 되지.
eolleun maseukeureul sseumyeon doeji.

할머니 : 맞네.
할머니 : 만네.
halmeoni : manne.

그런 기막힌 방법이 있었네.
그런 기마킨 방버비 이썬네.
geureon gimakin bangbeobi isseonne.

● 어휘 (palabra) / 문법 (gramática)

할머니+께서 드라마+를 보+시+다가 갑자기 티브이(TV) 전원+을 끄(ㄲ)+어 버리+었+습니다.

그리고 며칠 후 초등학교 동창회+에 참석하+시+었+습니다.

거기+서 할머니+는 가장 친하+ㄴ 친구+에게 티브이(TV)+를 갑자기 끄+ㄴ 이유+를 말하+였+습니다.

할머니 : 갑자기 배우 한 명+이 기침+을 하+잖아.

깜짝 놀라+아서 티브이(TV) 전원+을 끄(ㄲ)+어 버리+었+지.

할머니 친구 : 바보+야, 티브이(TV)+를 왜 끄(ㄲ)+어.

얼른 마스크+를 쓰+면 되+지.

할머니 : 맞+네.

그런 기막히+ㄴ 방법+이 있+었+네.

할머니+께서 드라마+를 보+시+다가 갑자기 티브이(TV) 전원+을 끄(ㄲ)+[어 버리]+었+습니다. 꺼 버렸습니다

• **할머니 (Sustantivo)** : 아버지의 어머니, 또는 어머니의 어머니를 이르거나 부르는 말.
halmeoni, abuela
Respecto de una persona, palabra usada para referirse o llamar a la madre de su propio padre o madre.

• 께서 : (높임말로) 가. 이. 어떤 동작의 주체가 높여야 할 대상임을 나타내는 조사.
No hay expresión equivalente
(TRATAMIENTO HONORÍFICO) Posposición que muestra que el agente de una acción es merecedor de tratamiento honorífico.

• **드라마 (Sustantivo)** : 극장에서 공연되거나 텔레비전 등에서 방송되는 극.
drama
Obra que se trasmite en televisión o se presenta en teatro.

• 를 : 동작이 직접적으로 영향을 미치는 대상을 나타내는 조사.
No hay expresión equivalente
Posposición que indica el objeto que influye directamente en la acción.

• **보다 (Verbo)** : 눈으로 대상을 즐기거나 감상하다.
ver, contemplar, observar
Disfrutar o apreciar algo con los ojos.

• -시- : 어떤 동작이나 상태의 주체를 높이는 뜻을 나타내는 어미.
No hay expresión equivalente
Desinencia que se usa para dar un tratamiento honorífico al agente de una acción verbal o de un determinado estado.

• -다가 : 어떤 행동이나 상태 등이 중단되고 다른 행동이나 상태로 바뀜을 나타내는 연결 어미.
No hay expresión equivalente
Desinencia conectora que se usa cuando se suspende cierta acción o estado se suspende y se convierte en otra acción o estado.

• **갑자기 (Adverbio)** : 미처 생각할 틈도 없이 빨리.
de repente, repentinamente, de golpe, de pronto, súbitamente
Súbitamente, sin tiempo para discurrir.

• **티브이(TV) (Sustantivo)** : 방송국에서 전파로 보내오는 영상과 소리를 받아서 보여 주는 기계.
televisor, televisión
Máquina que ofrece las imágenes y sonidos transmitidos desde una estación de radiodifusión a través de ondas radioeléctricas.

• **전원 (Sustantivo)** : 전기 콘센트 등과 같이 기계 등에 전류가 오는 원천.
fuente de energía eléctrica
Fuente de corriente eléctrica como un enchufe de pared, etc., para hacer funcionar máquinas, entre otros aparatos eléctricos.

• 을 : 동작이 직접적으로 영향을 미치는 대상을 나타내는 조사.
No hay expresión equivalente
Posposición que indica el objeto que influye directamente en la acción.

• **끄다 (Verbo)** : 전기나 기계를 움직이는 힘이 통하는 길을 끊어 전기 제품 등을 작동하지 않게 하다.
apagar, desconectar, cortar, desenchufar
Hacer que no funcione algún electrodoméstico cortando el camino de la electricidad o la fuerza motriz de la máquina.

• -어 버리다 : 앞의 말이 나타내는 행동이 완전히 끝났음을 나타내는 표현.
No hay expresión equivalente
Expresión que indica que la acción que indica el comentario anterior ha finalizado completamente.

• -었- : 어떤 사건이 과거에 완료되었거나 그 사건의 결과가 현재까지 지속되는 상황을 나타내는 어미.
No hay expresión equivalente
Desinencia que se usa cuando cierto suceso fue acabado en el pasado o cuando el resultado de ese suceso continúa hasta el presente.

• -습니다 : (아주높임으로) 현재의 동작이나 상태, 사실을 정중하게 설명함을 나타내는 종결 어미.
No hay expresión equivalente
(TRATAMIENTO HONORÍFICO MÁXIMO) Desinencia de terminación que se usa cuando se explica respetuosamente la acción, estado o hecho del presente.

그리고 며칠 후 초등학교 동창회+에 참석하+시+었+습니다. **참석하셨습니다**

• **그리고 (Adverbio)** : 앞의 내용에 이어 뒤의 내용을 단순히 나열할 때 쓰는 말.
y
Se usa para simplemente unir o enumerar palabras o cláusulas sucesivas.

• **며칠 (Sustantivo)** : 몇 날.
algunos días
Algunos días.

• **후 (Sustantivo)** : 얼마만큼 시간이 지나간 다음.
después, luego
Algún tiempo después de un punto específico en el tiempo.

- **초등학교 (Sustantivo)** : 학교 교육의 첫 번째 단계로 만 여섯 살에 입학하여 육 년 동안 기본 교육을 받는 학교.

escuela primaria

Primera etapa de la educación escolar, que se ingresa a la edad de 6 años y recibe una enseñanza básica durante 6 años.

- **동창회 (Sustantivo)** : 같은 학교를 졸업한 사람들의 모임.

asociación de graduados

Reunión de personas graduadas de una misma escuela.

- 에 : 앞말이 어떤 장소나 자리임을 나타내는 조사.

No hay expresión equivalente

Posposición que se usa cuando la palabra anterior indica cierto lugar o sitio.

- **참석하다 (Verbo)** : 회의나 모임 등의 자리에 가서 함께하다.

participar, asistir

Concurrir y permanecer en un lugar de reunión o de acto.

- -시- : 어떤 동작이나 상태의 주체를 높이는 뜻을 나타내는 어미.

No hay expresión equivalente

Desinencia que se usa para dar un tratamiento honorífico al agente de una acción verbal o de un determinado estado.

- -었- : 어떤 사건이 과거에 완료되었거나 그 사건의 결과가 현재까지 지속되는 상황을 나타내는 어미.

No hay expresión equivalente

Desinencia que se usa cuando cierto suceso fue acabado en el pasado o cuando el resultado de ese suceso continúa hasta el presente.

- -습니다 : (아주높임으로) 현재의 동작이나 상태, 사실을 정중하게 설명함을 나타내는 종결 어미.

No hay expresión equivalente

(TRATAMIENTO HONORÍFICO MÁXIMO) Desinencia de terminación que se usa cuando se explica respetuosamente la acción, estado o hecho del presente.

거기+서 할머니+는 가장 친하+ㄴ 친구+에게 티브이(TV)+를 갑자기 끄+ㄴ 이유+를 말하+였+습니다.
친한 **끈** **말했습니다**

- **거기 (Pronombre)** : 앞에서 이미 이야기한 곳을 가리키는 말.

ahí, ese lugar

Pronombre que designa un sitio que ya se ha mencionado.

• 서 : 앞말이 행동이 이루어지고 있는 장소임을 나타내는 조사.
No hay expresión equivalente
Posposición que se usa para indicar el lugar en el que se realiza la acción de la palabra anterior.

• **할머니 (Sustantivo)** : 아버지의 어머니, 또는 어머니의 어머니를 이르거나 부르는 말.
halmeoni, abuela
Respecto de una persona, palabra usada para referirse o llamar a la madre de su propio padre o madre.

• 는 : 문장 속에서 어떤 대상이 화제임을 나타내는 조사.
No hay expresión equivalente
Posposición que muestra que el referente es el tópico de una oración.

• **가장 (Adverbio)** : 여럿 가운데에서 제일로.
el más, el mejor
El mejor o el máximo entre varios.

• **친하다 (Adjetivo)** : 가까이 사귀어 서로 잘 알고 정이 두텁다.
amigable, allegado, cercano
Que mantiene una relación cercana, se conocen bien y cuentan con una estrecha amistad.

• -ㄴ : 앞의 말이 관형어의 기능을 하게 만들고 현재의 상태를 나타내는 어미.
No hay expresión equivalente
Desinencia que hace que la palabra antecedente ejerza la función de una palabra determinante, e indica el estado del presente.

• **친구 (Sustantivo)** : 사이가 가까워 서로 친하게 지내는 사람.
amigo
Persona cercana con quien alguien se lleva bien al mantener una buena relación.

• 에게 : 어떤 행동이 미치는 대상임을 나타내는 조사.
No hay expresión equivalente
Posposición que indica ser un objeto influyente de cierta acción.

• **티브이(TV) (Sustantivo)** : 방송국에서 전파로 보내오는 영상과 소리를 받아서 보여 주는 기계.
televisor, televisión
Máquina que ofrece las imágenes y sonidos transmitidos desde una estación de radiodifusión a través de ondas radioeléctricas.

• 를 : 동작이 직접적으로 영향을 미치는 대상을 나타내는 조사.
No hay expresión equivalente
Posposición que indica el objeto que influye directamente en la acción.

• **갑자기** (Adverbio) : 미처 생각할 틈도 없이 빨리.
de repente, repentinamente, de golpe, de pronto, súbitamente
Súbitamente, sin tiempo para discurrir.

• **끄다** (Verbo) : 전기나 기계를 움직이는 힘이 통하는 길을 끊어 전기 제품 등을 작동하지 않게 하다.
apagar, desconectar, cortar, desenchufar
Hacer que no funcione algún electrodoméstico cortando el camino de la electricidad o la fuerza motriz de la máquina.

• -ㄴ : 앞의 말이 관형어의 기능을 하게 만들고 사건이나 동작이 과거에 일어났음을 나타내는 어미.
No hay expresión equivalente
Desinencia que hace que la palabra antecedente ejerza la función de una palabra determinante, e indica que un suceso o una acción se produjo en el pasado.

• **이유** (Sustantivo) : 어떠한 결과가 생기게 된 까닭이나 근거.
razón, causa
Causa o fundamento de la ocurrencia de cierto resultado.

• 를 : 동작이 직접적으로 영향을 미치는 대상을 나타내는 조사.
No hay expresión equivalente
Posposición que indica el objeto que influye directamente en la acción.

• **말하다** (Verbo) : 어떤 사실이나 자신의 생각 또는 느낌을 말로 나타내다.
decir
Expresar oralmente un pensamiento, un hecho, una sensación, etc.

• -였- : 어떤 사건이 과거에 완료되었거나 그 사건의 결과가 현재까지 지속되는 상황을 나타내는 어미.
No hay expresión equivalente
Desinencia que se usa cuando cierto suceso fue acabado en el pasado o cuando el resultado de ese suceso continúa hasta el presente.

• -습니다 : (아주높임으로) 현재의 동작이나 상태, 사실을 정중하게 설명함을 나타내는 종결 어미.
No hay expresión equivalente
(TRATAMIENTO HONORÍFICO MÁXIMO) Desinencia de terminación que se usa cuando se explica respetuosamente la acción, estado o hecho del presente.

할머니 : 갑자기 배우 한 명+이 기침+을 하+잖아.

• **갑자기** (Adverbio) : 미처 생각할 틈도 없이 빨리.
de repente, repentinamente, de golpe, de pronto, súbitamente
Súbitamente, sin tiempo para discurrir.

• **배우 (Sustantivo)** : 영화나 연극, 드라마 등에 나오는 인물의 역할을 맡아서 연기하는 사람.
actor
Persona que actúa estando a cargo de un personaje en una película obra de teatro o telenovela.

• **한 (Determinante)** : 하나의.
No hay expresión equivalente
uno

• **명 (Sustantivo)** : 사람의 수를 세는 단위.
No hay expresión equivalente
Unidad de conteo del número de personas.

• 이 : 어떤 상태나 상황의 대상이나 동작의 주체를 나타내는 조사.
No hay expresión equivalente
Posposición que se usa para indicar el objeto de cierto estado o situación o el agente de un movimiento.

• **기침 (Sustantivo)** : 폐에서 목구멍을 통해 공기가 거친 소리를 내며 갑자기 터져 나오는 일.
tos
Aire que sale del pulmón emitiendo un sonido áspero.

• 을 : 동작이 직접적으로 영향을 미치는 대상을 나타내는 조사.
No hay expresión equivalente
Posposición que indica el objeto que influye directamente en la acción.

• **하다 (Verbo)** : 어떤 행동이나 동작, 활동 등을 행하다.

hacer, realizar
Llevar a cabo un acto o una acción.

• -잖아 : (두루낮춤으로) 어떤 상황에 대해 말하는 사람이 상대방에게 확인하거나 정정해 주듯이 말함을 나타내는 표현.
No hay expresión equivalente
(TRATAMIENTO DE MODESTIA GENERAL) Expresión que se usa para hablar como si se estuviera corrigiendo o verificando al adversario alguna situación.

할머니 : 깜짝 놀라+(아)서 티브이(TV) 전원+을 끄(ㄲ)+[어 버리]+었+지.
놀라서   꺼 버렸지

• **깜짝 (Adverbio)** : 갑자기 놀라는 모양.
asustándose de repente, quedándose repentinamente atónito
Modo en que alguien se asusta de súbito.

• **놀라다 (Verbo)** : 뜻밖의 일을 당하거나 무서워서 순간적으로 긴장하거나 가슴이 뛰다.
asustar, sorprender, atemorizar, aterrar, espantar
Latir el corazón o ponerse tenso repentinamente por temor y un hecho inesperado.

• -아서 : 이유나 근거를 나타내는 연결 어미.
No hay expresión equivalente
Desinencia conectora que se usa para indicar causa o fundamento.

• **티브이(TV) (Sustantivo)** : 방송국에서 전파로 보내오는 영상과 소리를 받아서 보여 주는 기계.
televisor, televisión
Máquina que ofrece las imágenes y sonidos transmitidos desde una estación de radiodifusión a través de ondas radioeléctricas.

• **전원 (Sustantivo)** : 전기 콘센트 등과 같이 기계 등에 전류가 오는 원천.
fuente de energía eléctrica
Fuente de corriente eléctrica como un enchufe de pared, etc., para hacer funcionar máquinas, entre otros aparatos eléctricos.

• 을 : 동작이 직접적으로 영향을 미치는 대상을 나타내는 조사.
No hay expresión equivalente
Posposición que indica el objeto que influye directamente en la acción.

• **끄다 (Verbo)** : 전기나 기계를 움직이는 힘이 통하는 길을 끊어 전기 제품 등을 작동하지 않게 하다.
apagar, desconectar, cortar, desenchufar
Hacer que no funcione algún electrodoméstico cortando el camino de la electricidad o la fuerza motriz de la máquina.

• -어 버리다 : 앞의 말이 나타내는 행동이 완전히 끝났음을 나타내는 표현.
No hay expresión equivalente
Expresión que indica que la acción que indica el comentario anterior ha finalizado completamente.

• -었- : 어떤 사건이 과거에 완료되었거나 그 사건의 결과가 현재까지 지속되는 상황을 나타내는 어미.
No hay expresión equivalente
Desinencia que se usa cuando cierto suceso fue acabado en el pasado o cuando el resultado de ese suceso continúa hasta el presente.

• -지 : (두루낮춤으로) 말하는 사람이 자신에 대한 이야기나 자신의 생각을 친근하게 말할 때 쓰는 종결 어미.
No hay expresión equivalente
(TRATAMIENTO DE MODESTIA GENERAL) Desinencia de terminación que se usa cuando el hablante habla íntimamente sobre su historia o idea.

할머니 친구 : 바보+야, 티브이(TV)+를 왜 끄(ㄲ)+어. 꺼

• **바보 (Sustantivo)** : (욕하는 말로) 어리석고 멍청하거나 못난 사람.
tonto, bobo, estúpido
(OFENSIVO) Persona que es absurda e idiota.

• 야 : 친구나 아랫사람, 동물 등을 부를 때 쓰는 조사.
No hay expresión equivalente
Posposición que se usa al llamar a amigos, menores, animales, etc.

• **티브이(TV) (Sustantivo)** : 방송국에서 전파로 보내오는 영상과 소리를 받아서 보여 주는 기계.
televisor, televisión
Máquina que ofrece las imágenes y sonidos transmitidos desde una estación de radiodifusión a través de ondas radioeléctricas.

• 를 : 동작이 직접적으로 영향을 미치는 대상을 나타내는 조사.
No hay expresión equivalente
Posposición que indica el objeto que influye directamente en la acción.

• **왜 (Adverbio)** : 무슨 이유로. 또는 어째서.
por qué, porque
Por qué causa. O el porqué.

• **끄다 (Verbo)** : 전기나 기계를 움직이는 힘이 통하는 길을 끊어 전기 제품 등을 작동하지 않게 하다.
apagar, desconectar, cortar, desenchufar
Hacer que no funcione algún electrodoméstico cortando el camino de la electricidad o la fuerza motriz de la máquina.

• -어 : (두루낮춤으로) 어떤 사실을 서술하거나 물음, 명령, 권유를 나타내는 종결 어미.
No hay expresión equivalente
(TRATAMIENTO DE MODESTIA GENERAL) Desinencia de terminación que se usa cuando se describe cierto hecho; o pregunta, ordena o reclama algo.

할머니 친구 : 얼른 마스크+를 쓰+[면 되]+지.

• **얼른 (Adverbio)** : 시간을 오래 끌지 않고 바로.
rápidamente, prontamente, velozmente
Con prontitud sin demorar mucho tiempo.

• **마스크 (Sustantivo)** : 병균이나 먼지, 찬 공기 등을 막기 위하여 입과 코를 가리는 물건.
barbijo, cubre boca, mascarilla
Objeto con que se cubre la boca y la nariz para impedir la entrada de virus, polvo o aire frío.

• **를** : 동작이 직접적으로 영향을 미치는 대상을 나타내는 조사.
No hay expresión equivalente
Posposición que indica el objeto que influye directamente en la acción.

• **쓰다 (Verbo)** : 얼굴에 어떤 물건을 걸거나 덮어쓰다.
ponerse, taparse
Ponerse o cubrirse la cara con cierto objeto.

• **-면 되다** : 조건이 되는 어떤 행동을 하거나 어떤 상태만 갖추어지면 문제가 없거나 충분함을 나타내는 표현.
No hay expresión equivalente
Expresión que indica la realización de una acción que sirve de condición o muestra de que no hay problema o es suficiente con que se llegue a cierto nivel.

• **-지** : (두루낮춤으로) 말하는 사람이 자신에 대한 이야기나 자신의 생각을 친근하게 말할 때 쓰는 종결 어미.
No hay expresión equivalente
(TRATAMIENTO DE MODESTIA GENERAL) Desinencia de terminación que se usa cuando el hablante habla íntimamente sobre su historia o idea.

할머니 : 맞+네.

그런 기막히+ㄴ 방법+이 있+었+네.
기막힌

• **맞다 (Verbo)** : 그렇거나 옳다.
acertarse
Hacerse una cosa conforme a la razón.

• **-네** : (아주낮춤으로) 지금 깨달은 일에 대하여 말함을 나타내는 종결 어미.
No hay expresión equivalente
(TRATAMIENTO DE MODESTIA MÁXIMA) Desinencia de terminación que se usa cuando se habla de lo que se ha enterado ahora.

• **그런 (Determinante)** : 상태, 모양, 성질 등이 그러한.
tal, semejante
De tal estado, forma o naturaleza.

• **기막히다 (Adjetivo)** : 정도나 상태가 어떻다고 말할 수 없을 만큼 좋다.
magnífico, espléndido, impresionante
Que está en un estado o nivel tan excelente que deja a uno con la boca abierta.

• -ㄴ : 앞의 말이 관형어의 기능을 하게 만들고 현재의 상태를 나타내는 어미.
No hay expresión equivalente
Desinencia que hace que la palabra antecedente ejerza la función de una palabra determinante, e indica el estado del presente.

• **방법 (Sustantivo)** : 어떤 일을 해 나가기 위한 수단이나 방식.
método, manera
Medio o forma para realizar algo.

• 이 : 어떤 상태나 상황의 대상이나 동작의 주체를 나타내는 조사.
No hay expresión equivalente
Posposición que se usa para indicar el objeto de cierto estado o situación o el agente de un movimiento.

• **있다 (Adjetivo)** : 사실이나 현상이 존재하다.
existente
Que existe un hecho o un fenómeno.

• -었- : 어떤 사건이 과거에 완료되었거나 그 사건의 결과가 현재까지 지속되는 상황을 나타내는 어미.
No hay expresión equivalente
Desinencia que se usa cuando cierto suceso fue acabado en el pasado o cuando el resultado de ese suceso continúa hasta el presente.

• -네 : (아주낮춤으로) 지금 깨달은 일에 대하여 말함을 나타내는 종결 어미.
No hay expresión equivalente
(TRATAMIENTO DE MODESTIA MÁXIMA) Desinencia de terminación que se usa cuando se habla de lo que se ha enterado ahora.

< 2 단원(unidad) >

제목 : 쫓아오던 게 강아지였나?

● 본문 (contexto principal)

고양이 한 마리가 쥐를 열심히 쫓고 있었습니다.

쥐가 고양이에게 거의 잡힐 것 같았습니다.

하지만 아슬아슬한 찰나에 쥐가 쥐구멍으로 들어가 버렸습니다.

쥐구멍 앞에 서성이던 고양이가 쪼그려 앉았습니다.

그러더니 갑자기 고양이가 **"멍멍!"**하고 짖어 댔습니다.

이 소리를 듣고 쥐는 어리둥절했습니다.

쥐 : 뭐지?

쫓아오던 게 강아지였나?

쥐는 너무 궁금해서 머리를 살며시 구멍 밖으로 내밀었습니다.

이때 쥐가 고양이에게 잡히고 말았습니다.

의기양양하게 쥐를 물고 가면서 고양이가 이렇게 말했습니다.

고양이 : 요즘은 먹고살려면 적어도 2개 국어는 해야 돼.

● 발음 (pronunciación)

고양이 한 마리가 쥐를 열심히 쫓고 있었습니다.
고양이 한 마리가 쥐를 열씸히 쫀꼬 이썯씀니다.
goyangi han mariga jwireul yeolsimhi jjotgo isseotseumnida.

쥐가 고양이에게 거의 잡힐 것 같았습니다.
쥐가 고양이에게 거의 자필 껃 가탇씀니다.
jwiga goyangiege geoui japil geot gatatseumnida.

하지만 아슬아슬한 찰나에 쥐가 쥐구멍으로 들어가 버렸습니다.
하지만 아슬아슬한 찰라에 쥐가 쥐구멍으로 드러가 버렫씀니다.
hajiman aseuraseulhan challae jwiga jwigumeongeuro deureoga beoryeotseumnida.

쥐구멍 앞에 서성이던 고양이가 쪼그려 앉았습니다.
쥐구멍 아페 서성이던 고양이가 쪼그려 안잗씀니다.
jwigumeong ape seoseongideon goyangiga jjogeuryeo anjatseumnida.

그러더니 갑자기 고양이가 "멍멍!"하고 짖어 댔습니다.
그러더니 갑짜기 고양이가 "멍멍!"하고 지저 댇씀니다.
geureodeoni gapjagi goyangiga "meongmeong!"hago jijeo daetseumnida.

이 소리를 듣고 쥐는 어리둥절했습니다.
이 소리를 듣꼬 쥐는 어리둥절핻씀니다.
i sorireul deutgo jwineun eoridungjeolhaetseumnida.

쥐 : 뭐지?
쥐 : 뭐지?
jwi : mwoji?

> 쫓아오던 게 강아지였나?
> 쪼차오던 게 강아지연나?
> jjochaodeon ge gangajiyeonna?

쥐는 너무 궁금해서 머리를 살며시 구멍 밖으로 내밀었습니다.
쥐는 너무 궁금해서 머리를 살며시 구멍 바끄로 내미럳씀니다.
jwineun neomu gunggeumhaeseo meorireul salmyeosi gumeong bakkeuro naemireotseumnida.

이때 쥐가 고양이에게 잡히고 말았습니다.
이때 쥐가 고양이에게 자피고 마랃씀니다.
ittae jwiga goyangiege japigo maratseumnida.

의기양양하게 쥐를 물고 가면서 고양이가 이렇게 말했습니다.
의기양양하게 쥐를 물고 가면서 고양이가 이러케 말핻씀니다.
uigiyangyanghage jwireul mulgo gamyeonseo goyangiga ireoke malhaetseumnida.

고양이 : 요즘은 먹고살려면 적어도 2개 국어는 해야 돼.
고양이 : 요즈믄 먹꼬살려면 저거도 2개 구거는 해야 돼.
goyangi : yojeumeun meokgosallyeomyeon jeogeodo igae gugeoneun haeya dwae.

● 어휘 (palabra) / 문법 (gramática)

고양이 한 마리+가 쥐+를 열심히 쫓+고 있+었+습니다.

쥐+가 고양이+에게 거의 잡히+ㄹ 것 같+았+습니다.

하지만 아슬아슬하+ㄴ 찰나+에 쥐+가 쥐구멍+으로 들어가+(아) 버리+었+습니다.

쥐구멍 앞+에 서성이+던 고양이+가 쪼그리+어 앉+았+습니다.

그러+더니 갑자기 고양이+가 **"멍멍!"** 하+고 짖+어 대+었+습니다.

이 소리+를 듣+고 쥐+는 어리둥절하+였+습니다.

쥐 : "뭐+(이)+지?"

"쫓아오+던 것(거)+이 강아지+이+었+나?"

쥐+는 너무 궁금하+여서 머리+를 살며시 구멍 밖+으로 내밀+었+습니다.

이때 쥐+가 고양이+에게 잡히+고 말+았+습니다.

의기양양하+게 쥐+를 물+고 가+면서 고양이+가 이렇+게 말하+였+습니다.

고양이 : 요즘+은 먹고살+려면 적어도 이 개 국어+는 하+여야 되+어.

고양이 한 마리+가 쥐+를 열심히 쫓+[고 있]+었+습니다.

• **고양이 (Sustantivo)** : 어두운 곳에서도 사물을 잘 보고 쥐를 잘 잡으며 집 안에서 기르기도 하는 자그마한 동물.
gato
Pequeño animal doméstico y con tan agudo sentido de la vista que en la oscuridad atrapa ratones.

• **한 (Determinante)** : 하나의.
No hay expresión equivalente
uno

• **마리 (Sustantivo)** : 짐승이나 물고기, 벌레 등을 세는 단위.
No hay expresión equivalente
Unidad de conteo de animal, pez, insecto, etc.

• 가 : 어떤 상태나 상황에 놓인 대상이나 동작의 주체를 나타내는 조사.
No hay expresión equivalente
Posposición que se usa para indicar el objeto de cierto estado o situación o el agente de un movimiento.

• **쥐 (Sustantivo)** : 사람의 집 근처 어두운 곳에서 살며 몸은 진한 회색에 긴 꼬리를 가지고 있는 작은 동물.
rata, ratón
Mamífero roedor de pelaje gris oscuro, tamaño pequeño y con una cola larga, que habita en lugares oscuros cerca de las casas.

• 를 : 동작이 직접적으로 영향을 미치는 대상을 나타내는 조사.
No hay expresión equivalente
Posposición que indica el objeto que influye directamente en la acción.

• **열심히 (Adverbio)** : 어떤 일에 온 정성을 다하여.
apasionadamente, fervientemente, asiduamente
Con mucho esmero en cierta cosa.

• **쫓다 (Verbo)** : 앞선 것을 잡으려고 서둘러 뒤를 따르거나 자취를 따라가다.
perseguir, rastrear
Ir por detrás de lo que va adelante con prisa o perseguir un rastro.

• -고 있다 : 앞의 말이 나타내는 행동이 계속 진행됨을 나타내는 표현.
No hay expresión equivalente
Expresión que indica que la acción que representa la parte anterior de la cláusula continúa.

• -었- : 사건이 과거에 일어났음을 나타내는 어미.
No hay expresión equivalente
Desinencia que se usa cuando indica que el suceso ocurrió en el pasado.

• -습니다 : (아주높임으로) 현재의 동작이나 상태, 사실을 정중하게 설명함을 나타내는 종결 어미.
No hay expresión equivalente
(TRATAMIENTO HONORÍFICO MÁXIMO) Desinencia de terminación que se usa cuando se explica respetuosamente la acción, estado o hecho del presente.

쥐+가 고양이+에게 거의 잡히+[ㄹ 것 같]+았+습니다. **잡힐 것 같았습니다**

• **쥐 (Sustantivo)** : 사람의 집 근처 어두운 곳에서 살며 몸은 진한 회색에 긴 꼬리를 가지고 있는 작은 동물.
rata, ratón
Mamífero roedor de pelaje gris oscuro, tamaño pequeño y con una cola larga, que habita en lugares oscuros cerca de las casas.

• 가 : 어떤 상태나 상황에 놓인 대상이나 동작의 주체를 나타내는 조사.
No hay expresión equivalente
Posposición que se usa para indicar el objeto de cierto estado o situación o el agente de un movimiento.

• **고양이 (Sustantivo)** : 어두운 곳에서도 사물을 잘 보고 쥐를 잘 잡으며 집 안에서 기르기도 하는 자그마한 동물.
gato
Pequeño animal doméstico y con tan agudo sentido de la vista que en la oscuridad atrapa ratones.

• 에게 : 어떤 행동의 주체이거나 비롯되는 대상임을 나타내는 조사.
No hay expresión equivalente
Posposición que indica ser el agente u objeto del que procede cierta acción.

• **거의 (Adverbio)** : 어떤 상태나 한도에 매우 가깝게.
aproximadamente
Faltando muy poco para llegar a un determinado estado o límite.

• **잡히다 (Verbo)** : 도망가지 못하게 붙들리다.
ser arrestado, ser apresado
Ser detenido para que no se escape.

• -ㄹ 것 같다 : 추측을 나타내는 표현.
No hay expresión equivalente
Expresión que indica suposición.

• -았- : 사건이 과거에 일어났음을 나타내는 어미.
No hay expresión equivalente
Desinencia que se usa cuando indica que el suceso ocurrió en el pasado.

• -습니다 : (아주높임으로) 현재의 동작이나 상태, 사실을 정중하게 설명함을 나타내는 종결 어미.
No hay expresión equivalente
(TRATAMIENTO HONORÍFICO MÁXIMO) Desinencia de terminación que se usa cuando se explica respetuosamente la acción, estado o hecho del presente.

하지만 아슬아슬하+ㄴ 찰나+에 쥐+가 쥐구멍+으로 들어가+[(아) 버리]+었+습니다.
아슬아슬한 **들어가 버렸습니다**

• **하지만 (Adverbio)** : 내용이 서로 반대인 두 개의 문장을 이어 줄 때 쓰는 말.
pero, sin embargo
Palabra que se utiliza para contraponer dos oraciones de contenidos opuestos.

• **아슬아슬하다 (Adjetivo)** : 일이 잘 안 될까 봐 무서워서 소름이 돋을 정도로 마음이 조마조마하다.
ansioso, anhelante
Que siente una ansiedad tan grande que hasta pone piel de gallina ante la posibilidad de que algo vaya mal.

• -ㄴ : 앞의 말이 관형어의 기능을 하게 만들고 현재의 상태를 나타내는 어미.
No hay expresión equivalente
Desinencia que hace que la palabra antecedente ejerza la función de una palabra determinante, e indica el estado del presente.

• **찰나 (Sustantivo)** : 어떤 일이나 현상이 일어나는 바로 그때.
instante
Momento preciso en que ocurre un hecho o un fenómeno.

• 에 : 앞말이 시간이나 때임을 나타내는 조사.
No hay expresión equivalente
Posposición que se usa cuando la palabra anterior indica hora o tiempo.

• **쥐 (Sustantivo)** : 사람의 집 근처 어두운 곳에서 살며 몸은 진한 회색에 긴 꼬리를 가지고 있는 작은 동물.
rata, ratón
Mamífero roedor de pelaje gris oscuro, tamaño pequeño y con una cola larga, que habita en lugares oscuros cerca de las casas.

• 가 : 어떤 상태나 상황에 놓인 대상이나 동작의 주체를 나타내는 조사.
No hay expresión equivalente
Posposición que se usa para indicar el objeto de cierto estado o situación o el agente de un movimiento.

• **쥐구멍 (Sustantivo)** : 쥐가 들어가고 나오는 구멍.
No hay expresión equivalente
Agujero por donde entra y sale un ratón.

• 으로 : 움직임의 방향을 나타내는 조사.
No hay expresión equivalente
Posposición que se usa para indicar la dirección del movimiento.

• **들어가다 (Verbo)** : 밖에서 안으로 향하여 가다.
entrar
Pasar de fuera hacia adentro.

• -아 버리다 : 앞의 말이 나타내는 행동이 완전히 끝났음을 나타내는 표현.
No hay expresión equivalente
Expresión que indica que la acción que indica el comentario anterior ha finalizado completamente.

• -었- : 어떤 사건이 과거에 완료되었거나 그 사건의 결과가 현재까지 지속되는 상황을 나타내는 어미.
No hay expresión equivalente
Desinencia que se usa cuando cierto suceso fue acabado en el pasado o cuando el resultado de ese suceso continúa hasta el presente.

• -습니다 : (아주높임으로) 현재의 동작이나 상태, 사실을 정중하게 설명함을 나타내는 종결 어미.
No hay expresión equivalente
(TRATAMIENTO HONORÍFICO MÁXIMO) Desinencia de terminación que se usa cuando se explica respetuosamente la acción, estado o hecho del presente.

쥐구멍 앞+에 서성이+던 고양이+가 쪼그리+어 앉+았+습니다. 쪼그려

• **쥐구멍 (Sustantivo)** : 쥐가 들어가고 나오는 구멍.
No hay expresión equivalente
Agujero por donde entra y sale un ratón.

• **앞 (Sustantivo)** : 향하고 있는 쪽이나 곳.
frente,, delante
Lugar o lado a donde se dirige.

• 에 : 앞말이 어떤 장소나 자리임을 나타내는 조사.
No hay expresión equivalente
Posposición que se usa cuando la palabra anterior indica cierto lugar o sitio.

• **서성이다** (Verbo) : 한곳에 서 있지 않고 주위를 왔다 갔다 하다.
deambular, pendonear
Ir de un lado a otro alrededor de algún lugar sin estar de pie.

• -던 : 앞의 말이 관형어의 기능을 하게 만들고 사건이나 동작이 과거에 완료되지 않고 중단되었음을 나타내는 어미.
No hay expresión equivalente
Desinencia que hace que la palabra antecedente ejerza la función de un componente determinante, e indica que un suceso o una acción fue suspendida en un momento del pasado sin concluir.

• **고양이** (Sustantivo) : 어두운 곳에서도 사물을 잘 보고 쥐를 잘 잡으며 집 안에서 기르기도 하는 자그마한 동물.
gato
Pequeño animal doméstico y con tan agudo sentido de la vista que en la oscuridad atrapa ratones.

• 가 : 어떤 상태나 상황에 놓인 대상이나 동작의 주체를 나타내는 조사.
No hay expresión equivalente
Posposición que se usa para indicar el objeto de cierto estado o situación o el agente de un movimiento.

• **쪼그리다** (Verbo) : 팔다리를 접거나 모아서 몸을 작게 옴츠리다.
acurrucarse, estar agachado
Encoger el acuerdo doblando o juntando los brazos y las piernas.

• -어 : 앞의 말이 뒤의 말보다 먼저 일어났거나 뒤의 말에 대한 방법이나 수단이 됨을 나타내는 연결 어미.
No hay expresión equivalente
Desinencia conectora que se usa cuando la palabra anterior se realiza antes de que la posterior, o es un método o medio de la palabra posterior.

• **앉다** (Verbo) : 윗몸을 바로 한 상태에서 엉덩이에 몸무게를 실어 다른 물건이나 바닥에 몸을 올려놓다.
sentar
Apoyar el cuerpo en el piso o en otro objeto poniendo el peso del cuerpo en las nalgas con el torso recto.

• -았- : 어떤 사건이 과거에 완료되었거나 그 사건의 결과가 현재까지 지속되는 상황을 나타내는 어미.
No hay expresión equivalente
Desinencia que se usa cuando cierto suceso fue acabado en el pasado o cuando el resultado de ese suceso continúa hasta el presente.

• -습니다 : (아주높임으로) 현재의 동작이나 상태, 사실을 정중하게 설명함을 나타내는 종결 어미.
No hay expresión equivalente
(TRATAMIENTO HONORÍFICO MÁXIMO) Desinencia de terminación que se usa cuando se explica respetuosamente la acción, estado o hecho del presente.

그러+더니 갑자기 고양이+가 "멍멍!" 하+고 짖+[어 대]+었+습니다. **짖어 댔습니다**

• **그러다 (Verbo)** : 앞에서 일어난 일이나 말한 것과 같이 그렇게 하다.
hacerlo así
Ejecutar algo tal y como se ha hecho o se ha dicho anteriormente.

• -더니 : 과거에 경험하여 알게 된 사실과 다른 새로운 사실이 있음을 나타내는 연결 어미.
No hay expresión equivalente
Desinencia conectora que se usa cuando se halla un nuevo hecho además del que había experimentado en el pasado.

• **갑자기 (Adverbio)** : 미처 생각할 틈도 없이 빨리.
de repente, repentinamente, de golpe, de pronto, súbitamente
Súbitamente, sin tiempo para discurrir.

• **고양이 (Sustantivo)** : 어두운 곳에서도 사물을 잘 보고 쥐를 잘 잡으며 집 안에서 기르기도 하는 자그마한 동물.
gato
Pequeño animal doméstico y con tan agudo sentido de la vista que en la oscuridad atrapa ratones.

• 가 : 어떤 상태나 상황에 놓인 대상이나 동작의 주체를 나타내는 조사.
No hay expresión equivalente
Posposición que se usa para indicar el objeto de cierto estado o situación o el agente de un movimiento.

• **멍멍 (Adverbio)** : 개가 짖는 소리.
¡guau, guau!
Ladrido de perros.

• **하다 (Verbo)** : 그런 소리가 나다. 또는 그런 소리를 내다.
sonar
Hacer ruido. O provocar un ruido.

• -고 : 앞의 말과 뒤의 말이 차례대로 일어남을 나타내는 연결 어미.
No hay expresión equivalente
Desinencia conectora que se usa cuando la palabra anterior y la posterior se producen sucesivamente.

• **짖다 (Verbo)** : 개가 크게 소리를 내다.
ladrar
Dar ladridos un perro.

• -어 대다 : 앞의 말이 나타내는 행동을 반복하거나 그 반복되는 행동의 정도가 심함을 나타내는 표현.
No hay expresión equivalente
Expresión que indica la repetición de alguna acción que indica el comentario anterior pero que la repetición del mismo se pasa del límite.

• -었- : 사건이 과거에 일어났음을 나타내는 어미.
No hay expresión equivalente
Desinencia que se usa cuando indica que el suceso ocurrió en el pasado.

• -습니다 : (아주높임으로) 현재의 동작이나 상태, 사실을 정중하게 설명함을 나타내는 종결 어미.
No hay expresión equivalente
(TRATAMIENTO HONORÍFICO MÁXIMO) Desinencia de terminación que se usa cuando se explica respetuosamente la acción, estado o hecho del presente.

이 소리+를 듣+고 쥐+는 어리둥절하+였+습니다.
어리둥절했습니다

• **이 (Determinante)** : 바로 앞에서 이야기한 대상을 가리킬 때 쓰는 말.
este
Palabra que se utiliza para designar al sujeto mencionado anteriormente.

• **소리 (Sustantivo)** : 물체가 진동하여 생긴 음파가 귀에 들리는 것.
sonido, resonancia
Sensación producida en el órgano del oído por el movimiento vibratorio de los cuerpos.

• 를 : 동작이 직접적으로 영향을 미치는 대상을 나타내는 조사.
No hay expresión equivalente
Posposición que indica el objeto que influye directamente en la acción.

• **듣다 (Verbo)** : 귀로 소리를 알아차리다.
oír
Percibir los sonidos a través del oído.

• -고 : 앞의 말과 뒤의 말이 차례대로 일어남을 나타내는 연결 어미.
No hay expresión equivalente
Desinencia conectora que se usa cuando la palabra anterior y la posterior se producen sucesivamente.

• **쥐 (Sustantivo)** : 사람의 집 근처 어두운 곳에서 살며 몸은 진한 회색에 긴 꼬리를 가지고 있는 작은 동물.
rata, ratón
Mamífero roedor de pelaje gris oscuro, tamaño pequeño y con una cola larga, que habita en lugares oscuros cerca de las casas.

• 는 : 문장 속에서 어떤 대상이 화제임을 나타내는 조사.
No hay expresión equivalente
Posposición que muestra que el referente es el tópico de una oración.

• **어리둥절하다 (Adjetivo)** : 일이 돌아가는 상황을 잘 알지 못해서 정신이 얼떨떨하다.
perplejo, desconcertado, confuso, extrañado, sorprendido
Que está muy confuso por no tener conocimiento de la situación.

• -였- : 사건이 과거에 일어났음을 나타내는 어미.
No hay expresión equivalente
Desinencia que se usa cuando indica que el suceso ocurrió en el pasado.

• -습니다 : (아주높임으로) 현재의 동작이나 상태, 사실을 정중하게 설명함을 나타내는 종결 어미.
No hay expresión equivalente
(TRATAMIENTO HONORÍFICO MÁXIMO) Desinencia de terminación que se usa cuando se explica respetuosamente la acción, estado o hecho del presente.

쥐 : 뭐+(이)+지? 뭐지

• **뭐 (Pronombre)** : 모르는 사실이나 사물을 가리키는 말.
¿qué?, ¿cuál?
Pronombre interrogativo que se usa para inquirir un hecho o una cosa.

• 이다 : 주어가 지시하는 대상의 속성이나 부류를 지정하는 뜻을 나타내는 서술격 조사.
No hay expresión equivalente
Posposición de caso atributivo, que se usa para designar el atributo o la clase del objeto al que se refiere el sujeto.

• -지 : (두루낮춤으로) 말하는 사람이 듣는 사람에게 친근함을 나타내며 물을 때 쓰는 종결 어미.
No hay expresión equivalente
(TRATAMIENTO DE MODESTIA GENERAL) Desinencia de terminación que se usa cuando el hablante interroga íntimamente al oyente.

쥐 : 쫓아오+던 <u>것(거)+이</u> <u>강아지+이+었+나</u>? 게 강아지였나

• **쫓아오다 (Verbo)** : 어떤 사람이나 물체의 뒤를 급히 따라오다.
perseguir
Seguir apresuradamente detrás de una persona o un objeto.

• -던 : 앞의 말이 관형어의 기능을 하게 만들고 사건이나 동작이 과거에 완료되지 않고 중단되었음을 나타내는 어미.
No hay expresión equivalente
Desinencia que hace que la palabra antecedente ejerza la función de un componente determinante, e indica que un suceso o una acción fue suspendida en un momento del pasado sin concluir.

• **것 (Sustantivo)** : 정확히 가리키는 대상이 정해지지 않은 사물이나 사실.
cosa, algo
Objeto o hecho no exactamente determinado.

• 이 : 어떤 상태나 상황의 대상이나 동작의 주체를 나타내는 조사.
No hay expresión equivalente
Posposición que se usa para indicar el objeto de cierto estado o situación o el agente de un movimiento.

• **강아지 (Sustantivo)** : 개의 새끼.
perrito, cachorro
Hijo de un perro.

• 이다 : 주어가 지시하는 대상의 속성이나 부류를 지정하는 뜻을 나타내는 서술격 조사.
No hay expresión equivalente
Posposición de caso atributivo, que se usa para designar el atributo o la clase del objeto al que se refiere el sujeto.

• -었- : 사건이 과거에 일어났음을 나타내는 어미.
No hay expresión equivalente
Desinencia que se usa cuando indica que el suceso ocurrió en el pasado.

• -나 : (두루낮춤으로) 물음이나 추측을 나타내는 종결 어미.
No hay expresión equivalente
(TRATAMIENTO DE MODESTIA GENERAL) Desinencia de terminación que se usa para preguntar o conjeturar.

쥐+는 너무 궁금하+여서 머리+를 살며시 구멍 밖+으로 내밀+었+습니다. 궁금해서

• **쥐 (Sustantivo)** : 사람의 집 근처 어두운 곳에서 살며 몸은 진한 회색에 긴 꼬리를 가지고 있는 작은 동물.
rata, ratón
Mamífero roedor de pelaje gris oscuro, tamaño pequeño y con una cola larga, que habita en lugares oscuros cerca de las casas.

• 는 : 문장 속에서 어떤 대상이 화제임을 나타내는 조사.
No hay expresión equivalente
Posposición que muestra que el referente es el tópico de una oración.

• **너무 (Adverbio)** : 일정한 정도나 한계를 훨씬 넘어선 상태로.
demasiado, excesivamente
Habiendo excedido en gran medida determinado nivel o límite.

• **궁금하다 (Adjetivo)** : 무엇이 무척 알고 싶다.
curioso
Con deseos de conocer o enterarse de algo.

• -여서 : 이유나 근거를 나타내는 연결 어미.
No hay expresión equivalente
Desinencia conectora que se usa para indicar causa o fundamento.

• **머리 (Sustantivo)** : 사람이나 동물의 몸에서 얼굴과 머리털이 있는 부분을 모두 포함한 목 위의 부분.
cabeza
En el cuerpo de personas o animales, parte superior al cuello incluyendo toda la cara y la parte del cabello.

• 를 : 동작이 직접적으로 영향을 미치는 대상을 나타내는 조사.
No hay expresión equivalente
Posposición que indica el objeto que influye directamente en la acción.

• **살며시 (Adverbio)** : 남이 모르도록 조용히 조심스럽게.
furtivamente, secretamente
Que se hace a escondidas para evitar que otros lo noten.

• **구멍 (Sustantivo)** : 뚫어지거나 파낸 자리.
agujero, hoyo, hueco
Perforación o excavación en un terreno.

• **밖 (Sustantivo)** : 선이나 경계를 넘어선 쪽.
afuera
Lado que traspasa un límite o una línea.

• 으로 : 움직임의 방향을 나타내는 조사.
No hay expresión equivalente
Posposición que se usa para indicar la dirección del movimiento.

• **내밀다 (Verbo)** : 몸이나 물체의 일부분이 밖이나 앞으로 나가게 하다.
empujar, extender, alargar, asomar
Hacer que se extienda hacia afuera o adelante una parte del cuerpo u objeto.

• -었- : 사건이 과거에 일어났음을 나타내는 어미.
No hay expresión equivalente
Desinencia que se usa cuando indica que el suceso ocurrió en el pasado.

• -습니다 : (아주높임으로) 현재의 동작이나 상태, 사실을 정중하게 설명함을 나타내는 종결 어미.
No hay expresión equivalente
(TRATAMIENTO HONORÍFICO MÁXIMO) Desinencia de terminación que se usa cuando se explica respetuosamente la acción, estado o hecho del presente.

이때 쥐+가 고양이+에게 잡히+[고 말]+았+습니다.

• **이때 (Sustantivo)** : 바로 지금. 또는 바로 앞에서 이야기한 때.
en este momento, en esta ocasión, ahora
Ahora mismo o el momento que se ha dicho inmediatamente antes.

• **쥐 (Sustantivo)** : 사람의 집 근처 어두운 곳에서 살며 몸은 진한 회색에 긴 꼬리를 가지고 있는 작은 동물.
rata, ratón
Mamífero roedor de pelaje gris oscuro, tamaño pequeño y con una cola larga, que habita en lugares oscuros cerca de las casas.

• 가 : 어떤 상태나 상황에 놓인 대상이나 동작의 주체를 나타내는 조사.
No hay expresión equivalente
Posposición que se usa para indicar el objeto de cierto estado o situación o el agente de un movimiento.

• **고양이 (Sustantivo)** : 어두운 곳에서도 사물을 잘 보고 쥐를 잘 잡으며 집 안에서 기르기도 하는 자그마한 동물.
gato
Pequeño animal doméstico y con tan agudo sentido de la vista que en la oscuridad atrapa ratones.

• 에게 : 어떤 행동의 주체이거나 비롯되는 대상임을 나타내는 조사.
No hay expresión equivalente
Posposición que indica ser el agente u objeto del que procede cierta acción.

• **잡히다 (Verbo)** : 도망가지 못하게 붙들리다.
ser arrestado, ser apresado
Ser detenido para que no se escape.

• -고 말다 : 앞에 오는 말이 가리키는 행동이 안타깝게도 끝내 일어났음을 나타내는 표현.
No hay expresión equivalente
Expresión que indica que la acción que representa la parte anterior de la cláusula ocurrió lamentablemente.

• -았- : 어떤 사건이 과거에 완료되었거나 그 사건의 결과가 현재까지 지속되는 상황을 나타내는 어미.
No hay expresión equivalente
Desinencia que se usa cuando cierto suceso fue acabado en el pasado o cuando el resultado de ese suceso continúa hasta el presente.

• -습니다 : (아주높임으로) 현재의 동작이나 상태, 사실을 정중하게 설명함을 나타내는 종결 어미.
No hay expresión equivalente
(TRATAMIENTO HONORÍFICO MÁXIMO) Desinencia de terminación que se usa cuando se explica respetuosamente la acción, estado o hecho del presente.

의기양양하+게 쥐+를 물+고 가+면서 고양이+가 이렇+게 말하+였+습니다. **말했습니다**

• **의기양양하다 (Adjetivo)** : 원하던 일을 이루어 만족스럽고 자랑스러운 마음이 얼굴에 나타난 상태이다.
orgulloso, engreído, soberbio
Que expresa en su rostro su satisfacción u orgullo por cumplir exitosamente una meta.

• -게 : 앞의 말이 뒤에서 가리키는 일의 목적이나 결과, 방식, 정도 등이 됨을 나타내는 연결 어미.
No hay expresión equivalente
Desinencia conectora que se usa cuando la palabra anterior es el objetivo, resultado, método, grado, etc. que indica al posterior.

• **쥐 (Sustantivo)** : 사람의 집 근처 어두운 곳에서 살며 몸은 진한 회색에 긴 꼬리를 가지고 있는 작은 동물.

rata, ratón

Mamífero roedor de pelaje gris oscuro, tamaño pequeño y con una cola larga, que habita en lugares oscuros cerca de las casas.

• 를 : 동작이 직접적으로 영향을 미치는 대상을 나타내는 조사.

No hay expresión equivalente

Posposición que indica el objeto que influye directamente en la acción.

• **물다 (Verbo)** : 윗니와 아랫니 사이에 어떤 것을 끼워 넣고 벌어진 두 이를 다물어 상처가 날 만큼 아주 세게 누르다.

morder, tarascar, herir, lesionar

Poner algo entre los dientes y morder fuertemente con los dientes a tal punto de producir heridas.

• -고 : 앞의 말이 나타내는 행동이나 그 결과가 뒤에 오는 행동이 일어나는 동안에 그대로 지속됨을 나타내는 연결 어미.

No hay expresión equivalente

Desinencia conectora que se usa cuando la acción y su resultado que indica la palabra anterior siguen igual que durante el desarrollo de la acción que viene después.

• **가다 (Verbo)** : 한 곳에서 다른 곳으로 장소를 이동하다.

Ir

Trasladarse de un lugar a otro.

• -면서 : 두 가지 이상의 동작이나 상태가 함께 일어남을 나타내는 연결 어미.

No hay expresión equivalente

Desinencia conectora que se usa cuando se contraponen más de dos acciones o estados.

• **고양이 (Sustantivo)** : 어두운 곳에서도 사물을 잘 보고 쥐를 잘 잡으며 집 안에서 기르기도 하는 자그마한 동물.

gato

Pequeño animal doméstico y con tan agudo sentido de la vista que en la oscuridad atrapa ratones.

• 가 : 어떤 상태나 상황에 놓인 대상이나 동작의 주체를 나타내는 조사.

No hay expresión equivalente

Posposición que se usa para indicar el objeto de cierto estado o situación o el agente de un movimiento.

• **이렇다 (Adjetivo)** : 상태, 모양, 성질 등이 이와 같다.

tal

Dicho del estado, la forma o el carácter de algo: que es como este.

• -게 : 앞의 말이 뒤에서 가리키는 일의 목적이나 결과, 방식, 정도 등이 됨을 나타내는 연결 어미.
No hay expresión equivalente
Desinencia conectora que se usa cuando la palabra anterior es el objetivo, resultado, método, grado, etc. que indica al posterior.

• **말하다** (Verbo) : 어떤 사실이나 자신의 생각 또는 느낌을 말로 나타내다.
decir
Expresar oralmente un pensamiento, un hecho, una sensación, etc.

• -였- : 사건이 과거에 일어났음을 나타내는 어미.
No hay expresión equivalente
Desinencia que se usa cuando indica que el suceso ocurrió en el pasado.

• -습니다 : (아주높임으로) 현재의 동작이나 상태, 사실을 정중하게 설명함을 나타내는 종결 어미.
No hay expresión equivalente
(TRATAMIENTO HONORÍFICO MÁXIMO) Desinencia de terminación que se usa cuando se explica respetuosamente la acción, estado o hecho del presente.

고양이 : 요즘+은 먹고살+려면 적어도 이 개 국어+는 하+[여야 되]+어.
해야 돼

• **요즘** (Sustantivo) : 아주 가까운 과거부터 지금까지의 사이.
estos días
Desde un pasado cercano hasta ahora.

• 은 : 문장 속에서 어떤 대상이 화제임을 나타내는 조사.
No hay expresión equivalente
Posposición que se usa para indicar que cierto objeto es tópico en la oración.

• **먹고살다** (Verbo) : 생계를 유지하다.
ganarse la vida
Proveerse el propio sustento para vivir.

• -려면 : 어떤 행동을 할 의도나 의향이 있는 경우를 가정할 때 쓰는 연결 어미.
No hay expresión equivalente
Desinencia conectora que se usa cuando se conjetura la intención o la voluntad de llevar a cabo cierta acción.

• **적어도** (Adverbio) : 아무리 적게 잡아도.
a lo menos, por lo menos, al menos
Como mínimo.

• **이 (Determinante)** : 둘의.
dos
De dos.

• **개 (Sustantivo)** : 낱으로 떨어진 물건을 세는 단위.
No hay expresión equivalente
Unidad de conteo de objetos.

• **국어 (Sustantivo)** : 한 나라의 국민들이 사용하는 말.
idioma, lengua
Lengua que comparten los hablantes de un país.

• 는 : 강조의 뜻을 나타내는 조사.
No hay expresión equivalente
Posposición que indica énfasis.

• **하다 (Verbo)** : 어떤 행동이나 동작, 활동 등을 행하다.
hacer, realizar
Llevar a cabo un acto o una acción.

• -여야 되다 : 반드시 그럴 필요나 의무가 있음을 나타내는 표현.
No hay expresión equivalente
Expresión que indica que sí o sí tiene tal necesidad u obligación.

• -어 : (두루낮춤으로) 어떤 사실을 서술하거나 물음, 명령, 권유를 나타내는 종결 어미.
No hay expresión equivalente
(TRATAMIENTO DE MODESTIA GENERAL) Desinencia de terminación que se usa cuando se describe cierto hecho; o pregunta, ordena o reclama algo.

< 3 단원(unidad) >

제목 : 이게 다 엄마 때문이야.

● 본문 (contexto principal)

유치원에 들어간 아이는 치아가 너무 못생겨서 친구들에게 많은 놀림을 받았다.

견디다 못한 아이는 엄마에게 투정을 부렸다.

아이 : 엄마, 이빨이 이상하다고 친구들이 자꾸만 놀려요.

치과에 가서 이빨 교정 좀 해 주세요.

엄마 : 야, 그게 얼마나 비싼데.

아이 : 몰라, 이게 다 엄마 때문이야.

엄마가 날 이렇게 낳았잖아.

그러자 엄마가 하는 한마디.

엄마 : 너 낳았을 때 이빨 없었거든, 이것아!

● 발음 (pronunciación)

유치원에 들어간 아이는 치아가 너무 못생겨서 친구들에게 많은 놀림을 받았다.
유치워네 드러간 아이는 치아가 너무 몯쌩겨서 친구드레게 마는 놀리믈 바닫따.
yuchiwone deureogan aineun chiaga neomu motsaenggyeoseo chingudeurege maneun nollimeul badatda.

견디다 못한 아이는 엄마에게 투정을 부렸다.
견디다 모탄 아이는 엄마에게 투정을 부렫따.
gyeondida motan aineun eommaege tujeongeul buryeotda.

아이 : 엄마, 이빨이 이상하다고 친구들이 자꾸만 놀려요.
아이 : 엄마, 이빠리 이상하다고 친구드리 자꾸만 놀려요.
ai : eomma, ippari isanghadago chingudeuri jakkuman nollyeoyo.

치과에 가서 이빨 교정 좀 해 주세요.
치꽈에 가서 이빨 교정 좀 해 주세요.
chigwae gaseo ippal gyojeong jom hae juseyo.

엄마 : 야, 그게 얼마나 비싼데.
엄마 : 야, 그게 얼마나 비싼데.
eomma : ya, geuge eolmana bissande.

아이 : 몰라, 이게 다 엄마 때문이야.
아이 : 몰라, 이게 다 엄마 때무니야.
ai : molla, ige da eomma ttaemuniya.

엄마가 날 이렇게 낳았잖아.
엄마가 날 이러케 나앋짜나.
eommaga nal ireoke naatjana.

그러자 엄마가 하는 한마디.
그러자 엄마가 하는 한마디.
geureoja eommaga haneun hanmadi.

엄마 : 너 낳았을 때 이빨 없었거든, 이것아!

엄마 : 너 나아쓸 때 이빨 업썯꺼든, 이거사!

eomma : neo naasseul ttae ippal eopseotgeodeun, igeosa!

● 어휘 (palabra) / 문법 (gramática)

유치원+에 들어가+ㄴ 아이+는 치아+가 너무 못생기+어서 친구+들+에게 많+은 놀림+을 받+았+다.

견디+다 못하+ㄴ 아이+는 엄마+에게 투정+을 부리+었+다.

아이 : 엄마, 이빨+이 이상하+다고 친구+들+이 자꾸만 놀리+어요.

치과+에 가+(아)서 이빨 교정 좀 하+여 주+세요.

엄마 : 야, 그것(그거)+이 얼마나 비싸+ㄴ데.

아이 : 모르(몰ㄹ)+아, 이것(이거)+이 다 엄마 때문+이+야.

엄마+가 나+를 이렇+게 낳+았+잖아.

그리하+자 엄마+가 하+는 한마디.

엄마 : 너 낳+았+을 때 이빨 없+었+거든, 이것+아!

유치원+에 들어가+ㄴ 아이+는 치아+가 너무 못생기+어서 친구+들+에게 많+은 놀림+을 받+았+다.
들어간 못생겨서

• **유치원 (Sustantivo)** : 초등학교 입학 이전의 어린이들을 교육하는 기관 및 시설.
jardín de infancia
Institución o establecimiento de educación para niños de edad preescolar.

• 에 : 앞말이 어떤 장소나 자리임을 나타내는 조사.
No hay expresión equivalente
Posposición que se usa cuando la palabra anterior indica cierto lugar o sitio.

• **들어가다 (Verbo)** : 어떤 단체의 구성원이 되다.
entrar
Ingresar y formar parte de una empresa, institución, etc.

• -ㄴ : 앞의 말이 관형어의 기능을 하게 만들고 사건이나 동작이 완료되어 그 상태가 유지되고 있음을 나타내는 어미.
No hay expresión equivalente
Desinencia que hace que la palabra antecedente ejerza la función de una palabra determinante, e indica que un suceso o una acción se mantiene en el mismo estado que cuando concluyó en un momento del pasado.

• **아이 (Sustantivo)** : 나이가 어린 사람.
niño, nene, chico
Persona que tiene pocos años.

• 는 : 문장 속에서 어떤 대상이 화제임을 나타내는 조사.
No hay expresión equivalente
Posposición que muestra que el referente es el tópico de una oración.

• **치아 (Sustantivo)** : 음식물을 씹는 일을 하는 기관.
dentadura
Órgano que tiene como función masticar alimentos.

• 가 : 어떤 상태나 상황에 놓인 대상이나 동작의 주체를 나타내는 조사.
No hay expresión equivalente
Posposición que se usa para indicar el objeto de cierto estado o situación o el agente de un movimiento.

• **너무 (Adverbio)** : 일정한 정도나 한계를 훨씬 넘어선 상태로.
demasiado, excesivamente
Habiendo excedido en gran medida determinado nivel o límite.

- **못생기다** (Verbo) : 생김새가 보통보다 못하다.
  feo, antiestético
  De una apariencia que no llega al promedio.

- -어서 : 이유나 근거를 나타내는 연결 어미.
  No hay expresión equivalente
  Desinencia conectora que se usa para indicar causa o fundamento.

- **친구** (Sustantivo) : 사이가 가까워 서로 친하게 지내는 사람.
  amigo
  Persona cercana con quien alguien se lleva bien al mantener una buena relación.

- 들 : '복수'의 뜻을 더하는 접미사.
  No hay expresión equivalente
  Sufijo que añade el significado de 'plural'.

- 에게 : 어떤 행동의 주체이거나 비롯되는 대상임을 나타내는 조사.
  No hay expresión equivalente
  Posposición que indica ser el agente u objeto del que procede cierta acción.

- **많다** (Adjetivo) : 수나 양, 정도 등이 일정한 기준을 넘다.
  mucho, generoso, abundante, satisfactorio, cuantioso
  Que supera un determinado criterio en número, cantidad o nivel.

- -은 : 앞의 말이 관형어의 기능을 하게 만들고 현재의 상태를 나타내는 어미.
  No hay expresión equivalente
  Desinencia que hace que la palabra antecedente ejerza la función de un componente determinante, e indica que el estado del presente.

- **놀림** (Sustantivo) : 남의 실수나 약점을 잡아 웃음거리로 만드는 일.
  burla
  Acción de poner en ridículo algún error o defecto de alguien.

- 을 : 동작이 직접적으로 영향을 미치는 대상을 나타내는 조사.
  No hay expresión equivalente
  Posposición que se usa para indicar el objeto que ha sido influido directamente por una acción.

- **받다** (Verbo) : 다른 사람이 하는 행동, 심리적인 작용 등을 당하거나 입다.
  recibir, cobrar, ganar, tener, obtener, tomar, coger, acoger
  Tener o recibir impacto por el comportamiento o el estado de ánimo de otra persona.

- -았- : 사건이 과거에 일어났음을 나타내는 어미.
  No hay expresión equivalente
  Desinencia que se usa para mostrar que el suceso ocurrió en el pasado.

• -다 : 어떤 사건이나 사실, 상태를 서술함을 나타내는 종결 어미.
No hay expresión equivalente
Desinencia de terminación que se usa cuando se describe un suceso o hecho del presente.

견디+[다 못하]+ㄴ 아이+는 엄마+에게 투정+을 부리+었+다.
견디다 못한 **부렸다**

• **견디다 (Verbo)** : 힘들거나 어려운 것을 참고 버티어 살아 나가다.
aguantar
Tolerar o soportar algo difícil o pesado.

• -다 못하다 : 앞의 말이 나타내는 행동을 더 이상 계속할 수 없음을 나타내는 표현.
No hay expresión equivalente
Expresión que se usa para mostrar que un acto que representa el comentario anterior no puede continuar más.

• -ㄴ : 앞의 말이 관형어의 기능을 하게 만들고 사건이나 동작이 과거에 일어났음을 나타내는 어미.
No hay expresión equivalente
Desinencia que hace que la palabra antecedente ejerza la función de una palabra determinante, e indica que un suceso o una acción se produjo en el pasado.

• **아이 (Sustantivo)** : 나이가 어린 사람.
niño, nene, chico
Persona que tiene pocos años.

• 는 : 문장 속에서 어떤 대상이 화제임을 나타내는 조사.
No hay expresión equivalente
Posposición que muestra que el referente es el tópico de una oración.

• **엄마 (Sustantivo)** : 격식을 갖추지 않아도 되는 상황에서 어머니를 이르거나 부르는 말.
mamá
Palabra que se usa para referirse o llamar a la madre de uno en un entorno informal.

• 에게 : 어떤 행동이 미치는 대상임을 나타내는 조사.
No hay expresión equivalente
Posposición que indica ser un objeto influyente de cierta acción.

• **투정 (Sustantivo)** : 무엇이 모자라거나 마음에 들지 않아 떼를 쓰며 조르는 일.
queja, refunfuñadura
Acción de manifestar su disconformidad con alguien o algo que le resulta insatisfactorio o insuficiente.

• 을 : 동작이 직접적으로 영향을 미치는 대상을 나타내는 조사.
No hay expresión equivalente
Posposición que se usa para indicar el objeto que ha sido influido directamente por una acción.

• **부리다 (Verbo)** : 바람직하지 못한 행동이나 성질을 계속 드러내거나 보이다.
mostrar, enseñar, exponer, manifestar
Seguir mostrando continuamente una actitud o carácter indeseable.

• -었- : 사건이 과거에 일어났음을 나타내는 어미.
No hay expresión equivalente
Desinencia que se usa para mostrar que el suceso ocurrió en el pasado.

• -다 : 어떤 사건이나 사실, 상태를 서술함을 나타내는 종결 어미.
No hay expresión equivalente
Desinencia de terminación que se usa cuando se describe un suceso o hecho del presente.

아이 : 엄마, 이빨+이 이상하+다고 친구+들+이 자꾸만 <u>놀리+어요</u>. **놀려요**

• **엄마 (Sustantivo)** : 격식을 갖추지 않아도 되는 상황에서 어머니를 이르거나 부르는 말.
mamá
Palabra que se usa para referirse o llamar a la madre de uno en un entorno informal.

• **이빨 (Sustantivo)** : (낮잡아 이르는 말로) 사람이나 동물의 입 안에 있으며, 무엇을 물거나 씹는 데 쓰는 기관.
diente
(PEYORATIVO) Órgano que se encuentra dentro de la boca de una persona o un animal y realiza el trabajo de masticar un alimento o morder algo.

• 이 : 어떤 상태나 상황의 대상이나 동작의 주체를 나타내는 조사.
No hay expresión equivalente
Posposición que se usa para indicar el objeto de cierto estado o situación o el agente de un movimiento.

• **이상하다 (Adjetivo)** : 정상적인 것과 다르다.
extraño, raro, anormal, anómalo, singular
Que es diferente a lo normal.

• -다고 : 어떤 행위의 목적, 의도를 나타내거나 어떤 상황의 이유, 원인을 나타내는 연결 어미.
No hay expresión equivalente
Desinencia conectora que se usa cuando se muestra el objetivo o la intención sobre cierta acción o indica la causa o la razón de cierta circunstancia.

• **친구 (Sustantivo)** : 사이가 가까워 서로 친하게 지내는 사람.
amigo
Persona cercana con quien alguien se lleva bien al mantener una buena relación.

• 들 : '복수'의 뜻을 더하는 접미사.
No hay expresión equivalente
Sufijo que añade el significado de 'plural'.

• 이 : 어떤 상태나 상황의 대상이나 동작의 주체를 나타내는 조사.
No hay expresión equivalente
Posposición que se usa para indicar el objeto de cierto estado o situación o el agente de un movimiento.

• **자꾸만 (Adverbio)** : (강조하는 말로) 자꾸.
frecuentemente, repetidamente
(ENFÁTICO) Repetidas veces.
자꾸 (Adverbio) : 여러 번 계속하여.
frecuentemente, repetidamente, a menudo
Repetidas veces.

• **놀리다 (Verbo)** : 실수나 약점을 잡아 웃음거리로 만들다.
burlar
Acción con la que otras personas ridiculizan a alguien al señalarle las debilidades o errores.

• -어요 : (두루높임으로) 어떤 사실을 서술하거나 질문, 명령, 권유함을 나타내는 종결 어미.
No hay expresión equivalente
(TRATAMIENTO HONORÍFICO GENERAL) Desinencia de terminación que se usa cuando se describe cierto hecho; o pregunta, ordena o reclama algo.

아이 : 치과+에 가+(아)서 이빨 교정 좀 하+[여 주]+세요.
가서 해 주세요

• **치과 (Sustantivo)** : 이와 더불어 잇몸 등의 지지 조직, 구강 등의 질병을 치료하는 의학 분야. 또는 그 분야의 병원.
odontología, departamento de odontología, hospital de odontología
Rama de la ciencia médica que estudia y trata las enfermedades que afectan a los dientes, los tejidos de soporte como las encías, y la cavidad bucal. U hospital especializado en dicha rama de la ciencia médica.

• 에 : 앞말이 목적지이거나 어떤 행위의 진행 방향임을 나타내는 조사.
No hay expresión equivalente
Posposición que se usa cuando la palabra anterior indica el destino o la dirección de avance de cierta acción.

• **가다 (Verbo)** : 어떤 목적을 가지고 일정한 곳으로 움직이다.
Ir
Trasladarse a cierto lugar con objetivo determinado.

• -아서 : 앞의 말과 뒤의 말이 순차적으로 일어남을 나타내는 연결 어미.
No hay expresión equivalente
Desinencia conectora que se usa cuando la palabra anterior y la posterior ocurren consecutivamente.

• **이빨 (Sustantivo)** : (낮잡아 이르는 말로) 사람이나 동물의 입 안에 있으며, 무엇을 물거나 씹는 데 쓰는 기관.
diente
(PEYORATIVO) Órgano que se encuentra dentro de la boca de una persona o un animal y realiza el trabajo de masticar un alimento o morder algo.

• **교정 (Sustantivo)** : 고르지 못하거나 틀어지거나 잘못된 것을 바로잡음.
tratamiento corrector
Mejora de algo que está equivocado, está torcido o no es uniforme.

• **좀 (Adverbio)** : 주로 부탁이나 동의를 구할 때 부드러운 느낌을 주기 위해 넣는 말.
por favor
Palabra que generalmente se añade para dar sensación de suavidad al pedir un favor o apoyo.

• **하다 (Verbo)** : 어떤 행동이나 동작, 활동 등을 행하다.
hacer, realizar
Llevar a cabo un acto o una acción.

• -여 주다 : 남을 위해 앞의 말이 나타내는 행동을 함을 나타내는 표현.
No hay expresión equivalente
Expresión que indica la realización de una acción que indica el comentario anterior para el bien del otro.

• -세요 : (두루높임으로) 설명, 의문, 명령, 요청의 뜻을 나타내는 종결 어미.
No hay expresión equivalente
(TRATAMIENTO HONORÍFICO GENERAL) Desinencia de terminación que se usa cuando se manifiesta el sentido de explicación, duda, orden, reclamación, etc.

엄마 : 야, 그것(그거)+이 얼마나 비싸+ㄴ데. 그게 비싼데

• **야 (Interjección)** : 놀라거나 반가울 때 내는 소리.
¡ay!, ¡ah!, ¡hombre!
Interjección que se usa cuando uno se asusta o se alegra.

• **그것 (Pronombre)** : 앞에서 이미 이야기한 대상을 가리키는 말.
eso, esa persona
Pronombre que designa a un referente ya mencionado.

• 이 : 앞의 말을 강조하는 뜻을 나타내는 조사.
No hay expresión equivalente
Posposición que pone énfasis en la palabra antecedente.

• **얼마나 (Adverbio)** : 상태나 느낌 등의 정도가 매우 크고 대단하게.
cuánto
Grande y extraordinario el grado de un estado, sentimiento, etc.

• **비싸다 (Adjetivo)** : 물건값이나 어떤 일을 하는 데 드는 비용이 보통보다 높다.
caro, costoso, cotizado, altivo
Que exige un precio o un costo más alto del promedio.

• -ㄴ데 : (두루낮춤으로) 듣는 사람의 반응을 기대하며 어떤 일에 대해 감탄함을 나타내는 종결 어미.
No hay expresión equivalente
(TRATAMIENTO DE MODESTIA GENERAL) Desinencia de terminación que se usa cuando se admira cierto hecho del pasado esperando la reacción del oyente.

아이 : 모르(몰ㄹ)+아, 이것(이거)+이 다 엄마 때문+이+야. 몰라 이게

• **모르다 (Verbo)** : 사람이나 사물, 사실 등을 알지 못하거나 이해하지 못하다.
desconocer
No conocer algo o a alguien, o no comprenderlos.

• -아 : (두루낮춤으로) 어떤 사실을 서술하거나 물음, 명령, 권유를 나타내는 종결 어미.
No hay expresión equivalente
(TRATAMIENTO DE MODESTIA GENERAL) Desinencia de terminación que se usa cuando se describe cierto hecho; o pregunta, ordena o reclama algo.

• **이것 (Pronombre)** : 바로 앞에서 이야기한 대상을 가리키는 말.
este
Palabra que se utiliza para designar al sujeto mencionado anteriormente.

• 이 : 어떤 상태나 상황의 대상이나 동작의 주체를 나타내는 조사.
No hay expresión equivalente
Posposición que se usa para indicar el objeto de cierto estado o situación o el agente de un movimiento.

• **다 (Adverbio)** : 남거나 빠진 것이 없이 모두.
todo
Enteramente, sin falta alguna.

• **엄마 (Sustantivo)** : 격식을 갖추지 않아도 되는 상황에서 어머니를 이르거나 부르는 말.
mamá
Palabra que se usa para referirse o llamar a la madre de uno en un entorno informal.

• **때문 (Sustantivo)** : 어떤 일의 원인이나 이유.
causa, motivo, razón
Causa o motivo de cierta cosa.

• 이다 : 주어가 지시하는 대상의 속성이나 부류를 지정하는 뜻을 나타내는 서술격 조사.
No hay expresión equivalente
Posposición de caso atributivo, que se usa para designar el atributo o la clase del objeto al que se refiere el sujeto.

• -야 : (두루낮춤으로) 어떤 사실에 대하여 서술하거나 물음을 나타내는 종결 어미.
No hay expresión equivalente
(TRATAMIENTO DE MODESTIA GENERAL) Desinencia de terminación que se usa cuando se describe o interroga sobre cierto hecho.

아이 : 엄마+가 나+를 이렇+게 낳+았+잖아.
날

• **엄마 (Sustantivo)** : 격식을 갖추지 않아도 되는 상황에서 어머니를 이르거나 부르는 말.
mamá
Palabra que se usa para referirse o llamar a la madre de uno en un entorno informal.

• 가 : 어떤 상태나 상황에 놓인 대상이나 동작의 주체를 나타내는 조사.
No hay expresión equivalente
Posposición que se usa para indicar el objeto de cierto estado o situación o el agente de un movimiento.

• **나 (Pronombre)** : 말하는 사람이 친구나 아랫사람에게 자기를 가리키는 말.
yo
Pronombre que usa el hablante para referirse a sí mismo ante alguien de edad igual o menor.

• **를** : 동작이 간접적인 영향을 미치는 대상이나 목적임을 나타내는 조사.
No hay expresión equivalente
Posposición que indica el objeto o el objetivo que influye indirectamente la acción.

• **이렇다 (Adjetivo)** : 상태, 모양, 성질 등이 이와 같다.
tal
Que la cualidad, la forma, el estado, etc. es como esto.

• **-게** : 앞의 말이 뒤에서 가리키는 일의 목적이나 결과, 방식, 정도 등이 됨을 나타내는 연결 어미.
No hay expresión equivalente
Desinencia conectora que se usa cuando la palabra anterior es el objetivo, resultado, método, grado, etc. que indica al posterior.

• **낳다 (Verbo)** : 배 속의 아이, 새끼, 알을 몸 밖으로 내보내다.
parir, alumbrar, dar a luz, engendrar, procrear
Expulsar el feto, la cría o el huevo que tenía concebido.

• **-았-** : 사건이 과거에 일어났음을 나타내는 어미.
No hay expresión equivalente
Desinencia que se usa para mostrar que el suceso ocurrió en el pasado.

• **-잖아** : (두루낮춤으로) 어떤 상황에 대해 말하는 사람이 상대방에게 확인하거나 정정해 주듯이 말함을 나타내는 표현.
No hay expresión equivalente
(TRATAMIENTO DE MODESTIA GENERAL) Expresión que se usa para hablar como si se estuviera corrigiendo o verificando al adversario alguna situación.

그리하+자 엄마+가 하+는 한마디.
그러자

• **그리하다 (verbo)** : 앞에서 일어난 일이나 말한 것과 같이 그렇게 하다.
hacer así
Hacer que se realice tal como ha sucedido o se ha mencionado anteriormente.

• -자 : 앞의 말이 나타내는 동작이 끝난 뒤 곧 뒤의 말이 나타내는 동작이 잇따라 일어남을 나타내는 연결 어미.

No hay expresión equivalente

Desinencia conectora que se usa cuando se produce una acción inmediatamente después de haber terminado la acción anterior.

• **엄마 (Sustantivo)** : 격식을 갖추지 않아도 되는 상황에서 어머니를 이르거나 부르는 말.

mamá

Palabra que se usa para referirse o llamar a la madre de uno en un entorno informal.

• 가 : 어떤 상태나 상황에 놓인 대상이나 동작의 주체를 나타내는 조사.

No hay expresión equivalente

Posposición que se usa para indicar el objeto de cierto estado o situación o el agente de un movimiento.

• **하다 (Verbo)** : 다른 사람의 말이나 생각 등을 나타내는 문장을 받아 뒤에 오는 단어를 꾸미는 말.

No hay expresión equivalente

Lo que acompaña a la palabra que representa un pensamiento o el comentario de la otra persona, que se acaba de mencionar.

• -는 : 앞의 말이 관형어의 기능을 하게 만들고 사건이나 동작이 현재 일어남을 나타내는 어미.

No hay expresión equivalente

Desinencia que hace que la palabra antecedente ejerza la función de un componente determinante, e indica que un suceso o una acción se produce en el presente.

• **한마디 (Sustantivo)** : 짧고 간단한 말.

una palabra

alocución corta y simple.

엄마 : 너 낳+았+[을 때] 이빨 없+었+거든, 이것+아!

• **너 (Pronombre)** : 듣는 사람이 친구나 아랫사람일 때, 그 사람을 가리키는 말.

tú, vos

Pronombre que designa al oyente cuando éste es de la misma edad o menor que el hablante.

• **낳다 (Verbo)** : 배 속의 아이, 새끼, 알을 몸 밖으로 내보내다.

parir, alumbrar, dar a luz, engendrar, procrear

Expulsar el feto, la cría o el huevo que tenía concebido.

• -았- : 사건이 과거에 일어났음을 나타내는 어미.

No hay expresión equivalente

Desinencia que se usa para mostrar que el suceso ocurrió en el pasado.

• -을 때 : 어떤 행동이나 상황이 일어나는 동안이나 그 시기 또는 그러한 일이 일어난 경우를 나타내는 표현.
No hay expresión equivalente
Expresión que indica el surgimiento de un mismo hecho o de algo en un mismo tiempo, mientras surge alguna situación o se realiza alguna acción.

• **이빨 (Sustantivo)** : (낮잡아 이르는 말로) 사람이나 동물의 입 안에 있으며, 무엇을 물거나 씹는 데 쓰는 기관.
diente
(PEYORATIVO) Órgano que se encuentra dentro de la boca de una persona o un animal y realiza el trabajo de masticar un alimento o morder algo.

• **없다 (Adjetivo)** : 사람, 사물, 현상 등이 어떤 곳에 자리나 공간을 차지하고 존재하지 않는 상태이다.
inexistente, irreal
Estado en que una persona, un objeto o un fenómeno no ocupa un espacio ni existe.

• -었- : 사건이 과거에 일어났음을 나타내는 어미.
No hay expresión equivalente
Desinencia que se usa cuando indica que el suceso ocurrió en el pasado.

• -거든 : (두루낮춤으로) 앞의 내용에 대해 말하는 사람이 생각한 이유나 원인, 근거를 나타내는 종결 어미.
No hay expresión equivalente
(TRATAMIENTO DE MODESTIA GENERAL) Desinencia de terminación que se usa cuando la persona que habla sobre el contenido anterior muestra la razón, causa o fundamento de su idea.

• **이것 (Pronombre)** : (귀엽게 이르는 말로) 이 아이.
este
(EN TONO ADORABLE). Este niño / Esta niña.

• 아 : 친구나 아랫사람, 동물 등을 부를 때 쓰는 조사.
No hay expresión equivalente
Posposición que el hablante añade al nombre de un amigo, alguien más joven que él o a un animal cuando quiere llamarlo.

< 4 단원(unidad) >

제목 : 아빠, 물 좀 갖다주세요.

● 본문 (contexto principal)

늦은 오후 방에 늘어져 있던 아들은 시원한 물 한 잔이 먹고 싶어졌다.

그러나 꼼짝하기도 싫은 아들은 거실에서 텔레비전을 보고 계시던 아빠에게 큰 소리로 말했다.

아들 : 아빠, 물 좀 갖다주세요.

아빠 : 냉장고에 있으니까 네가 꺼내 먹어.

십 분 후

아들 : 아빠, 물 좀 갖다주세요.

아빠 : 네가 직접 가서 마시라니까.

아빠의 목소리는 점점 짜증이 섞이면서 톤이 높아지고 있었다.

그러나 이에 굴하지 않고 아들은 또 다시 외쳤다.

아들 : 아빠, 물 좀 갖다주세요.

아빠 : 네가 갖다 먹으라고.

한 번만 더 부르면 혼내 주러 간다.

아빠는 이제 단단히 화가 나셨다.

하지만 아들은 지칠 줄 모르고 다시 십 분 후에 이렇게 말했다.

아들 : 아빠, 저 혼내러 오실 때 물 좀 갖다주세요.

● 발음 (pronunciación)

늦은 오후 방에 늘어져 있던 아들은 시원한 물 한 잔이 먹고 싶어졌다.
느즌 오후 방에 느러저 읻떤 아드른 시원한 물 한 자니 먹꼬 시퍼젇따.
neujeun ohu bange neureojeo itdeon adeureun siwonhan mul han jani meokgo sipeojeotda.

그러나 꼼짝하기도 싫은 아들은 거실에서 텔레비전을 보고 계시던 아빠에게 큰 소리로 말했다.
그러나 꼼짜카기도 시른 아드른 거시레서 텔레비저늘 보고 계시던 아빠에게 큰 소리로 말핻따.
geureona kkomjjakagido sireun adeureun geosireseo tellebijeoneul bogo gyesideon appaege keun soriro malhaetda.

아들 : 아빠, 물 좀 갖다주세요.
아들 : 아빠, 물 좀 갇따주세요.
adeul : appa, mul jom gatdajuseyo.

아빠 : 냉장고에 있으니까 네가 꺼내 먹어.
아빠 : 냉장고에 이쓰니까 네가 꺼내 머거.
appa : naengjanggoe isseunikka nega kkeonae meogeo.

십 분 후
십 분 후
sip bun hu

아들 : 아빠, 물 좀 갖다주세요.
아들 : 아빠, 물 좀 갇따주세요.
adeul : appa, mul jom gatdajuseyo.

아빠 : 네가 직접 가서 마시라니까.
아빠 : 네가 직쩝 가서 마시라니까.
appa : nega jikjeop gaseo masiranikka.

아빠의 목소리는 점점 짜증이 섞이면서 톤이 높아지고 있었다.
아빠의 목쏘리는 점점 짜증이 서끼면서 토니 노파지고 이썯따.
appaui moksorineun jeomjeom jjajeungi seokkimyeonseo toni nopajigo isseotda.

그러나 이에 굴하지 않고 아들은 또 다시 외쳤다.
그러나 이에 굴하지 안코 아드른 또 다시 외철따.
geureona ie gulhaji anko adeureun tto dasi oecheotda.

아들 : 아빠, 물 좀 갖다주세요.
아들 : 아빠, 물 좀 갇따주세요.
adeul : appa, mul jom gatdajuseyo.

아빠 : 네가 갖다 먹으라고.
아빠 : 네가 갇따 머그라고.
appa : nega gatda meogeurago.

한 번만 더 부르면 혼내 주러 간다.
한 번만 더 부르면 혼내 주러 간다.
han beonman deo bureumyeon honnae jureo ganda.

아빠는 이제 단단히 화가 나셨다.
아빠는 이제 단단히 화가 나셛따.
appaneun ije dandanhi hwaga nasyeotda.

하지만 아들은 지칠 줄 모르고 다시 십 분 후에 이렇게 말했다.
하지만 아드른 지칠 쭐 모르고 다시 십 분 후에 이러케 말핻따.
hajiman adeureun jichil jul moreugo dasi sip bun hue ireoke malhaetda.

아들 : 아빠, 저 혼내러 오실 때 물 좀 갖다주세요.
아들 : 아빠, 저 혼내러 오실 때 물 좀 갇따주세요.
adeul : appa, jeo honnaereo osil ttae mul jom gatdajuseyo.

● 어휘 (palabra) / 문법 (gramática)

늦+은 오후 방+에 늘어지+어 있+던 아들+은 시원하+ㄴ 물 한 잔+이 먹+고 싶+어지+었+다.

그러나 꼼짝하+기+도 싫+은 아들+은 거실+에서 텔레비전+을 보+고 계시+던 아빠+에게 크+ㄴ 소리+로

말하+였+다.

아들 : 아빠, 물 좀 갖다주+세요.

아빠 : 냉장고+에 있+으니까 네+가 꺼내+(어) 먹+어.

십 분 후

아들 : 아빠, 물 좀 갖다주+세요.

아빠 : 네+가 직접 가+(아)서 마시+라니까.

아빠+의 목소리+는 점점 짜증+이 섞이+면서 톤+이 높아지+고 있+었+다.

그러나 이에 굴하+지 않+고 아들+은 또 다시 외치+었+다.

아들 : 아빠, 물 좀 갖다주+세요.

아빠 : 네+가 갖+다 먹+으라고.

한 번+만 더 부르+면 혼내+(어) 주+러 가+ㄴ다.

아빠+는 이제 단단히 화+가 나+시+었+다.

하지만 아들+은 지치+ㄹ 줄 모르+고 다시 십 분 후+에 이렇+게 말하+였+다.

아들 : 아빠, 저 혼내+러 오+시+ㄹ 때 물 좀 갖다주+세요.

늦+은 오후 방+에 늘어지+[어 있]+던 아들+은 시원하+ㄴ 물 한 잔+이 먹+[고 싶]+[어지]+었+다.
늘어져 있던 **시원한** **먹고 싶어졌다**

• **늦다 (Adjetivo)** : 적당한 때를 지나 있다. 또는 시기가 한창인 때를 지나 있다.
atrasado, retrasado
Que se ha pasado el momento oportuno. O que ha pasado su apogeo.

• -은 : 앞의 말이 관형어의 기능을 하게 만들고 현재의 상태를 나타내는 어미.
No hay expresión equivalente
Desinencia que hace que la palabra antecedente ejerza la función de un componente determinante, e indica que el estado del presente.

• **오후 (Sustantivo)** : 정오부터 해가 질 때까지의 동안.
tarde
Desde el mediodía hasta que se pone el sol.

• **방 (Sustantivo)** : 사람이 살거나 일을 하기 위해 벽을 둘러서 막은 공간.
habitación, cuarto
Espacio rodeado de paredes que sirve como lugar de residencia o trabajo.

• 에 : 앞말이 어떤 장소나 자리임을 나타내는 조사.
No hay expresión equivalente
Posposición que se usa cuando la palabra anterior indica cierto lugar o sitio.

• **늘어지다 (Verbo)** : 몸을 마음껏 펴거나 근심 걱정 없이 쉬다.
relajar, descansar
Reposar el cuerpo libre de preocupaciones o desasosiegos.

• -어 있다 : 앞의 말이 나타내는 상태가 계속됨을 나타내는 표현.
No hay expresión equivalente
Expresión que indica la continuación del estado que indica el comentario anterior.

• -던 : 앞의 말이 관형어의 기능을 하게 만들고 사건이나 동작이 과거에 완료되지 않고 중단되었음을 나타내는 어미.
No hay expresión equivalente
Desinencia que hace que la palabra antecedente ejerza la función de un componente determinante, e indica que un suceso o una acción fue suspendida en un momento del pasado sin concluir.

• **아들 (Sustantivo)** : 남자인 자식.
hijo
Hijo.

• 은 : 문장 속에서 어떤 대상이 화제임을 나타내는 조사.
No hay expresión equivalente
Posposición que se usa para indicar que cierto objeto es tópico en la oración.

• **시원하다 (Adjetivo)** : 음식이 먹기 좋을 정도로 차고 산뜻하거나, 속이 후련할 정도로 뜨겁다.
fresco, agradable, gustoso, apetitoso
Que un alimento está frío o exquisito como para comer a gusto; o que está caliente como para sentirse bien.

• -ㄴ : 앞의 말이 관형어의 기능을 하게 만들고 현재의 상태를 나타내는 어미.
No hay expresión equivalente
Desinencia que hace que la palabra antecedente ejerza la función de un componente determinante, e indica que el estado del presente.

• **물 (Sustantivo)** : 강, 호수, 바다, 지하수 등에 있으며 순수한 것은 빛깔, 냄새, 맛이 없고 투명한 액체.
agua
Líquido transparente insípido, inodoro e incoloro que se encuentra en el río, lago, mar o bajo tierra.

• **한 (Determinante)** : 하나의.
No hay expresión equivalente
uno

• **잔 (Sustantivo)** : 음료나 술 등을 담은 그릇을 기준으로 그 분량을 세는 단위.
vaso, copa
Unidad para contar la cantidad de copas o vasos con refrescos o bebidas alcohólicas.

• 이 : 어떤 상태나 상황의 대상이나 동작의 주체를 나타내는 조사.
No hay expresión equivalente
Posposición que se usa para indicar el objeto de cierto estado o situación o el agente de un movimiento.

• **먹다 (Verbo)** : 액체로 된 것을 마시다.
beber
Ingerir un líquido.

• -고 싶다 : 앞의 말이 나타내는 행동을 하기를 원함을 나타내는 표현.
No hay expresión equivalente
Expresión que se usa para mostrar el deseo de hacer un acto que representa el comentario anterior de la cláusula.

• -어지다 : 앞에 오는 말이 나타내는 대로 행동하게 되거나 그 상태로 됨을 나타내는 표현.
No hay expresión equivalente
Expresión que indica que está haciendo lo que indica el comentario anterior, o que ha llegado a ese estado.

• -었- : 어떤 사건이 과거에 완료되었거나 그 사건의 결과가 현재까지 지속되는 상황을 나타내는 어미.
No hay expresión equivalente
Desinencia que se usa cuando cierto suceso fue acabado en el pasado o cuando el resultado de ese suceso continúa hasta el presente.

• -다 : 어떤 사건이나 사실, 상태를 서술함을 나타내는 종결 어미.
No hay expresión equivalente
Desinencia de terminación que se usa cuando se describe un suceso o hecho del presente.

그러나 꼼짝하+기+도 싫+은 아들+은 거실+에서 **텔레비전+을** 보+[고 계시]+던 아빠+에게 크+ㄴ (**큰**) 소리+로 말하+였+다. (**말했다**)

• **그러나 (Adverbio)** : 앞의 내용과 뒤의 내용이 서로 반대될 때 쓰는 말.
pero, sin embargo, mas
Se usa cuando lo antedicho se contrapone a lo que se dirá a continuación.

• **꼼짝하다 (Verbo)** : 몸이 느리게 조금씩 움직이다. 또는 몸을 느리게 조금씩 움직이다.
moverse lentamente
Moverse el cuerpo lenta y ligeramente. O mover el cuerpo lenta y ligeramente.

• -기 : 앞의 말이 명사의 기능을 하게 하는 어미.
No hay expresión equivalente
Desinencia que se usa cuando la palabra anterior ejerce la función del sustantivo.

• 도 : 극단적인 경우를 들어 다른 경우는 말할 것도 없음을 나타내는 조사.
No hay expresión equivalente
Posposición que indica que es algo innecesario de ser comentado alegando un caso extremo.

• **싫다 (Adjetivo)** : 어떤 일을 하고 싶지 않다.
sin ganas de algo
Que no tiene ganas de hacer algo.

• -은 : 앞의 말이 관형어의 기능을 하게 만들고 현재의 상태를 나타내는 어미.
No hay expresión equivalente
Desinencia que hace que la palabra antecedente ejerza la función de un componente determinante, e indica que el estado del presente.

• **아들** (Sustantivo) : 남자인 자식.
hijo
Hijo.

• 은 : 문장 속에서 어떤 대상이 화제임을 나타내는 조사.
No hay expresión equivalente
Posposición que se usa para indicar que cierto objeto es tópico en la oración.

• **거실** (Sustantivo) : 서양식 집에서, 가족이 모여서 생활하거나 손님을 맞는 중심 공간.
salón, sala de estar
Espacio central de una casa de estilo occidental, usado para realizar actividades familiares o recibir visitas.

• 에서 : 앞말이 행동이 이루어지고 있는 장소임을 나타내는 조사.
No hay expresión equivalente
Posposición que se usa para indicar el lugar en el que se realiza la acción de la palabra anterior.

• **텔레비전** (Sustantivo) : 방송국에서 전파로 보내오는 영상과 소리를 받아서 보여 주는 기계.
televisión, televisor
Aparato electrónico que muestra los contenidos audiovisuales transmitidos o retransmitidos desde las emisoras de televisión.

• 을 : 동작이 직접적으로 영향을 미치는 대상을 나타내는 조사.
No hay expresión equivalente
Posposición que se usa para indicar el objeto que ha sido influido directamente por una acción.

• **보다** (Verbo) : 눈으로 대상을 즐기거나 감상하다.
ver, contemplar, observar
Disfrutar o apreciar algo con los ojos.

• -고 계시다 : (높임말로) 앞의 말이 나타내는 행동이 계속 진행됨을 나타내는 표현.
No hay expresión equivalente
(TRATAMIENTO HONORÍFICO) Expresión que indica que la acción que representa la parte anterior de la cláusula continúa.

• -던 : 앞의 말이 관형어의 기능을 하게 만들고 사건이나 동작이 과거에 완료되지 않고 중단되었음을 나타내는 어미.
No hay expresión equivalente
Desinencia que hace que la palabra antecedente ejerza la función de un componente determinante, e indica que un suceso o una acción fue suspendida en un momento del pasado sin concluir.

• **아빠** (Sustantivo) : 격식을 갖추지 않아도 되는 상황에서 아버지를 이르거나 부르는 말.
papá, papi
Palabra que se usa para referirse o llamar al padre de uno en un entorno informal.

• 에게 : 어떤 행동이 미치는 대상임을 나타내는 조사.
No hay expresión equivalente
Posposición que indica ser un objeto influyente de cierta acción.

• **크다** (Adjetivo) : 소리의 세기가 강하다.
fuerte, intenso
Que la intensidad del sonido es fuerte.

• -ㄴ : 앞의 말이 관형어의 기능을 하게 만들고 현재의 상태를 나타내는 어미.
No hay expresión equivalente
Desinencia que hace que la palabra antecedente ejerza la función de un componente determinante, e indica que el estado del presente.

• **소리** (Sustantivo) : 사람의 목에서 나는 목소리.
voz
Voz que suena de la garganta de una persona.

• 로 : 어떤 일의 방법이나 방식을 나타내는 조사.
No hay expresión equivalente
Posposición que indica el método o la forma de cierto lugar.

• **말하다** (Verbo) : 어떤 사실이나 자신의 생각 또는 느낌을 말로 나타내다.
decir
Expresar oralmente un pensamiento, un hecho, una sensación, etc.

• -였- : 어떤 사건이 과거에 완료되었거나 그 사건의 결과가 현재까지 지속되는 상황을 나타내는 어미.
No hay expresión equivalente
Desinencia que se usa cuando cierto suceso fue acabado en el pasado o cuando el resultado de ese suceso continúa hasta el presente.

• -다 : 어떤 사건이나 사실, 상태를 서술함을 나타내는 종결 어미.
No hay expresión equivalente
Desinencia de terminación que se usa cuando se describe un suceso o hecho del presente.

아들 : 아빠, 물 좀 갖다주+세요.

• **아빠** (Sustantivo) : 격식을 갖추지 않아도 되는 상황에서 아버지를 이르거나 부르는 말.
papá, papi
Palabra que se usa para referirse o llamar al padre de uno en un entorno informal.

• **물 (Sustantivo)** : 강, 호수, 바다, 지하수 등에 있으며 순수한 것은 빛깔, 냄새, 맛이 없고 투명한 액체.
agua
Líquido transparente insípido, inodoro e incoloro que se encuentra en el río, lago, mar o bajo tierra.

• **좀 (Adverbio)** : 주로 부탁이나 동의를 구할 때 부드러운 느낌을 주기 위해 넣는 말.
por favor
Palabra que generalmente se añade para dar sensación de suavidad al pedir un favor o apoyo.

• **갖다주다 (Verbo)** : 무엇을 가지고 와서 주다.
traer
Llevar consigo algo para dárselo a alguien.

• -세요 : (두루높임으로) 설명, 의문, 명령, 요청의 뜻을 나타내는 종결 어미.
No hay expresión equivalente
(TRATAMIENTO HONORÍFICO GENERAL) Desinencia de terminación que se usa cuando se manifiesta el sentido de explicación, duda, orden, reclamación, etc.

아빠 : 냉장고+에 있+으니까 네+가 꺼내+(어) 먹+어.
꺼내

• **냉장고 (Sustantivo)** : 음식을 상하지 않게 하거나 차갑게 하려고 낮은 온도에서 보관하는 상자 모양의 기계.
refrigerador
Electrodoméstico en forma de caja que mantiene fríos los alimentos para evitar su descomposición.

• 에 : 앞말이 어떤 장소나 자리임을 나타내는 조사.
No hay expresión equivalente
Posposición que se usa cuando la palabra anterior indica cierto lugar o sitio.

• **있다 (Adjetivo)** : 무엇이 어떤 곳에 자리나 공간을 차지하고 존재하는 상태이다.
existente
Que ocupa o se halla algo en cierto lugar o espacio.

• -으니까 : 뒤에 오는 말에 대하여 앞에 오는 말이 원인이나 근거, 전제가 됨을 강조하여 나타내는 연결 어미.
No hay expresión equivalente
Desinencia conectora que se usa cuando la palabra anterior es una causa, fundamento o premisa de la palabra posterior.

• **네 (Pronombre)** : '너'에 조사 '가'가 붙을 때의 형태.
tú
Forma que toma la palabra '너' cuando va antecedida de la posposición '가'.
너 (Pronombre) : 듣는 사람이 친구나 아랫사람일 때, 그 사람을 가리키는 말.
tú, vos
Pronombre que designa al oyente cuando éste es de la misma edad o menor que el hablante.

• 가 : 어떤 상태나 상황에 놓인 대상이나 동작의 주체를 나타내는 조사.
No hay expresión equivalente
Posposición que se usa para indicar el objeto de cierto estado o situación o el agente de un movimiento.

• **꺼내다 (Verbo)** : 안에 있는 물건을 밖으로 나오게 하다.
sacar, extraer, vaciar, retirar
Poner afuera algo que estaba dentro.

• -어 : 앞의 말이 뒤의 말보다 먼저 일어났거나 뒤의 말에 대한 방법이나 수단이 됨을 나타내는 연결 어미.
No hay expresión equivalente
Desinencia conectora que se usa cuando la palabra anterior se realiza antes de que la posterior, o es un método o medio de la palabra posterior.

• **먹다 (Verbo)** : 액체로 된 것을 마시다.
beber
Ingerir un líquido.

• -어 : (두루낮춤으로) 어떤 사실을 서술하거나 물음, 명령, 권유를 나타내는 종결 어미.
No hay expresión equivalente
(TRATAMIENTO DE MODESTIA GENERAL) Desinencia de terminación que se usa cuando se describe cierto hecho; o pregunta, ordena o reclama algo.

십 분 후

• **십 (Determinante)** : 열의.
No hay expresión equivalente
diez

• **분 (Sustantivo)** : 한 시간의 60분의 1을 나타내는 시간의 단위.
No hay expresión equivalente
Unidad de tiempo que muestra una sexagésima parte de una hora.

• **후 (Sustantivo)** : 얼마만큼 시간이 지나간 다음.
después, luego
Algún tiempo después de un punto específico en el tiempo.

아들 : 아빠, 물 좀 갔다주+세요.

• **아빠 (Sustantivo)** : 격식을 갖추지 않아도 되는 상황에서 아버지를 이르거나 부르는 말.
papá, papi
Palabra que se usa para referirse o llamar al padre de uno en un entorno informal.

• **물 (Sustantivo)** : 강, 호수, 바다, 지하수 등에 있으며 순수한 것은 빛깔, 냄새, 맛이 없고 투명한 액체.
agua
Líquido transparente insípido, inodoro e incoloro que se encuentra en el río, lago, mar o bajo tierra.

• **좀 (Adverbio)** : 주로 부탁이나 동의를 구할 때 부드러운 느낌을 주기 위해 넣는 말.
por favor
Palabra que generalmente se añade para dar sensación de suavidad al pedir un favor o apoyo.

• **갔다주다 (Verbo)** : 무엇을 가지고 와서 주다.
traer
Llevar consigo algo para dárselo a alguien.

• -세요 : (두루높임으로) 설명, 의문, 명령, 요청의 뜻을 나타내는 종결 어미.
No hay expresión equivalente
(TRATAMIENTO HONORÍFICO GENERAL) Desinencia de terminación que se usa cuando se manifiesta el sentido de explicación, duda, orden, reclamación, etc.

아빠 : 네+가 직접 가+(아)서 마시+라니까. 가서

• **네 (Pronombre)** : '너'에 조사 '가'가 붙을 때의 형태.
tú
Forma que toma la palabra '너' cuando va antecedida de la posposición '가'.
너 (Pronombre) : 듣는 사람이 친구나 아랫사람일 때, 그 사람을 가리키는 말.
tú, vos
Pronombre que designa al oyente cuando éste es de la misma edad o menor que el hablante.

• 가 : 어떤 상태나 상황에 놓인 대상이나 동작의 주체를 나타내는 조사.
No hay expresión equivalente
Posposición que se usa para indicar el objeto de cierto estado o situación o el agente de un movimiento.

• **직접 (Adverbio)** : 중간에 다른 사람이나 물건 등이 끼어들지 않고 바로.
directamente, inmediatamente
Inmediatamente sin la interferencia de otras personas o cosas en el medio.

• **가다 (Verbo)** : 한 곳에서 다른 곳으로 장소를 이동하다.
Ir
Trasladarse de un lugar a otro.

• -아서 : 앞의 말과 뒤의 말이 순차적으로 일어남을 나타내는 연결 어미.
No hay expresión equivalente
Desinencia conectora que se usa cuando la palabra anterior y la posterior ocurren consecutivamente.

• **마시다 (Verbo)** : 물 등의 액체를 목구멍으로 넘어가게 하다.
beber
Hacer que un líquido pase de la boca al estómago.

• -라니까 : (아주낮춤으로) 가볍게 꾸짖으면서 반복해서 명령하는 뜻을 나타내는 종결 어미.
No hay expresión equivalente
(TRATAMIENTO DE MODESTIA MÁXIMA) Desinencia de terminación que se usa cuando se mandan órdenes reiteradamente reprendiendo ligeramente.

아빠+의 목소리+는 점점 짜증+이 섞이+면서 톤+이 높아지+[고 있]+었+다.

• **아빠 (Sustantivo)** : 격식을 갖추지 않아도 되는 상황에서 아버지를 이르거나 부르는 말.
papá, papi
Palabra que se usa para referirse o llamar al padre de uno en un entorno informal.

• 의 : 앞의 말이 뒤의 말에 대하여 소유, 소속, 소재, 관계, 기원, 주체의 관계를 가짐을 나타내는 조사.
No hay expresión equivalente
Posposición que se usa para indicar que la palabra anterior tiene una relación de posesión, pertenencia, integración, conexión, procedencia, sujeto con la posterior.

• **목소리 (Sustantivo)** : 사람의 목구멍에서 나는 소리.
voz
Sonido que sale por la garganta de una persona.

• 는 : 문장 속에서 어떤 대상이 화제임을 나타내는 조사.
No hay expresión equivalente
Posposición que se usa para indicar que cierto objeto es tópico en la oración.

• **점점** (Adverbio) : 시간이 지남에 따라 정도가 조금씩 더.
gradualmente, progresivamente
De más grado con el transcurso de tiempo.

• **짜증** (Sustantivo) : 마음에 들지 않아서 화를 내거나 싫은 느낌을 겉으로 드러내는 일. 또는 그런 성미.
irritación, enfado
Expresión de enfado o disgusto por algo insatisfactorio. O tal carácter.

• 이 : 어떤 상태나 상황의 대상이나 동작의 주체를 나타내는 조사.
No hay expresión equivalente
Posposición que se usa para indicar el objeto de cierto estado o situación o el agente de un movimiento.

• **섞이다** (Verbo) : 어떤 말이나 행동에 다른 말이나 행동이 함께 나타나다.
mezclarse
Mostrar, exponer o meter palabras o actos lejanos al hablar o actuar con un fin determinado.

• -면서 : 두 가지 이상의 동작이나 상태가 함께 일어남을 나타내는 연결 어미.
No hay expresión equivalente
Desinencia conectora que se usa cuando se contraponen más de dos acciones o estados.

• **톤** (Sustantivo) : 전체적으로 느껴지는 분위기나 말투.
tono, voz
Aire o manera de hablar que se siente de una persona.

• 이 : 어떤 상태나 상황의 대상이나 동작의 주체를 나타내는 조사.
No hay expresión equivalente
Posposición que se usa para indicar el objeto de cierto estado o situación o el agente de un movimiento.

• **높아지다** (Verbo) : 이전보다 더 높은 정도나 수준, 지위에 이르다.
ascender, crecer, ser promovido, ser elevado
Subir de un grado o nivel bajo a otro alto.

• -고 있다 : 앞의 말이 나타내는 행동이 계속 진행됨을 나타내는 표현.
No hay expresión equivalente
Expresión que indica que la acción que representa la parte anterior de la cláusula continúa.

• -었- : 어떤 사건이 과거에 완료되었거나 그 사건의 결과가 현재까지 지속되는 상황을 나타내는 어미.
No hay expresión equivalente
Desinencia que se usa cuando cierto suceso fue acabado en el pasado o cuando el resultado de ese suceso continúa hasta el presente.

• -다 : 어떤 사건이나 사실, 상태를 서술함을 나타내는 종결 어미.
No hay expresión equivalente
Desinencia de terminación que se usa cuando se describe un suceso o hecho del presente.

그러나 이에 굴하+[지 않]+고 아들+은 또 다시 외치+었+다. **외쳤다**

• **그러나 (Adverbio)** : 앞의 내용과 뒤의 내용이 서로 반대될 때 쓰는 말.
pero, sin embargo, mas
Se usa cuando lo antedicho se contrapone a lo que se dirá a continuación.

• **이에 (Adverbio)** : 이러한 내용에 곧.
consiguientemente, por consiguiente
Como consecuencia de esta causa.

• **굴하다 (Verbo)** : 어떤 힘이나 어려움 앞에서 자신의 의지를 굽히다.
claudicar
Renunciar a los propios principios a causa de una presión o una dificultad.

• -지 않다 : 앞의 말이 나타내는 행위나 상태를 부정하는 뜻을 나타내는 표현.
No hay expresión equivalente
Expresión para negar la acción o la situación de lo que se mencionó anteriormente.

• -고 : 앞의 말이 나타내는 행동이나 그 결과가 뒤에 오는 행동이 일어나는 동안에 그대로 지속됨을 나타내는 연결 어미.
No hay expresión equivalente
Desinencia conectora que se usa cuando la acción y su resultado que indica la palabra anterior siguen igual que durante el desarrollo de la acción que viene después.

• **아들 (Sustantivo)** : 남자인 자식.
hijo
Hijo.

• 은 : 문장 속에서 어떤 대상이 화제임을 나타내는 조사.
No hay expresión equivalente
Posposición que se usa para indicar que cierto objeto es tópico en la oración.

• **또 (Adverbio)** : 어떤 일이나 행동이 다시.
otra vez
Repitiéndose una situación o una acción.

• **다시 (Adverbio)** : 같은 말이나 행동을 반복해서 또.
otra vez, nuevamente
Otra vez, volviendo a decir o actuar de la misma manera que antes.

• **외치다 (Verbo)** : 큰 소리를 지르다.
gritar
Gritar en voz alta.

• -었- : 어떤 사건이 과거에 완료되었거나 그 사건의 결과가 현재까지 지속되는 상황을 나타내는 어미.
No hay expresión equivalente
Desinencia que se usa cuando cierto suceso fue acabado en el pasado o cuando el resultado de ese suceso continúa hasta el presente.

• -다 : 어떤 사건이나 사실, 상태를 서술함을 나타내는 종결 어미.
No hay expresión equivalente
Desinencia de terminación que se usa cuando se describe un suceso o hecho del presente.

아들 : 아빠, 물 좀 갖다주+세요.

• **아빠 (Sustantivo)** : 격식을 갖추지 않아도 되는 상황에서 아버지를 이르거나 부르는 말.
papá, papi
Palabra que se usa para referirse o llamar al padre de uno en un entorno informal.

• **물 (Sustantivo)** : 강, 호수, 바다, 지하수 등에 있으며 순수한 것은 빛깔, 냄새, 맛이 없고 투명한 액체.
agua
Líquido transparente insípido, inodoro e incoloro que se encuentra en el río, lago, mar o bajo tierra.

• **좀 (Adverbio)** : 주로 부탁이나 동의를 구할 때 부드러운 느낌을 주기 위해 넣는 말.
por favor
Palabra que generalmente se añade para dar sensación de suavidad al pedir un favor o apoyo.

• **갖다주다 (Verbo)** : 무엇을 가지고 와서 주다.
traer
Llevar consigo algo para dárselo a alguien.

• -세요 : (두루높임으로) 설명, 의문, 명령, 요청의 뜻을 나타내는 종결 어미.
No hay expresión equivalente
(TRATAMIENTO HONORÍFICO GENERAL) Desinencia de terminación que se usa cuando se manifiesta el sentido de explicación, duda, orden, reclamación, etc.

아빠 : 네+가 갖+다 먹+으라고.

• **네 (Pronombre)** : '너'에 조사 '가'가 붙을 때의 형태.
tú
Forma que toma la palabra '너' cuando va antecedida de la posposición '가'.
너 (Pronombre) : 듣는 사람이 친구나 아랫사람일 때, 그 사람을 가리키는 말.
tú, vos
Pronombre que designa al oyente cuando éste es de la misma edad o menor que el hablante.

• 가 : 어떤 상태나 상황에 놓인 대상이나 동작의 주체를 나타내는 조사.
No hay expresión equivalente
Posposición que se usa para indicar el objeto de cierto estado o situación o el agente de un movimiento.

• **갖다 (Verbo)** : 무엇을 손에 쥐거나 몸에 지니다.
tener
Asir alguna cosa con la mano o llevar algo en el cuerpo.

• -다 : 어떤 행동이 진행되는 중에 다른 행동이 나타남을 나타내는 연결 어미.
No hay expresión equivalente
Desinencia conectora que se usa para mostrar que se realiza una acción cuando otra está en curso.

• **먹다 (Verbo)** : 액체로 된 것을 마시다.
beber
Ingerir un líquido.

• -으라고 : (두루낮춤으로) 말하는 사람의 생각이나 주장을 듣는 사람에게 강조하여 말함을 나타내는 종결 어미.
No hay expresión equivalente
(TRATAMIENTO DE MODESTIA GENERAL) Desinencia de terminación que se usa cuando se habla con énfasis su pensamiento o argumento al oyente.

아빠 : 한 번+만 더 부르+면 혼내+[(어) 주]+러 가+ㄴ다. **혼내 주러 간다**

• **한 (Determinante)** : 하나의.
No hay expresión equivalente
uno

• **번 (Sustantivo)** : 일의 횟수를 세는 단위.
vez
Unidad de conteo de número de veces de una cosa.

• 만 : 앞의 말이 어떤 것에 대한 조건임을 나타내는 조사.
No hay expresión equivalente
Posposición que indica que es la condición de cierta cosa la palabra anterior.

• **더 (Adverbio)** : 보태어 계속해서.
más
En adición a lo ya hecho.

• **부르다 (Verbo)** : 말이나 행동으로 다른 사람을 오라고 하거나 주의를 끌다.
llamar
Decir o llamar la atención con palabras o acciones para que venga alguien.

• -면 : 뒤에 오는 말에 대한 근거나 조건이 됨을 나타내는 연결 어미.
No hay expresión equivalente
Desinencia conectora que se usa cuando es un fundamento o condición del contenido posterior.

• **혼내다 (Verbo)** : 심하게 꾸지람을 하거나 벌을 주다.
regañar, reprender, castigar
Regañar o castigar a alguien con dureza.

• -어 주다 : 남을 위해 앞의 말이 나타내는 행동을 함을 나타내는 표현.
No hay expresión equivalente
Expresión que indica la realización de una acción que indica el comentario anterior para el bien del otro.

• -러 : 가거나 오거나 하는 동작의 목적을 나타내는 연결 어미.
No hay expresión equivalente
Desinencia conectora que se usa cuando se manifiesta el propósito de la acción de ir o venir.

• **가다 (Verbo)** : 어떤 목적을 가지고 일정한 곳으로 움직이다.
Ir
Trasladarse a cierto lugar con objetivo determinado.

• -ㄴ다 : (아주낮춤으로) 현재 사건이나 사실을 서술함을 나타내는 종결 어미.
No hay expresión equivalente
(TRATAMIENTO DE MODESTIA MÁXIMA) Desinencia de terminación que se usa cuando se describe un suceso o hecho del presente.

아빠+는 이제 단단히 화+가 나+시+었+다. **나셨다**

• **아빠 (Sustantivo)** : 격식을 갖추지 않아도 되는 상황에서 아버지를 이르거나 부르는 말.
papá, papi
Palabra que se usa para referirse o llamar al padre de uno en un entorno informal.

• 는 : 문장 속에서 어떤 대상이 화제임을 나타내는 조사.
No hay expresión equivalente
Posposición que se usa para indicar que cierto objeto es tópico en la oración.

• **이제 (Adverbio)** : 말하고 있는 바로 이때에.
ahora
En este momento en que está hablando.

• **단단히 (Adverbio)** : 보통보다 더 심하게.
muy, con demasía, excesivamente
Más severamente de lo habitual.

• **화 (Sustantivo)** : 몹시 못마땅하거나 노여워하는 감정.
cólera, ira
Pasión del alma que causa indignación y enojo.

• 가 : 어떤 상태나 상황에 놓인 대상이나 동작의 주체를 나타내는 조사.
No hay expresión equivalente
Posposición que se usa para indicar el objeto de cierto estado o situación o el agente de un movimiento.

• **나다 (Verbo)** : 어떤 감정이나 느낌이 생기다.
surgirse, producirse, generarse, ocasionarse, suscitarse
Producirse algún sentimiento o alguna sensación.

• -시- : 높이고자 하는 인물과 관계된 소유물이나 신체의 일부가 문장의 주어일 때 그 인물을 높이는 뜻을 나타내는 어미.
No hay expresión equivalente
Desinencia que se usa para dar un tratamiento honorífico a alguien, cuando esa persona y su propiedad, o una parte de su cuerpo, sea el sujeto de la oración.

• -었- : 어떤 사건이 과거에 완료되었거나 그 사건의 결과가 현재까지 지속되는 상황을 나타내는 어미.
No hay expresión equivalente
Desinencia que se usa cuando cierto suceso fue acabado en el pasado o cuando el resultado de ese suceso continúa hasta el presente.

• -다 : 어떤 사건이나 사실, 상태를 서술함을 나타내는 종결 어미.
No hay expresión equivalente
Desinencia de terminación que se usa cuando se describe un suceso o hecho del presente.

하지만 아들+은 지치+[ㄹ 줄] 모르+고 다시 십 분 후+에 이렇+게 말하+였+다.
지칠 줄 **말했다**

• **하지만 (Adverbio)** : 내용이 서로 반대인 두 개의 문장을 이어 줄 때 쓰는 말.
pero, sin embargo
Palabra que se utiliza para contraponer dos oraciones de contenidos opuestos.

• **아들 (Sustantivo)** : 남자인 자식.
hijo
Hijo.

• 은 : 문장 속에서 어떤 대상이 화제임을 나타내는 조사.
No hay expresión equivalente
Posposición que se usa para indicar que cierto objeto es tópico en la oración.

• **지치다 (Verbo)** : 힘든 일을 하거나 어떤 일에 시달려서 힘이 없다.
estar cansado, estar exhausto, agotarse
Realizar un trabajo cansador o no tener fuerza al atravesar un hecho agobiante.

• -ㄹ 줄 : 어떤 사실이나 상태에 대해 알고 있거나 모르고 있음을 나타내는 표현.
No hay expresión equivalente
Expresión que indica una realidad o una situación.

• **모르다 (Verbo)** : 느끼지 않다.
insensibilizarse
No sentir nada.

• -고 : 앞의 말이 나타내는 행동이나 그 결과가 뒤에 오는 행동이 일어나는 동안에 그대로 지속됨을 나타내는 연결 어미.
No hay expresión equivalente
Desinencia conectora que se usa cuando la acción y su resultado que indica la palabra anterior siguen igual que durante el desarrollo de la acción que viene después.

• **다시 (Adverbio)** : 같은 말이나 행동을 반복해서 또.
otra vez, nuevamente
Otra vez, volviendo a decir o actuar de la misma manera que antes.

• **십 (Determinante)** : 열의.
No hay expresión equivalente
diez

• **분 (Sustantivo)** : 한 시간의 60분의 1을 나타내는 시간의 단위.
No hay expresión equivalente
Unidad de tiempo que muestra una sexagésima parte de una hora.

• **후 (Sustantivo)** : 얼마만큼 시간이 지나간 다음.
después, luego
Algún tiempo después de un punto específico en el tiempo.

• 에 : 앞말이 시간이나 때임을 나타내는 조사.
No hay expresión equivalente
Posposición que se usa cuando la palabra anterior indica hora o tiempo.

• **이렇다 (Adjetivo)** : 상태, 모양, 성질 등이 이와 같다.
tal
Que la cualidad, la forma, el estado, etc. es como esto.

• -게 : 앞의 말이 뒤에서 가리키는 일의 목적이나 결과, 방식, 정도 등이 됨을 나타내는 연결 어미.
No hay expresión equivalente
Desinencia conectora que se usa cuando la palabra anterior es el objetivo, resultado, método, grado, etc. que indica al posterior.

• **말하다 (Verbo)** : 어떤 사실이나 자신의 생각 또는 느낌을 말로 나타내다.
decir
Expresar oralmente un pensamiento, un hecho, una sensación, etc.

• -였- : 어떤 사건이 과거에 완료되었거나 그 사건의 결과가 현재까지 지속되는 상황을 나타내는 어미.
No hay expresión equivalente
Desinencia que se usa cuando cierto suceso fue acabado en el pasado o cuando el resultado de ese suceso continúa hasta el presente.

• -다 : 어떤 사건이나 사실, 상태를 서술함을 나타내는 종결 어미.
No hay expresión equivalente
Desinencia de terminación que se usa cuando se describe un suceso o hecho del presente.

아들 : 아빠, 저 혼내+러 오+시+[ㄹ 때] 물 좀 갖다주+세요. 오실 때

• **아빠 (Sustantivo)** : 격식을 갖추지 않아도 되는 상황에서 아버지를 이르거나 부르는 말.
papá, papi
Palabra que se usa para referirse o llamar al padre de uno en un entorno informal.

• **저 (Pronombre)** : 말하는 사람이 듣는 사람에게 자신을 낮추어 가리키는 말.
yo
Palabra que usa el hablante delante del oyente con tono de humildad.

• **혼내다 (Verbo)** : 심하게 꾸지람을 하거나 벌을 주다.
regañar, reprender, castigar
Regañar o castigar a alguien con dureza.

• -러 : 가거나 오거나 하는 동작의 목적을 나타내는 연결 어미.
No hay expresión equivalente
Desinencia conectora que se usa cuando se manifiesta el propósito de la acción de ir o venir.

• **오다 (Verbo)** : 무엇이 다른 곳에서 이곳으로 움직이다.
venir, llegar
Trasladarse de otro lugar a donde está la persona que habla.

• -시- : 어떤 동작이나 상태의 주체를 높이는 뜻을 나타내는 어미.
No hay expresión equivalente
Desinencia que se usa para dar un tratamiento honorífico al agente de una acción verbal o de un determinado estado.

• -ㄹ 때 : 어떤 행동이나 상황이 일어나는 동안이나 그 시기 또는 그러한 일이 일어난 경우를 나타내는 표현.
No hay expresión equivalente
Expresión que indica el surgimiento de un mismo hecho o de algo en un mismo tiempo, mientras surge alguna situación o se realiza alguna acción.

• **물 (Sustantivo)** : 강, 호수, 바다, 지하수 등에 있으며 순수한 것은 빛깔, 냄새, 맛이 없고 투명한 액체.
agua
Líquido transparente insípido, inodoro e incoloro que se encuentra en el río, lago, mar o bajo tierra.

• **좀 (Adverbio)** : 주로 부탁이나 동의를 구할 때 부드러운 느낌을 주기 위해 넣는 말.
por favor
Palabra que generalmente se añade para dar sensación de suavidad al pedir un favor o apoyo.

• **갖다주다 (Verbo)** : 무엇을 가지고 와서 주다.
traer
Llevar consigo algo para dárselo a alguien.

• -세요 : (두루높임으로) 설명, 의문, 명령, 요청의 뜻을 나타내는 종결 어미.

No hay expresión equivalente

(TRATAMIENTO HONORÍFICO GENERAL) Desinencia de terminación que se usa cuando se manifiesta el sentido de explicación, duda, orden, reclamación, etc.

< 5 단원(unidad) >

제목 : 이해가 안 가네요.

● 본문 (contexto principal)

화창한 오후, 앞을 못 보는 시각 장애인이 자신을 안전하게 인도해 줄 개와 함께 지하철역으로 향하고 있었다.

그런데 한참 길을 걷다가 개가 한쪽 다리를 들더니 맹인의 바지에 오줌을 싸는 것이었다.

그러자 그 맹인이 갑자기 주머니에서 과자를 꺼내더니 개에게 주려고 했다.

이때 지나가던 행인이 그 광경을 지켜보다 맹인에게 한마디 했다.

행인 : 저기요, 선생님 잠깐만요.

맹인 : 무슨 일이시죠?

행인 : 아니, 방금 개가 당신 바지에 오줌을 쌌는데 왜 과자를 줍니까?

저 같으면 개 머리를 한 대 때렸을 텐데 이해가 안 가네요.

맹인 : 개한테 과자를 줘야 머리가 어디 있는지 알 수 있잖아요.

● 발음 (pronunciación)

화창한 오후, 앞을 못 보는 시각 장애인이 자신을 안전하게 인도해 줄 개와 함께 지하철역으로 향하고
화창한 오후, 아플 몯 보는 시각 장애이니 자시늘 안전하게 인도해 줄 개와 함께 지하철려그로 향하고
hwachanghan ohu, apeul mot boneun sigak jangaeini jasineul anjeonhage indohae jul gaewa hamkke jihacheollyeogeuro hyanghago

있었다.
이썯따.
isseotda.

그런데 한참 길을 걷다가 개가 한쪽 다리를 들더니 맹인의 바지에 오줌을 싸는 것이었다.
그런데 한참 기를 걷따가 개가 한쪽 다리를 들더니 맹인의 바지에 오주믈 싸는 거시얻따.
geureonde hancham gireul geotdaga gaega hanjjok darireul deuldeoni maenginui bajie ojumeul ssaneun geosieotda.

그러자 그 맹인이 갑자기 주머니에서 과자를 꺼내더니 개에게 주려고 했다.
그러자 그 맹이니 갑짜기 주머니에서 과자를 꺼내더니 개에게 주려고 핻따.
geureoja geu maengini gapjagi jumeonieseo gwajareul kkeonaedeoni gaeege juryeogo haetda.

이때 지나가던 행인이 그 광경을 지켜보다 맹인에게 한마디 했다.
이때 지나가던 행이니 그 광경을 지켜보다 맹이네게 한마디 핻따.
ittae jinagadeon haengini geu gwanggyeongeul jikyeoboda maenginege hanmadi haetda.

행인 : 저기요, 선생님 잠깐만요.
행인 : 저기요, 선생님 잠깐마뇨.
haengin : jeogiyo, seonsaengnim jamkkanmanyo.

맹인 : 무슨 일이시죠?
맹인 : 무슨 이리시죠?
maengin : museun irisijyo?

행인 : 아니, 방금 개가 당신 바지에 오줌을 쌌는데 왜 과자를 줍니까?
행인 : 아니, 방금 개가 당신 바지에 오주믈 싼는데 왜 과자를 줍니까?
haengin : ani, banggeum gaega dangsin bajie ojumeul ssanneunde wae gwajareul jumnikka?

저 같으면 개 머리를 한 대 때렸을 텐데 이해가 안 가네요.
저 가트면 개 머리를 한 대 때려쓸 텐데 이해가 안 가네요.
jeo gateumyeon gae meorireul han dae ttaeryeosseul tende ihaega an ganeyo.

맹인 : 개한테 과자를 줘야 머리가 어디 있는지 알 수 있잖아요.
맹인 : 개한테 과자를 줘야 머리가 어디 인는지 알 쑤 읻짜나요.
maengin : gaehante gwajareul jwoya meoriga eodi inneunji al su itjanayo.

● 어휘 (palabra) / 문법 (gramática)

화창하+ㄴ 오후, 앞+을 못 보+는 시각 장애인+이 자신+을 안전하+게 인도하+여 주+ㄹ 개+와 함께 지하철역+으로 향하+고 있+었+다.

그런데 한참 길+을 걷+다가 개+가 한쪽 다리+를 들+더니 맹인+의 바지+에 오줌+을 싸+는 것+이+었+다.

그리하+자 그 맹인+이 갑자기 주머니+에서 과자+를 꺼내+더니 개+에게 주+려고 하+였+다.

이때 지나가+던 행인+이 그 광경+을 지켜보+다 맹인+에게 한마디 하+였+다.

행인 : 저기, 선생님 잠깐+만+요.

맹인 : 무슨 일+이+시+죠?

행인 : 아니, 방금 개+가 선생님 바지+에 오줌+을 싸+았+는데 왜 과자+를 주+ㅂ니까?

저 같+으면 개 머리+를 한 대 때리+었+을 텐데 이해+가 안 가+네요.

맹인 : 개+한테 과자+를 주+어야 머리+가 어디 있+는지 알(아)+ㄹ 수 있+잖아요.

화창하+ㄴ 오후, 앞+을 못 보+는 시각 장애인+이 자신+을 안전하+게 인도하+[여 주]+ㄹ 개+와 함께
화창한 인도해 줄
지하철역+으로 향하+[고 있]+었+다.

• **화창하다 (Adjetivo)** : 날씨가 맑고 따뜻하며 바람이 부드럽다.
soleado, claro
Que presenta un tiempo claro y templado, con brisas suaves.

• -ㄴ : 앞의 말이 관형어의 기능을 하게 만들고 현재의 상태를 나타내는 어미.
No hay expresión equivalente
Desinencia que hace que la palabra antecedente ejerza la función de una palabra determinante, e indica el estado del presente.

• **오후 (Sustantivo)** : 정오부터 해가 질 때까지의 동안.
tarde
Desde el mediodía hasta que se pone el sol.

• **앞 (Sustantivo)** : 향하고 있는 쪽이나 곳.
frente,, delante
Lugar o lado a donde se dirige.

• 을 : 동작이 직접적으로 영향을 미치는 대상을 나타내는 조사.
No hay expresión equivalente
Posposición que se usa para indicar el objeto que ha sido influido directamente por una acción.

• **못 (Adverbio)** : 동사가 나타내는 동작을 할 수 없게.
no
Para negar la acción indicada por el verbo.

• **보다 (Verbo)** : 눈으로 대상의 존재나 겉모습을 알다.
ver, mirar, observar
Percibir por los ojos la existencia o la apariencia de un objeto.

• -는 : 앞의 말이 관형어의 기능을 하게 만들고 사건이나 동작이 현재 일어남을 나타내는 어미.
No hay expresión equivalente
Desinencia que hace que la palabra antecedente ejerza la función de un componente determinante, e indica que un suceso o una acción se produce en el presente.

• **시각 장애인 (Sustantivo)** : 눈이 멀어서 앞을 보지 못하는 사람.
ciego
Persona que no puede ver por perder la vista.
시각 (Sustantivo) : 물체의 모양이나 움직임, 빛깔 등을 보는 눈의 감각.
vista, visión
Sentido de los ojos con el que se perciben la forma, los movimientos, los colores, etc., de un objeto.
장애인 (Sustantivo) : 몸에 장애가 있거나 정신적으로 부족한 점이 있어 일상생활이나 사회생활이 어려운 사람.
persona con discapacidad, persona con minusvalía
Persona que tiene dificultades para realizar actividades cotidianas o laborales por sufrir deficiencia física o mental.

• 이 : 어떤 상태나 상황의 대상이나 동작의 주체를 나타내는 조사.
No hay expresión equivalente
Posposición que se usa para indicar el objeto de cierto estado o situación o el agente de un movimiento.

• **자신 (Sustantivo)** : 바로 그 사람.
sí mismo
Propia persona.

• 을 : 동작이 간접적인 영향을 미치는 대상이나 목적임을 나타내는 조사.
No hay expresión equivalente
Posposición que se usa para indicar que la acción es el sujeto o la meta que impacta indirectamente en algo.

• **안전하다 (Adjetivo)** : 위험이 생기거나 사고가 날 염려가 없다.
seguro, salvo, sin peligro, sin riesgo, fiable
Que está libre de peligros o accidentes.

• -게 : 앞의 말이 뒤에서 가리키는 일의 목적이나 결과, 방식, 정도 등이 됨을 나타내는 연결 어미.
No hay expresión equivalente
Desinencia conectora que se usa cuando la palabra anterior es el objetivo, resultado, método, grado, etc. que indica al posterior.

• **인도하다 (Verbo)** : 길이나 장소를 안내하다.
guiar, llevar
Conducirle a alguien en el camino o lugar.

• -여 주다 : 남을 위해 앞의 말이 나타내는 행동을 함을 나타내는 표현.
No hay expresión equivalente
Expresión que indica la realización de una acción que indica el comentario anterior para el bien del otro.

• -ㄹ : 앞의 말이 관형어의 기능을 하게 만들고 추측, 예정, 의지, 가능성 등을 나타내는 어미.
No hay expresión equivalente
Desinencia que hace que la palabra antecedente ejerza la función de un componente determinante, e indica conjetura, proyecto, voluntad, posibilidad, etc.

• **개 (Sustantivo)** : 냄새를 잘 맡고 귀가 매우 밝으며 영리하고 사람을 잘 따라 사냥이나 애완 등의 목적으로 기르는 동물.
perro, can
Animal inteligente y amigable con el hombre, que se suele criar como mascota. Posee un gran sentido del olfato y un sistema auditivo muy desarrollado.

• 와 : 어떤 일을 함께 하는 대상임을 나타내는 조사.
No hay expresión equivalente
Posposición que se usa para indicar que es objeto de llevar a cabo algo juntos.

• **함께 (Adverbio)** : 여럿이서 한꺼번에 같이.
juntos, todos juntos
Dicho de dos o más personas, todas juntas.

• **지하철역 (Sustantivo)** : 지하철을 타고 내리는 곳.
estación de metro, parada de subte
Lugar en donde se sube y se baja del metro.

• 으로 : 움직임의 방향을 나타내는 조사.
No hay expresión equivalente
Posposición que se usa para indicar la dirección del movimiento.

• **향하다 (Verbo)** : 어떤 목적이나 목표로 나아가다.
avanzar hacia, dirigirse hacia
Avanzar hacia cierta meta u objetivo.

• -고 있다 : 앞의 말이 나타내는 행동이 계속 진행됨을 나타내는 표현.
No hay expresión equivalente
Expresión que indica que la acción que representa la parte anterior de la cláusula continúa.

• -었- : 사건이 과거에 일어났음을 나타내는 어미.
No hay expresión equivalente
Desinencia que se usa cuando indica que el suceso ocurrió en el pasado.

• -다 : 어떤 사건이나 사실, 상태를 서술함을 나타내는 종결 어미.
No hay expresión equivalente
Desinencia de terminación que se usa cuando se describe un suceso o hecho del presente.

그런데 한참 길+을 걷+다가 개+가 한쪽 다리+를 들+더니 맹인+의 바지+에 오줌+을 싸+[는 것]+이+었+다.

• **그런데** (Adverbio) : 이야기를 앞의 내용과 관련시키면서 다른 방향으로 바꿀 때 쓰는 말.
a propósito
Se usa para cambiar de tema y hablar de otra cosa, sin interrumpir el flujo de la conversación.

• **한참** (Sustantivo) : 시간이 꽤 지나는 동안.
mucho tiempo
Lapso de un tiempo bastante largo.

• **길** (Sustantivo) : 사람이나 차 등이 지나다닐 수 있게 땅 위에 일정한 너비로 길게 이어져 있는 공간.
calle
Camino alargado y delimitado para que puedan transitar coches o personas.

• 을 : 동작이 직접적으로 영향을 미치는 대상을 나타내는 조사.
No hay expresión equivalente
Posposición que se usa para indicar el objeto que ha sido influido directamente por una acción.

• **걷다** (Verbo) : 바닥에서 발을 번갈아 떼어 옮기면서 움직여 위치를 옮기다.
andar
Despegar intercaladamente un pie y luego otro del suelo.

• -다가 : 어떤 행동이나 상태 등이 중단되고 다른 행동이나 상태로 바뀜을 나타내는 연결 어미.
No hay expresión equivalente
Desinencia conectora que se usa cuando se suspende cierta acción o estado se suspende y se convierte en otra acción o estado.

• **개** (Sustantivo) : 냄새를 잘 맡고 귀가 매우 밝으며 영리하고 사람을 잘 따라 사냥이나 애완 등의 목적으로 기르는 동물.
perro, can
Animal inteligente y amigable con el hombre, que se suele criar como mascota. Posee un gran sentido del olfato y un sistema auditivo muy desarrollado.

• 가 : 어떤 상태나 상황에 놓인 대상이나 동작의 주체를 나타내는 조사.
No hay expresión equivalente
Posposición que se usa para indicar el objeto de cierto estado o situación o el agente de un movimiento.

• **한쪽 (Sustantivo)** : 어느 한 부분이나 방향.
un lado, una parte, una dirección
Una parte de algo o una dirección.

• **다리 (Sustantivo)** : 사람이나 동물의 몸통 아래에 붙어, 서고 걷고 뛰는 일을 하는 신체 부위.
pierna
Parte del cuerpo que se encuentra pegado en la parte inferior de las personas o animales y se encarga del trabajo de caminar o correr.

• 를 : 동작이 직접적으로 영향을 미치는 대상을 나타내는 조사.
No hay expresión equivalente
Posposición que se usa para indicar el objeto que ha sido influido directamente por una acción.

• **들다 (Verbo)** : 아래에 있는 것을 위로 올리다.
levantar
Mover una cosa de abajo hacia arriba.

• -더니 : 과거의 사실이나 상황에 뒤이어 어떤 사실이나 상황이 일어남을 나타내는 연결 어미.
No hay expresión equivalente
Desinencia conectora que se usa cuando sucede cierto hecho o circunstancia tras ocurrir hechos o circunstancias pasados.

• **맹인 (Sustantivo)** : 눈이 먼 사람.
ciego
Persona ciega.

• 의 : 앞의 말이 뒤의 말에 대하여 소유, 소속, 소재, 관계, 기원, 주체의 관계를 가짐을 나타내는 조사.
No hay expresión equivalente
Posposición que se usa para indicar que la palabra anterior tiene una relación de posesión, pertenencia, integración, conexión, procedencia, sujeto con la posterior.

• **바지 (Sustantivo)** : 위는 통으로 되고 아래는 두 다리를 넣을 수 있게 갈라진, 몸의 아랫부분에 입는 옷.
pantalón, calzón
Prenda de vestir para la parte inferior del cuerpo, que se ajusta a la cintura y tiene dos perneras.

• 에 : 앞말이 어떤 행위나 작용이 미치는 대상임을 나타내는 조사.
No hay expresión equivalente
Posposición que se usa cuando la palabra anterior es objeto que influye en cierta acción o función.

• **오줌 (Sustantivo)** : 혈액 속의 노폐물과 수분이 요도를 통하여 몸 밖으로 배출되는, 누렇고 지린내가 나는 액체.
orina, pis
Líquido amarillento con olor a orina que consiste de los productos de desechos y sustancias líquidas de la sangre que salen fuera del cuerpo a través de la uretra.

• 을 : 동작이 직접적으로 영향을 미치는 대상을 나타내는 조사.
No hay expresión equivalente
Posposición que se usa para indicar el objeto que ha sido influido directamente por una acción.

• **싸다 (Verbo)** : 똥이나 오줌을 누다.
evacuar, orinar
Evacuar u orinar.

• -는 것 : 명사가 아닌 것을 문장에서 명사처럼 쓰이게 하거나 '이다' 앞에 쓰일 수 있게 할 때 쓰는 표현.
No hay expresión equivalente
Expresión que se usa para hacer que una palabra que no es sustantivo sea utilizada como tal en una oración, o para hacer que se use delante de '이다' .

• 이다 : 주어가 지시하는 대상의 속성이나 부류를 지정하는 뜻을 나타내는 서술격 조사.
No hay expresión equivalente
Posposición de caso atributivo, que se usa para designar el atributo o la clase del objeto al que se refiere el sujeto.

• -었- : 사건이 과거에 일어났음을 나타내는 어미.
No hay expresión equivalente
Desinencia que se usa cuando indica que el suceso ocurrió en el pasado.

• -다 : 어떤 사건이나 사실, 상태를 서술함을 나타내는 종결 어미.
No hay expresión equivalente
Desinencia de terminación que se usa cuando se describe un suceso o hecho del presente.

그리하+자 그 맹인+이 갑자기 주머니+에서 과자+를 꺼내+더니 개+에게 주+[려고 하]+였+다.
그러자 **주려고 했다**

• **그리하다 (verbo)** : 앞에서 일어난 일이나 말한 것과 같이 그렇게 하다.
hacer así
Hacer que se realice tal como ha sucedido o se ha mencionado anteriormente.

• -자 : 앞의 말이 나타내는 동작이 끝난 뒤 곧 뒤의 말이 나타내는 동작이 잇따라 일어남을 나타내는 연결 어미.

No hay expresión equivalente

Desinencia conectora que se usa cuando se produce una acción inmediatamente después de haber terminado la acción anterior.

• **그 (Determinante)** : 앞에서 이미 이야기한 대상을 가리킬 때 쓰는 말.

ese

Expresión usada para designar algo que se acaba de mencionar.

• **맹인 (Sustantivo)** : 눈이 먼 사람.

ciego

Persona ciega.

• 이 : 어떤 상태나 상황의 대상이나 동작의 주체를 나타내는 조사.

No hay expresión equivalente

Posposición que se usa para indicar el objeto de cierto estado o situación o el agente de un movimiento.

• **갑자기 (Adverbio)** : 미처 생각할 틈도 없이 빨리.

de repente, repentinamente, de golpe, de pronto, súbitamente

Súbitamente, sin tiempo para discurrir.

• **주머니 (Sustantivo)** : 옷에 천 등을 덧대어 돈이나 물건 등을 넣을 수 있도록 만든 부분.

bolsillo

Parte hecha agregando tela a una prenda para guardar dinero u objetos.

• 에서 : 앞말이 어떤 일의 출처임을 나타내는 조사.

No hay expresión equivalente

Posposición que se usa para indicar que la palabra anterior es la fuente de algo.

• **과자 (Sustantivo)** : 밀가루나 쌀가루 등에 우유, 설탕 등을 넣고 반죽하여 굽거나 튀긴 간식.

galleta, bizcocho

Merienda preparada con una masa hecha con harina de trigo o de arroz, leche, azúcar, etc. y que luego se hornea o se fríe.

• 를 : 동작이 직접적으로 영향을 미치는 대상을 나타내는 조사.

No hay expresión equivalente

Posposición que se usa para indicar el objeto que ha sido influido directamente por una acción.

• **꺼내다 (Verbo)** : 안에 있는 물건을 밖으로 나오게 하다.

sacar, extraer, vaciar, retirar

Poner afuera algo que estaba dentro.

• -더니 : 과거의 사실이나 상황에 뒤이어 어떤 사실이나 상황이 일어남을 나타내는 연결 어미.
No hay expresión equivalente
Desinencia conectora que se usa cuando sucede cierto hecho o circunstancia tras ocurrir hechos o circunstancias pasados.

• **개 (Sustantivo)** : 냄새를 잘 맡고 귀가 매우 밝으며 영리하고 사람을 잘 따라 사냥이나 애완 등의 목적으로 기르는 동물.
perro, can
Animal inteligente y amigable con el hombre, que se suele criar como mascota. Posee un gran sentido del olfato y un sistema auditivo muy desarrollado.

• 에게 : 어떤 행동이 미치는 대상임을 나타내는 조사.
No hay expresión equivalente
Posposición que indica ser un objeto influyente de cierta acción.

• **주다 (Verbo)** : 물건 등을 남에게 건네어 가지거나 쓰게 하다.
entregar, dar, ofrecer
Hacer que el otro utilice o posea un objeto.

• -려고 하다 : 앞의 말이 나타내는 일이 곧 일어날 것 같거나 시작될 것임을 나타내는 표현.
No hay expresión equivalente
Expresión que indica que lo dicho anteriormente está a punto de suceder o comenzar.

• -였- : 사건이 과거에 일어났음을 나타내는 어미.
No hay expresión equivalente
Desinencia que se usa cuando indica que el suceso ocurrió en el pasado.

• -다 : 어떤 사건이나 사실, 상태를 서술함을 나타내는 종결 어미.
No hay expresión equivalente
Desinencia de terminación que se usa cuando se describe un suceso o hecho del presente.

이때 지나가+던 행인+이 그 광경+을 지켜보+다 맹인+에게 한마디 하+였+다. **했다**

• **이때 (Sustantivo)** : 바로 지금. 또는 바로 앞에서 이야기한 때.
en este momento, en esta ocasión, ahora
Ahora mismo o el momento que se ha dicho inmediatamente antes.

• **지나가다 (Verbo)** : 어떤 대상의 주위를 지나쳐 가다.
pasar, atravesar
Atravesar el alrededor de un objeto.

• -던 : 앞의 말이 관형어의 기능을 하게 만들고 사건이나 동작이 과거에 완료되지 않고 중단되었음을 나타내는 어미.
No hay expresión equivalente
Desinencia que hace que la palabra antecedente ejerza la función de un componente determinante, e indica que un suceso o una acción fue suspendida en un momento del pasado sin concluir.

• **행인** (Sustantivo) : 길을 가는 사람.
transeúnte, peatón
Persona que camina por la calle.

• 이 : 어떤 상태나 상황의 대상이나 동작의 주체를 나타내는 조사.
No hay expresión equivalente
Posposición que se usa para indicar el objeto de cierto estado o situación o el agente de un movimiento.

• **그** (Determinante) : 앞에서 이미 이야기한 대상을 가리킬 때 쓰는 말.
ese
Expresión usada para designar algo que se acaba de mencionar.

• **광경** (Sustantivo) : 어떤 일이나 현상이 벌어지는 장면 또는 모양.
escena, espectáculo
Forma o escena en la que ocurre algo o algún fenómeno.

• 을 : 동작이 직접적으로 영향을 미치는 대상을 나타내는 조사.
No hay expresión equivalente
Posposición que se usa para indicar el objeto que ha sido influido directamente por una acción.

• **지켜보다** (Verbo) : 사물이나 모습 등을 주의를 기울여 보다.
observar
Mirar con atención el entorno de una imagen o un objeto.

• -다 : 어떤 행동이 진행되는 중에 다른 행동이 나타남을 나타내는 연결 어미.
No hay expresión equivalente
Desinencia conectora que se usa para mostrar que se realiza una acción cuando otra está en curso.

• **맹인** (Sustantivo) : 눈이 먼 사람.
ciego
Persona ciega.

• 에게 : 어떤 행동이 미치는 대상임을 나타내는 조사.
No hay expresión equivalente
Posposición que indica ser un objeto influyente de cierta acción.

• **한마디 (Sustantivo)** : 짧고 간단한 말.
una palabra
alocución corta y simple.

• **하다 (Verbo)** : 어떤 행동이나 동작, 활동 등을 행하다.
hacer, realizar
Llevar a cabo un acto o una acción.

• -였- : 사건이 과거에 일어났음을 나타내는 어미.
No hay expresión equivalente
Desinencia que se usa cuando indica que el suceso ocurrió en el pasado.

• -다 : 어떤 사건이나 사실, 상태를 서술함을 나타내는 종결 어미.
No hay expresión equivalente
Desinencia de terminación que se usa cuando se describe un suceso o hecho del presente.

행인 : 저기, 선생님 잠깐+만+요.

• **저기 (Interjección)** : 말을 꺼내기 어색하고 편하지 않을 때에 쓰는 말.
este…, eh…
Interjección que se usa cuando no es cómodo ni fácil tomar la palabra.

• **선생님 (Sustantivo)** : (높이는 말로) 나이가 어지간히 든 사람을 대접하여 이르는 말.
señor
(EXPRESIÓN DE RESPETO) Palabra que se usa para aludir respetuosamente a alguien de edad más o menos mayor.

• **잠깐 (Sustantivo)** : 아주 짧은 시간 동안.
un momento, un rato, un instante
Durante muy corto tiempo.

• 만 : 무엇을 강조하는 뜻을 나타내는 조사.
No hay expresión equivalente
Posposición que indica énfasis en algo.

• 요 : 높임의 대상인 상대방에게 존대의 뜻을 나타내는 조사.
No hay expresión equivalente
Posposición con la que se expresa respeto a alguien que merece tratamiento honorífico.

맹인 : 무슨 일+이+시+죠?

• **무슨 (Determinante)** : 확실하지 않거나 잘 모르는 일, 대상, 물건 등을 물을 때 쓰는 말.
qué
Palabra que se usa para inquirir sobre alguien o algo incierto o desconocido.

• **일 (Sustantivo)** : 해결하거나 처리해야 할 문제나 사항.
asunto
Problema o caso que se debe solucionar o arreglar.

• 이다 : 주어가 지시하는 대상의 속성이나 부류를 지정하는 뜻을 나타내는 서술격 조사.
No hay expresión equivalente
Posposición de caso atributivo, que se usa para designar el atributo o la clase del objeto al que se refiere el sujeto.

• -시- : 어떤 동작이나 상태의 주체를 높이는 뜻을 나타내는 어미.
No hay expresión equivalente
Desinencia que se usa para dar un tratamiento honorífico al agente de una acción verbal o de un determinado estado.

• -죠 : (두루높임으로) 말하는 사람이 듣는 사람에게 친근함을 나타내며 물을 때 쓰는 종결 어미.
No hay expresión equivalente
(TRATAMIENTO HONORÍFICO GENERAL) Desinencia de terminación que se usa cuando el hablante interroga íntimamente al oyente.

행인 : 아니, 방금 개+가 선생님 바지+에 오줌+을 싸+았+는데 왜 과자+를 주+ㅂ니까?
쌌는데 줍니까

• **아니 (Interjección)** : 놀라거나 감탄스러울 때, 또는 의심스럽고 이상할 때 하는 말.
¡no!
Interjección que se usa para denotar sorpresa, admiración, duda o curiosidad.

• **방금 (Adverbio)** : 말하고 있는 시점보다 바로 조금 전에.
recién, hace poco, hace un instante
Justo antes del momento en que se habla.

• **개 (Sustantivo)** : 냄새를 잘 맡고 귀가 매우 밝으며 영리하고 사람을 잘 따라 사냥이나 애완 등의 목적으로 기르는 동물.
perro, can
Animal inteligente y amigable con el hombre, que se suele criar como mascota. Posee un gran sentido del olfato y un sistema auditivo muy desarrollado.

• 가 : 어떤 상태나 상황에 놓인 대상이나 동작의 주체를 나타내는 조사.
No hay expresión equivalente
Posposición que se usa para indicar el objeto de cierto estado o situación o el agente de un movimiento.

• **선생님 (Sustantivo)** : (높이는 말로) 나이가 어지간히 든 사람을 대접하여 이르는 말.
señor
(EXPRESIÓN DE RESPETO) Palabra que se usa para aludir respetuosamente a alguien de edad más o menos mayor.

• **바지 (Sustantivo)** : 위는 통으로 되고 아래는 두 다리를 넣을 수 있게 갈라진, 몸의 아랫부분에 입는 옷.
pantalón, calzón
Prenda de vestir para la parte inferior del cuerpo, que se ajusta a la cintura y tiene dos perneras.

• 에 : 앞말이 어떤 행위나 작용이 미치는 대상임을 나타내는 조사.
No hay expresión equivalente
Posposición que se usa cuando la palabra anterior es objeto que influye en cierta acción o función.

• **오줌 (Sustantivo)** : 혈액 속의 노폐물과 수분이 요도를 통하여 몸 밖으로 배출되는, 누렇고 지린내가 나는 액체.
orina, pis
Líquido amarillento con olor a orina que consiste de los productos de desechos y sustancias líquidas de la sangre que salen fuera del cuerpo a través de la uretra.

• 을 : 동작이 직접적으로 영향을 미치는 대상을 나타내는 조사.
No hay expresión equivalente
Posposición que se usa para indicar el objeto que ha sido influido directamente por una acción.

• **싸다 (Verbo)** : 똥이나 오줌을 누다.
evacuar, orinar
Evacuar u orinar.

• -았- : 어떤 사건이 과거에 완료되었거나 그 사건의 결과가 현재까지 지속되는 상황을 나타내는 어미.
No hay expresión equivalente
Desinencia que se usa cuando cierto suceso fue acabado en el pasado o cuando el resultado de ese suceso continúa hasta el presente.

• -는데 : 뒤의 말을 하기 위하여 그 대상과 관련이 있는 상황을 미리 말함을 나타내는 연결 어미.
No hay expresión equivalente
Desinencia conectora que se usa cuando se habla con antelación una circunstancia pasada relacionada con la palabra posterior.

- **왜 (Adverbio)** : 무슨 이유로. 또는 어째서.
  por qué, porque
  Por qué causa. O el porqué.

- **과자 (Sustantivo)** : 밀가루나 쌀가루 등에 우유, 설탕 등을 넣고 반죽하여 굽거나 튀긴 간식.
  galleta, bizcocho
  Merienda preparada con una masa hecha con harina de trigo o de arroz, leche, azúcar, etc. y que luego se hornea o se fríe.

- 를 : 동작이 직접적으로 영향을 미치는 대상을 나타내는 조사.
  No hay expresión equivalente
  Posposición que se usa para indicar el objeto que ha sido influido directamente por una acción.

- **주다 (Verbo)** : 물건 등을 남에게 건네어 가지거나 쓰게 하다.
  entregar, dar, ofrecer
  Hacer que el otro utilice o posea un objeto.

- -ㅂ니까 : (아주높임으로) 말하는 사람이 듣는 사람에게 정중하게 물음을 나타내는 종결 어미.
  No hay expresión equivalente
  (TRATAMIENTO HONORÍFICO MÁXIMO) Desinencia de terminación que se usa cuando el hablante interroga cortésmente al oyente.

행인 : 저 같+으면 개 머리+를 한 대 <u>때리+었+[을 텐데]</u> 이해+가 안 가+네요. **때렸을 텐데**

- **저 (Pronombre)** : 말하는 사람이 듣는 사람에게 자신을 낮추어 가리키는 말.
  yo
  Palabra que usa el hablante delante del oyente con tono de humildad.

- **같다 (Adjetivo)** : '어떤 상황이나 조건이라면'의 뜻을 나타내는 말.
  si + subj. (p.ej., si fuera)
  Se usa para formar la cláusula condicional 'si fuera bajo una determinada circunstancia o condición'.

- -으면 : 뒤에 오는 말에 대한 근거나 조건이 됨을 나타내는 연결 어미.
  No hay expresión equivalente
  Desinencia conectora que se usa para indicar la condición del contenido posterior.

• **개 (Sustantivo)** : 냄새를 잘 맡고 귀가 매우 밝으며 영리하고 사람을 잘 따라 사냥이나 애완 등의 목적으로 기르는 동물.
perro, can
Animal inteligente y amigable con el hombre, que se suele criar como mascota. Posee un gran sentido del olfato y un sistema auditivo muy desarrollado.

• **머리 (Sustantivo)** : 사람이나 동물의 몸에서 얼굴과 머리털이 있는 부분을 모두 포함한 목 위의 부분.
cabeza
En el cuerpo de personas o animales, parte superior al cuello incluyendo toda la cara y la parte del cabello.

• 를 : 동작이 직접적으로 영향을 미치는 대상을 나타내는 조사.
No hay expresión equivalente
Posposición que se usa para indicar el objeto que ha sido influido directamente por una acción.

• **한 (Determinante)** : 하나의.
No hay expresión equivalente
uno

• **대 (Sustantivo)** : 때리는 횟수를 세는 단위.
No hay expresión equivalente
Unidad de conteo del golpe.

• **때리다 (Verbo)** : 손이나 손에 든 물건으로 아프게 치다.
golpear, pegar
Maltratar con golpes o con cualquier cosa que se toma o coge con la mano.

• -었- : 사건이 과거에 일어났음을 나타내는 어미.
No hay expresión equivalente
Desinencia que se usa cuando indica que el suceso ocurrió en el pasado.

• -을 텐데 : 앞에 오는 말에 대하여 말하는 사람의 강한 추측을 나타내면서 그와 관련되는 내용을 이어 말할 때 쓰는 표현.
No hay expresión equivalente
Expresión que indica una contundente suposición del hablante sobre un hecho y se usa para proponer un contenido relacionado a ello.

• **이해 (sustantivo)** : 무엇이 어떤 것인지를 앎. 또는 무엇이 어떤 것이라고 받아들임.
comprensión, entendimiento
Acción y efecto de saber o admitir lo que algo es.

• 가 : 어떤 상태나 상황에 놓인 대상이나 동작의 주체를 나타내는 조사.
No hay expresión equivalente
Posposición que se usa para indicar el objeto de cierto estado o situación o el agente de un movimiento.

• **안 (adverbio)** : 부정이나 반대의 뜻을 나타내는 말.
no
Palabra que expresa negación u oposición.

• **가다 (verbo)** : 어떤 것에 대해 생각이나 이해가 되다.
Entenderse
Pensarse o comprenderse algo.

• -네요 : (두루높임으로) 말하는 사람이 직접 경험하여 새롭게 알게 된 사실에 대해 감탄함을 나타낼 때 쓰는 표현.
No hay expresión equivalente
(TRATAMIENTO HONORÍFICO GENERAL) Expresión que se usa para mostrar que el hablante presenta una emoción sobre algo nuevo que se acaba de conocer por haberlo experimentado directamente.

맹인 : 개+한테 과자+를 주+어야 머리+가 어디 있+는지 알(아)+[ㄹ 수 있]+잖아요. **쥐야** **알 수 있잖아요**

• **개 (Sustantivo)** : 냄새를 잘 맡고 귀가 매우 밝으며 영리하고 사람을 잘 따라 사냥이나 애완 등의 목적으로 기르는 동물.
perro, can
Animal inteligente y amigable con el hombre, que se suele criar como mascota. Posee un gran sentido del olfato y un sistema auditivo muy desarrollado.

• 한테 : 어떤 행동이 미치는 대상임을 나타내는 조사.
No hay expresión equivalente
Posposición que se usa para indicar el objeto de una acción.

• **과자 (Sustantivo)** : 밀가루나 쌀가루 등에 우유, 설탕 등을 넣고 반죽하여 굽거나 튀긴 간식.
galleta, bizcocho
Merienda preparada con una masa hecha con harina de trigo o de arroz, leche, azúcar, etc. y que luego se hornea o se fríe.

• 를 : 동작이 직접적으로 영향을 미치는 대상을 나타내는 조사.
No hay expresión equivalente
Posposición que se usa para indicar el objeto que ha sido influido directamente por una acción.

• **주다 (Verbo)** : 물건 등을 남에게 건네어 가지거나 쓰게 하다.
entregar, dar, ofrecer
Hacer que el otro utilice o posea un objeto.

• -어야 : 앞에 오는 말이 뒤에 오는 말에 대한 필수적인 조건임을 나타내는 연결 어미.
No hay expresión equivalente
Desinencia conectora que se usa cuando la palabra anterior es una condición indispensable para la palabra posterior.

• **머리 (Sustantivo)** : 사람이나 동물의 몸에서 얼굴과 머리털이 있는 부분을 모두 포함한 목 위의 부분.
cabeza
En el cuerpo de personas o animales, parte superior al cuello incluyendo toda la cara y la parte del cabello.

• 가 : 어떤 상태나 상황에 놓인 대상이나 동작의 주체를 나타내는 조사.
No hay expresión equivalente
Posposición que se usa para indicar el objeto de cierto estado o situación o el agente de un movimiento.

• **어디 (Pronombre)** : 모르는 곳을 가리키는 말.
dónde
Palabra que señala un lugar desconocido.

• **있다 (Adjetivo)** : 무엇이 어떤 곳에 자리나 공간을 차지하고 존재하는 상태이다.
existente
Que ocupa o se halla algo en cierto lugar o espacio.

• -는지 : 뒤에 오는 말의 내용에 대한 막연한 이유나 판단을 나타내는 연결 어미.
No hay expresión equivalente
Desinencia conectora que se usa cuando se indica una razón o un juicio vago sobre el contenido de la palabra posterior.

• **알다 (Verbo)** : 교육이나 경험, 생각 등을 통해 사물이나 상황에 대한 정보 또는 지식을 갖추다.
saber, conocer, aprender
Adquirir un conocimiento o una información sobre la situación de un objeto mediante la educación, experiencia o pensamiento.

• -ㄹ 수 있다 : 어떤 행동이나 상태가 가능함을 나타내는 표현.
No hay expresión equivalente
Expresión que indica que es posible realizar cierta acción, o permanecer en cierto estado.

• -잖아요 : (두루높임으로) 어떤 상황에 대해 말하는 사람이 상대방에게 확인하거나 정정해 주듯이 말함을 나타내는 표현.

No hay expresión equivalente

(TRATAMIENTO HONORÍFICO GENERAL) Expresión que se usa para hablar como si se estuviera corrigiendo o verificando al adversario alguna situación.

< 6 단원(unidad) >

제목 : 왜 아버지 직업을 수산업이라고 적었니?

● 본문 (contexto principal)

서울의 한 초등학교에서 가정 환경 조사를 실시하였다.

담임 선생님이 학생들이 제출한 자료를 꼼꼼히 살펴보고 있었다.

잠시 후 고개를 갸우뚱거리시더니 한 학생에게 물었다.

선생님 : 아버님이 선장이시니?

학생 : 아뇨.

선생님 : 그럼 어부시니?

학생 : 아니요.

선생님 : 그럼 양식 사업하시니?

학생 : 아닌데요.

선생님 : 그런데 왜 아버지 직업을 수산업이라고 적었니?

학생 : 우리 아버지는 학교 앞에서 붕어빵을 구우시거든요.

맛있어서 엄청 많이 팔려요.

선생님도 한번 드셔 보실래요?

● 발음 (pronunciación)

서울의 한 초등학교에서 가정 환경 조사를 실시하였다.
서울의 한 초등학꾜에서 가정 환경 조사를 실씨하엳따.
seourui han chodeunghakgyoeseo gajeong hwangyeong josareul silsihayeotda.

담임 선생님이 학생들이 제출한 자료를 꼼꼼히 살펴보고 있었다.
다밈 선생니미 학쌩드리 제출한 자료를 꼼꼼히 살펴보고 이썯따.
damim seonsaengnimi haksaengdeuri jechulhan jaryoreul kkomkkomhi salpyeobogo isseotda.

잠시 후 고개를 갸우뚱거리시더니 한 학생에게 물었다.
잠시 후 고개를 갸우뚱거리시더니 한 학쌩에게 무럳따.
jamsi hu gogaereul gyauttunggeorisideoni han haksaengege mureotda.

선생님 : 아버님이 선장이시니?
선생님 : 아버니미 선장이시니?
seonsaengnim : abeonimi seonjangisini?

학생 : 아뇨.
학쌩 : 아뇨.
haksaeng : anyo.

선생님 : 그럼 어부시니?
선생님 : 그럼 어부시니?
seonsaengnim : geureom eobusini?

학생 : 아니요.
학쌩 : 아니요.
haksaeng : aniyo.

선생님 : 그럼 양식 사업하시니?
선생님 : 그럼 양식 사어파시니?
seonsaengnim : geureom yangsik saeopasini?

학생 : 아닌데요.
학쌩 : 아닌데요.
haksaeng : anindeyo.

선생님 : 그런데 왜 아버지 직업을 수산업이라고 적었니?
선생님 : 그런데 왜 아버지 지거블 수사너비라고 저건니?
seonsaengnim : geureonde wae abeoji jigeobeul susaneobirago jeogeonni?

학생 : 우리 아버지는 학교 앞에서 붕어빵을 구우시거든요.
학쌩 : 우리 아버지는 학꾜 아페서 붕어빵을 구우시거드뇨.
haksaeng : uri abeojineun hakgyo apeseo bungeoppangeul guusigeodeunyo.

맛있어서 엄청 많이 팔려요.
마시써서 엄청 마니 팔려요.
masisseoseo eomcheong mani pallyeoyo.

선생님도 한번 드셔 보실래요?
선생님도 한번 드셔 보실래요?
seonsaengnimdo hanbeon deusyeo bosillaeyo?

● 어휘 (palabra) / 문법 (gramática)

서울+의 한 초등학교+에서 가정 환경 조사+를 실시하+였+다.

담임 선생+님+이 학생+들+이 제출하+ㄴ 자료+를 꼼꼼히 살펴보+고 있+었+다.

잠시 후 고개+를 갸우뚱거리+시+더니 한 학생+에게 묻(물)+었+다.

선생님 : 아버님+이 선장+이+시+니?

학생: 아뇨.

선생님 : 그럼 어부+(이)+시+니?

학생 : 아니요.

선생님 : 그럼 양식 사업하+시+니?

학생 : 아니+ㄴ데요.

선생님 : 그런데 왜 아버지 직업+을 수산업+이라고 적+었+니?

학생 : 우리 아버지+는 학교 앞+에서 붕어빵+을 굽(구우)+시+거든요.

맛있+어서 엄청 많이 팔리+어요.

선생님+도 한번 들(드)+시+어 보+시+ㄹ래요?

서울+의 한 초등학교+에서 가정 환경 조사+를 실시하+였+다.

• **서울 (Sustantivo)** : 한반도 중앙에 있는 특별시. 한국의 수도이자 정치, 경제, 산업, 사회, 문화, 교통의 중심지이다. 북한산, 관악산 등의 산에 둘러싸여 있고 가운데로는 한강이 흐른다.
Seúl
La ciudad metropolitana que está en el centro de la península coreana. Es la capital de la República de Corea y el eje de la política, la economía, la industria, la sociedad, la cultura y el transporte. Está rodeada de montañas como Bukhan y Gwanak, y en su centro fluye el río Han.

• 의 : 앞의 말이 뒤의 말에 대하여 소유, 소속, 소재, 관계, 기원, 주체의 관계를 가짐을 나타내는 조사.
No hay expresión equivalente
Posposición que se usa para indicar que la palabra anterior tiene una relación de posesión, pertenencia, integración, conexión, procedencia, sujeto con la posterior.

• **한 (Determinante)** : 여럿 중 하나인 어떤.
No hay expresión equivalente
Uno entre varios.

• **초등학교 (Sustantivo)** : 학교 교육의 첫 번째 단계로 만 여섯 살에 입학하여 육 년 동안 기본 교육을 받는 학교.
escuela primaria
Primera etapa de la educación escolar, que se ingresa a la edad de 6 años y recibe una enseñanza básica durante 6 años.

• 에서 : 앞말이 주어임을 나타내는 조사.
No hay expresión equivalente
Posposición que se usa para indicar que la palabra anterior es el sujeto.

• **가정 환경 (Sustantivo)** : 가정의 분위기나 조건.
ambiente familiar, entorno familiar
Ambiente o condiciones de la vida familiar o del hogar.

• **조사 (Sustantivo)** : 어떤 일이나 사물의 내용을 알기 위하여 자세히 살펴보거나 찾아봄.
investigación, exploración, indagación, averiguación, búsqueda
Acción de averiguar o buscar minuciosamente para saber de cierto hecho u objeto.

• 를 : 동작이 직접적으로 영향을 미치는 대상을 나타내는 조사.
No hay expresión equivalente
Posposición que indica el objeto que influye directamente en la acción.

• **실시하다 (Verbo)** : 어떤 일이나 법, 제도 등을 실제로 행하다.
implementar, ejecutar, poner en vigencia
Efectuar algún asunto, ley, sistema, etc.

• -였- : 어떤 사건이 과거에 완료되었거나 그 사건의 결과가 현재까지 지속되는 상황을 나타내는 어미.
No hay expresión equivalente
Desinencia que se usa cuando cierto suceso fue acabado en el pasado o cuando el resultado de ese suceso continúa hasta el presente.

• -다 : 어떤 사건이나 사실, 상태를 서술함을 나타내는 종결 어미.
No hay expresión equivalente
Desinencia de terminación que se usa cuando se describe un suceso o hecho del presente.

담임 선생+님+이 학생+들+이 <u>제출하+ㄴ</u> 자료+를 꼼꼼히 살펴보+[고 있]+었+다. **제출한**

• **담임 선생** (Sustantivo) : 한 반이나 한 학년을 책임지고 맡아서 가르치는 선생님.
maestro de cargo
Maestro encargado de la enseñanza para determinada división o año.

• 님 : '높임'의 뜻을 더하는 접미사.
No hay expresión equivalente
Sufijo que añade tono honorífico.

• 이 : 어떤 상태나 상황의 대상이나 동작의 주체를 나타내는 조사.
No hay expresión equivalente
Posposición que se usa para indicar el objeto de cierto estado o situación o el agente de un movimiento.

• **학생** (Sustantivo) : 학교에 다니면서 공부하는 사람.
estudiante, alumno
Persona que estudia en una escuela.

• 들 : '복수'의 뜻을 더하는 접미사.
No hay expresión equivalente
Sufijo que añade el significado de 'plural'.

• 이 : 어떤 상태나 상황의 대상이나 동작의 주체를 나타내는 조사.
No hay expresión equivalente
Posposición que se usa para indicar el objeto de cierto estado o situación o el agente de un movimiento.

• **제출하다** (Verbo) : 어떤 안건이나 의견, 서류 등을 내놓다.
presentar, proponer, ofrecer
Poner en presencia cierto asunto, opinión, documento, etc.

• -ㄴ : 앞의 말이 관형어의 기능을 하게 만들고 사건이나 동작이 완료되어 그 상태가 유지되고 있음을 나타내는 어미.

No hay expresión equivalente

Desinencia que hace que la palabra antecedente ejerza la función de una palabra determinante, e indica que un suceso o una acción se mantiene en el mismo estado que cuando concluyó en un momento del pasado.

• **자료 (Sustantivo)** : 연구나 조사를 하는 데 기본이 되는 재료.

documento, documentación

Material básico para un estudio o investigación.

• 를 : 동작이 직접적으로 영향을 미치는 대상을 나타내는 조사.

No hay expresión equivalente

Posposición que indica el objeto que influye directamente en la acción.

• **꼼꼼히 (Adverbio)** : 빈틈이 없이 자세하고 차분하게.

minuciosamente, detalladamente, escrupulosamente, detenidamente, cuidadosamente

De modo minucioso, escrupuloso y cuidadoso.

• **살펴보다 (Verbo)** : 여기저기 빠짐없이 자세히 보다.

examinar

Investigar con diligencia y cuidado una cosa.

• -고 있다 : 앞의 말이 나타내는 행동이 계속 진행됨을 나타내는 표현.

No hay expresión equivalente

Expresión que indica que la acción que representa la parte anterior de la cláusula continúa.

• -었- : 어떤 사건이 과거에 완료되었거나 그 사건의 결과가 현재까지 지속되는 상황을 나타내는 어미.

No hay expresión equivalente

Desinencia que se usa cuando cierto suceso fue acabado en el pasado o cuando el resultado de ese suceso continúa hasta el presente.

• -다 : 어떤 사건이나 사실, 상태를 서술함을 나타내는 종결 어미.

No hay expresión equivalente

Desinencia de terminación que se usa cuando se describe un suceso o hecho del presente.

잠시 후 고개+를 갸우뚱거리+시+더니 한 학생+에게 묻(물)+었+다. **물었다**

• **잠시 (Sustantivo)** : 잠깐 동안.

momento, instante, segundo, santiamén

Breve tiempo.

• **후 (Sustantivo)** : 얼마만큼 시간이 지나간 다음.
después, luego
Algún tiempo después de un punto específico en el tiempo.

• **고개 (Sustantivo)** : 목을 포함한 머리 부분.
No hay expresión equivalente
Cabeza y cuello.

• **를** : 동작이 직접적으로 영향을 미치는 대상을 나타내는 조사.
No hay expresión equivalente
Posposición que indica el objeto que influye directamente en la acción.

• **갸우뚱거리다 (Verbo)** : 물체가 자꾸 이쪽저쪽으로 기울어지며 흔들리다. 또는 그렇게 하다.
balancearse
Inclinarse un objeto a un lado y otro de manera repetitiva. O hacer que se mueva así.

• **-시-** : 어떤 동작이나 상태의 주체를 높이는 뜻을 나타내는 어미.
No hay expresión equivalente
Desinencia que se usa para dar un tratamiento honorífico al agente de una acción verbal o de un determinado estado.

• **-더니** : 과거의 사실이나 상황에 뒤이어 어떤 사실이나 상황이 일어남을 나타내는 연결 어미.
No hay expresión equivalente
Desinencia conectora que se usa cuando sucede cierto hecho o circunstancia tras ocurrir hechos o circunstancias pasados.

• **한 (Determinante)** : 여럿 중 하나인 어떤.
No hay expresión equivalente
Uno entre varios.

• **학생 (Sustantivo)** : 학교에 다니면서 공부하는 사람.
estudiante, alumno
Persona que estudia en una escuela.

• **에게** : 어떤 행동이 미치는 대상임을 나타내는 조사.
No hay expresión equivalente
Posposición que indica ser un objeto influyente de cierta acción.

• **묻다 (Verbo)** : 대답이나 설명을 요구하며 말하다.
preguntar
Hacer preguntas a alguien exigiendo su respuesta o explicación.

• -었- : 어떤 사건이 과거에 완료되었거나 그 사건의 결과가 현재까지 지속되는 상황을 나타내는 어미.
No hay expresión equivalente
Desinencia que se usa cuando cierto suceso fue acabado en el pasado o cuando el resultado de ese suceso continúa hasta el presente.

• -다 : 어떤 사건이나 사실, 상태를 서술함을 나타내는 종결 어미.
No hay expresión equivalente
Desinencia de terminación que se usa cuando se describe un suceso o hecho del presente.

선생님 : 아버님+이 선장+이+시+니? 학생 : 아뇨.

• **아버님 (Sustantivo)** : (높임말로) 자기를 낳아 준 남자를 이르거나 부르는 말.
padre
(TRATAMIENTO HONORÍFICO) Respecto de alguien, varón que le ha engendrado.

• 이 : 어떤 상태나 상황의 대상이나 동작의 주체를 나타내는 조사.
No hay expresión equivalente
Posposición que se usa para indicar el objeto de cierto estado o situación o el agente de un movimiento.

• **선장 (Sustantivo)** : 배에 탄 선원들을 감독하고, 배의 항해와 사무를 책임지는 사람.
capitán
Persona que hace la supervisión de la tripulación a bordo de una nave, persona que se encarga de la navegación y gestión administrativa de la misma.

• 이다 : 주어가 지시하는 대상의 속성이나 부류를 지정하는 뜻을 나타내는 서술격 조사.
No hay expresión equivalente
Posposición de caso atributivo, que se usa para designar el atributo o la clase del objeto al que se refiere el sujeto.

• -시- : 어떤 동작이나 상태의 주체를 높이는 뜻을 나타내는 어미.
No hay expresión equivalente
Desinencia que se usa para dar un tratamiento honorífico al agente de una acción verbal o de un determinado estado.

• -니 : (아주낮춤으로) 물음을 나타내는 종결 어미.
No hay expresión equivalente
(TRATAMIENTO DE MODESTIA MÁXIMA) Desinencia de terminación que se usa cuando se interroga algo.

• **아뇨 (Interjección)** : 윗사람이 묻는 말에 대하여 부정하며 대답할 때 쓰는 말.
¡no!
Interjección que se usa para dar una respuesta negativa a una pregunta hecha por alguien de edad o rango mayor que el hablante.

선생님 : 그럼 어부+(이)+시+니?
어부시니

학생 : 아니요.

• **그럼 (Adverbio)** : 앞의 내용을 받아들이거나 그 내용을 바탕으로 하여 새로운 주장을 할 때 쓰는 말.
entonces, pues, en ese caso, en tal caso, de ser así
Se usa para manifestar que se admite lo antedicho, o plantear un nuevo argumento fundamentado en eso.

• **어부 (Sustantivo)** : 물고기를 잡는 일을 직업으로 하는 사람.
pescador
Persona que pesca por oficio.

• 이다 : 주어가 지시하는 대상의 속성이나 부류를 지정하는 뜻을 나타내는 서술격 조사.
No hay expresión equivalente
Posposición de caso atributivo, que se usa para designar el atributo o la clase del objeto al que se refiere el sujeto.

• -시- : 어떤 동작이나 상태의 주체를 높이는 뜻을 나타내는 어미.
No hay expresión equivalente
Desinencia que se usa para dar un tratamiento honorífico al agente de una acción verbal o de un determinado estado.

• -니 : (아주낮춤으로) 물음을 나타내는 종결 어미.
No hay expresión equivalente
(TRATAMIENTO DE MODESTIA MÁXIMA) Desinencia de terminación que se usa cuando se interroga algo.

• **아니요 (Interjección)** : 윗사람이 묻는 말에 대하여 부정하며 대답할 때 쓰는 말.
¡no!
Interjección que se usa para dar una respuesta negativa a una pregunta hecha por alguien de edad o rango mayor que el hablante.

선생님 : 그럼 양식 사업하+시+니?

학생 : 아니+ㄴ데요.
아닌데요

• **그럼 (Adverbio)** : 앞의 내용을 받아들이거나 그 내용을 바탕으로 하여 새로운 주장을 할 때 쓰는 말.
entonces, pues, en ese caso, en tal caso, de ser así
Se usa para manifestar que se admite lo antedicho, o plantear un nuevo argumento fundamentado en eso.

• **양식 (Sustantivo)** : 물고기, 김, 미역, 버섯 등을 인공적으로 길러서 번식하게 함.
cultura, cría, piscicultura
Trabajo de criar y repoblar artificialmente peces, algas, hongos, etc.

• **사업하다 (Verbo)** : 경제적 이익을 얻기 위하여 어떤 조직을 경영하다.
administrar, dirigir
Dirigir una organización para obtener ganancias económicas.

• -시- : 어떤 동작이나 상태의 주체를 높이는 뜻을 나타내는 어미.
No hay expresión equivalente
Desinencia que se usa para dar un tratamiento honorífico al agente de una acción verbal o de un determinado estado.

• -니 : (아주낮춤으로) 물음을 나타내는 종결 어미.
No hay expresión equivalente
(TRATAMIENTO DE MODESTIA MÁXIMA) Desinencia de terminación que se usa cuando se interroga algo.

• **아니다 (Adjetivo)** : 어떤 사실이나 내용을 부정하는 뜻을 나타내는 말.
no
Palabra que denota el significado de negación de un hecho o un contenido.

• -ㄴ데요 : (두루높임으로) 어떤 상황을 전달하여 듣는 사람의 반응을 기대함을 나타내는 표현.
No hay expresión equivalente
(TRATAMIENTO HONORÍFICO GENERAL) Expresión que se usa cuando se espera una reacción del oyente mientras trasmite una situación.

선생님 : 그런데 왜 아버지 직업+을 수산업+이라고 적+었+니?

• **그런데 (Adverbio)** : 이야기를 앞의 내용과 관련시키면서 다른 방향으로 바꿀 때 쓰는 말.
a propósito
Se usa para cambiar de tema y hablar de otra cosa, sin interrumpir el flujo de la conversación.

• **왜 (Adverbio)** : 무슨 이유로. 또는 어째서.
por qué, porque
Por qué causa. O el porqué.

• **아버지 (Sustantivo)** : 자기를 낳아 준 남자를 이르거나 부르는 말.
padre
Respecto de una persona, palabra usada para referirse o llamar al hombre que le ha procreado.

• **직업 (Sustantivo)** : 보수를 받으면서 일정하게 하는 일.
profesión, oficio, ocupación
Trabajo que se realiza de manera establecida recibiendo una remuneración a cambio.

• 을 : 동작이 직접적으로 영향을 미치는 대상을 나타내는 조사.
No hay expresión equivalente
Posposición que indica el objeto que influye directamente en la acción.

• **수산업 (Sustantivo)** : 바다나 강 등의 물에서 나는 생물을 잡거나 기르거나 가공하는 등의 산업.
industria pesquera
Industria destinada a la pesca, el cultivo, la elaboración, entre otros, de los organismos que se hallan en el río o el mar.

• 이라고 : 앞의 말이 원래 말해진 그대로 인용됨을 나타내는 조사.
No hay expresión equivalente
Posposición que indica la palabra anterior fue citada tal como se había dicho al principio.

• **적다 (Verbo)** : 어떤 내용을 글로 쓰다.
apuntar, redactar
Escribir cierto contenido.

• -었- : 어떤 사건이 과거에 완료되었거나 그 사건의 결과가 현재까지 지속되는 상황을 나타내는 어미.
No hay expresión equivalente
Desinencia que se usa cuando cierto suceso fue acabado en el pasado o cuando el resultado de ese suceso continúa hasta el presente.

• -니 : (아주낮춤으로) 물음을 나타내는 종결 어미.
No hay expresión equivalente
(TRATAMIENTO DE MODESTIA MÁXIMA) Desinencia de terminación que se usa cuando se interroga algo.

학생 : 우리 아버지+는 학교 앞+에서 붕어빵+을 굽(구우)+시+거든요. 구우시거든요

• **우리 (Pronombre)** : 말하는 사람이 자기보다 높지 않은 사람에게 자기와 관련된 것을 친근하게 나타낼 때 쓰는 말.
el nuestro, la nuestra
Palabra que el hablante usa para mostrar íntimamente lo que está relacionado consigo delante de una persona que no es superior a él.

• **아버지 (Sustantivo)** : 자기를 낳아 준 남자를 이르거나 부르는 말.
padre
Respecto de una persona, palabra usada para referirse o llamar al hombre que le ha procreado.

• 는 : 문장 속에서 어떤 대상이 화제임을 나타내는 조사.
No hay expresión equivalente
Posposición que muestra que el referente es el tópico de una oración.

• **학교 (Sustantivo)** : 일정한 목적, 교과 과정, 제도 등에 의하여 교사가 학생을 가르치는 기관.
escuela, colegio
Establecimiento en el que los docentes imparten educación a los alumnos de acuerdo con sus respectivos propósitos, planes de estudios, y sistemas.

• **앞 (Sustantivo)** : 향하고 있는 쪽이나 곳.
frente, delante
Lugar o lado a donde se dirige.

• 에서 : 앞말이 행동이 이루어지고 있는 장소임을 나타내는 조사.
No hay expresión equivalente
Posposición que se usa para indicar el lugar en el que se realiza la acción de la palabra anterior.

• **붕어빵 (Sustantivo)** : 붕어 모양 풀빵
붕어
carpa
Pez de agua dulce que tiene el cuerpo ancho, su lomo es de color marrón amarillento, y tiene escamas grandes.
모양
forma, apariencia, aspecto, figura, estructura
Figura o apariencia que se muestra por fuera.
풀빵
pulppang, pan horneado en molde
Pan hecho de una masa un poco aguada de harina de trigo, dulce de frijoles, etc. hecho vertiendo masa de harina fina, mermelada de frijol, etc., adentro, horneado en un molde de

forma especial.

• 을 : 동작이 직접적으로 영향을 미치는 대상을 나타내는 조사.
No hay expresión equivalente
Posposición que indica el objeto que influye directamente en la acción.

• **굽다** (Verbo) : 음식을 불에 익히다.
asar
Poner la comida al fuego para cocerla.

• -시- : 어떤 동작이나 상태의 주체를 높이는 뜻을 나타내는 어미.
No hay expresión equivalente
Desinencia que se usa para dar un tratamiento honorífico al agente de una acción verbal o de un determinado estado.

• -거든요 : (두루높임으로) 앞의 내용에 대해 말하는 사람이 생각한 이유나 원인, 근거를 나타내는 표현.
No hay expresión equivalente
(TRATAMIENTO HONORÍFICO GENERAL) Expresión que se usa cuando el hablante quiere mostrar su propia opinión sobre la causa o el fundamento de lo que se ha dicho en el comentario anterior de la cláusula.

학생 : 맛있+어서 엄청 많이 팔리+어요.
팔려요

• **맛있다** (Adjetivo) : 맛이 좋다.
sabroso, delicioso, rico, apetitoso
Que sabe bien.

• -어서 : 이유나 근거를 나타내는 연결 어미.
No hay expresión equivalente
Desinencia conectora que se usa para indicar causa o fundamento.

• **엄청** (Adverbio) : 양이나 정도가 아주 지나치게.
excesivamente, demasiado, incalculablemente
Con exceso en cantidad o grado.

• **많이** (Adverbio) : 수나 양, 정도 등이 일정한 기준보다 넘게.
mucho, abundantemente, copiosamente
Más de un determinado número, cantidad o nivel de referencia.

• **팔리다** (Verbo) : 값을 받고 물건이나 권리가 다른 사람에게 넘겨지거나 노력 등이 제공되다.
venderse
Entregarse algún objeto o derecho o prestarse algún servicio a cambio de dinero.

• -어요 : (두루높임으로) 어떤 사실을 서술하거나 질문, 명령, 권유함을 나타내는 종결 어미.
No hay expresión equivalente
(TRATAMIENTO HONORÍFICO GENERAL) Desinencia de terminación que se usa cuando se describe cierto hecho; o pregunta, ordena o reclama algo.

학생 : 선생님+도 한번 들(드)+시+[어 보]+시+ㄹ래요?
드셔 보실래요

• **선생님 (Sustantivo)** : (높이는 말로) 학생을 가르치는 사람.
profesor
(EXPRESIÓN DE RESPETO) Persona que enseña a los alumnos.

• 도 : 이미 있는 어떤 것에 다른 것을 더하거나 포함함을 나타내는 조사.
No hay expresión equivalente
Posposición que añade o incluye algo a cierta cosa ya existente.

• **한번 (Adverbio)** : 어떤 일을 시험 삼아 시도함을 나타내는 말.
No hay expresión equivalente
Palabras que indican que se intenta algo como prueba.

• **들다 (Verbo)** : (높임말로) 먹다.
alimentarse
(TRATAMIENTO HONORÍFICO) Comer

• -시- : 어떤 동작이나 상태의 주체를 높이는 뜻을 나타내는 어미.
No hay expresión equivalente
Desinencia que se usa para dar un tratamiento honorífico al agente de una acción verbal o de un determinado estado.

• -어 보다 : 앞의 말이 나타내는 행동을 시험 삼아 함을 나타내는 표현.
No hay expresión equivalente
Expresión que indica la realización de la acción que indica el comentario anterior a modo de prueba.

• -시- : 어떤 동작이나 상태의 주체를 높이는 뜻을 나타내는 어미.
No hay expresión equivalente
Desinencia que se usa para dar un tratamiento honorífico al agente de una acción verbal o de un determinado estado.

• -ㄹ래요 : (두루높임으로) 앞으로 어떤 일을 하려고 하는 자신의 의사를 나타내거나 그 일에 대하여 듣는 사람의 의사를 물어봄을 나타내는 표현.

No hay expresión equivalente

(TRATAMIENTO HONORÍFICO GENERAL) Expresión que indica la voluntad de realizar algo en el futuro o se usa para preguntar al oyente sobre ese hecho.

< 7 단원(unidad) >

제목 : 도대체 어디가 아픈지 잘 모르겠어요.

● 본문 (contexto principal)

교통사고를 당한 사람이 진찰을 받으러 병원에 갔다.

환자 : 의사 선생님, 도대체 어디가 아픈지 잘 모르겠어요.

의사 : 일단 손가락으로 여기저기 한번 눌러 보세요.

환자 : 어디를 눌러도 까무러칠 만큼 아파요.

의사 : 제가 한번 눌러 볼게요.

어떠세요?

환자 : 그다지 아픈 것 같지 않은데요.

결국 그 환자는 다른 병원을 찾아 갔지만 역시 아픈 곳을 정확히 찾지 못했다.

답답했던 그 환자는 어느 한의원에 들어갔다.

환자 : 정확히 어디가 아픈지 잘 모르겠지만 어디를 눌러 봐도 아파 죽겠어요.

제발 좀 찾아 주세요.

한의사 선생님은 의미심장한 표정을 지으며 말했다.

한의사 : 손가락이 부러지셨군요!

● 발음 (pronunciación)

교통사고를 당한 사람이 진찰을 받으러 병원에 갔다.
교통사고를 당한 사라미 진차를 바드러 병워네 갇따.
gyotongsagoreul danghan sarami jinchareul badeureo byeongwone gatda.

환자 : 의사 선생님, 도대체 어디가 아픈지 잘 모르겠어요.
환자 : 의사 선생님, 도대체 어디가 아픈지 잘 모르게써요.
hwanja : uisa seonsaengnim, dodaeche eodiga apeunji jal moreugesseoyo.

의사 : 일단 손가락으로 여기저기 한번 눌러 보세요.
의사 : 일딴 손까라그로 여기저기 한번 눌러 보세요.
uisa : ildan songarageuro yeogijeogi hanbeon nulleo boseyo.

환자 : 어디를 눌러도 까무러칠 만큼 아파요.
환자 : 어디를 눌러도 까무러칠 만큼 아파요.
hwanja : eodireul nulleodo kkamureochil mankeum apayo.

의사 : 제가 한번 눌러 볼게요.
의사 : 제가 한번 눌러 볼께요.
uisa : jega hanbeon nulleo bolgeyo.

어떠세요?
어떠세요?
eotteoseyo?

환자 : 그다지 아픈 것 같지 않은데요.
환자 : 그다지 아픈 걷 갇찌 아는데요.
hwanja : geudaji apeun geot gatji aneundeyo.

결국 그 환자는 다른 병원을 찾아 갔지만 역시 아픈 곳을 정확히 찾지 못했다.
결국 그 환자는 다른 병워늘 차자 갇찌만 역씨 아픈 고슬 정화키 찯찌 모탣따.
gyeolguk geu hwanjaneun dareun byeongwoneul chaja gatjiman yeoksi apeun goseul jeonghwaki chatji motaetda.

답답했던 그 환자는 어느 한의원에 들어갔다.
답따팯떤 그 혼자는 어느 하니워네 드러갇따.
dapdapaetdeon geu hwanjaneun eoneu hanuiwone(haniwone) deureogatda.

환자 : 정확히 어디가 아픈지 잘 모르겠지만 어디를 눌러 봐도 아파 죽겠어요.
환자 : 정화키 어디가 아픈지 잘 모르겓찌만 어디를 눌러 봐도 아파 죽게써요.
hwanja : jeonghwaki eodiga apeunji jal moreugetjiman eodireul nulleo bwado apa jukgesseoyo.

제발 좀 찾아 주세요.
제발 좀 차자 주세요.
jebal jom chaja juseyo.

한의사 선생님은 의미심장한 표정을 지으며 말했다.
하니사 선생니믄 의미심장한 표정을 지으며 말핻따.
hanuisa(hanisa) seonsaengnimeun uimisimjanghan pyojeongeul jieumyeo malhaetda.

한의사 : 손가락이 부러지셨군요!
하니사 : 손까라기 부러지셛꾸뇨!
hanuisa(hanisa) : songaragi bureojisyeotgunyo!

● 어휘 (palabra) / 문법 (gramática)

교통사고+를 당하+ㄴ 사람+이 진찰+을 받+으러 병원+에 가+았+다.

환자 : 의사 선생님, 도대체 어디+가 아프+ㄴ지 잘 모르+겠+어요.

의사 : 일단, 손가락+으로 여기저기 한번 누르(눌ㄹ)+어 보+세요.

환자 : 어디+를 누르(눌ㄹ)+어도 까무러치+ㄹ 만큼 아프(아ㅍ)+아요.

의사 : 그럼, 제+가 한번 누르(눌ㄹ)+어 보+ㄹ게요.

어떻(어떠)+세요?

환자 : 그다지 아프+ㄴ 것 같+지 않+은데요.

결국 그 환자+는 다른 병원+을 찾아가+았+지만 역시 아프+ㄴ 곳+을 정확히 찾+지 못하+였+다.

답답하+였던 그 환자+는 어느 한의원+에 들어가+았+다.

환자 : 정확히 어디+가 아프+ㄴ지 잘 모르+겠+지만

어디+를 누르(눌ㄹ)+어 보+아도 아프(아ㅍ)+아 죽+겠+어요.

제발 좀 찾+아 주+세요.

한의사 선생님+은 의미심장하+ㄴ 표정+을 짓(지)+으며 말하+였+다.

한의사 : 손가락+이 부러지+시+었+군요!

교통사고+를 당하+ㄴ 사람+이 진찰+을 받+으러 병원+에 가+았+다. 당한 갔다

• **교통사고 (sustantivo)** : 자동차나 기차 등이 다른 교통 기관과 부딪치거나 사람을 치는 사고.
accidente de tránsito o de tráfico
Colisión o choque entre un automóvil y otro medio de transporte, o golpe de un vehículo a una persona.

• 를 : 동작이 직접적으로 영향을 미치는 대상을 나타내는 조사.
No hay expresión equivalente
Posposición que indica el objeto que influye directamente en la acción.

• **당하다 (verbo)** : 좋지 않은 일을 겪다.
sufrir padecer
Soportar daños o sufimientos.

• -ㄴ : 앞의 말이 관형어의 기능을 하게 만들고 사건이나 동작이 과거에 일어났음을 나타내는 어미.
No hay expresión equivalente
Desinencia que hace que la palabra antecedente ejerza la función de una palabra determinante, e indica que un suceso o una acción se produjo en el pasado.

• **사람 (sustantivo)** : 생각할 수 있으며 언어와 도구를 만들어 사용하고 사회를 이루어 사는 존재.
persona, hombre, ser humano
Existencia que puede pensar, inventa el lenguaje y la herramienta que utiliza y vive formando una sociedad.

• 이 : 어떤 상태나 상황의 대상이나 동작의 주체를 나타내는 조사.
No hay expresión equivalente
Posposición que se usa para indicar el objeto de cierto estado o situación o el agente de un movimiento.

• **진찰 (sustantivo)** : 의사가 치료를 위하여 환자의 병이나 상태를 살핌.
consulta, revisión
Hecho de examinar la enfermedad o el estado del paciente por parte del médico.

• 을 : 동작이 직접적으로 영향을 미치는 대상을 나타내는 조사.
No hay expresión equivalente
Posposición que se usa para indicar el objeto que ha sido influido directamente por una acción.

• **받다 (verbo)** : 다른 사람이 하는 행동, 심리적인 작용 등을 당하거나 입다.
recibir, cobrar, ganar, tener, obtener, tomar, coger, acoger
Tener o recibir impacto por el comportamiento o el estado de ánimo de otra persona.

• -으러 : 가거나 오거나 하는 동작의 목적을 나타내는 연결 어미.
No hay expresión equivalente
Desinencia conectora que se usa cuando se manifiesta el propósito de la acción de ir o venir.

• **병원 (sustantivo)** : 시설을 갖추고 의사와 간호사가 병든 사람을 치료해 주는 곳.
hospital, clínica
Lugar en donde médicos y enfermeros atienden y tratan a los enfermos, y que cuenta con las instalaciones necesarias para ello.

• 에 : 앞말이 목적지이거나 어떤 행위의 진행 방향임을 나타내는 조사.
No hay expresión equivalente
Posposición que se usa cuando la palabra anterior indica el destino o la dirección de avance de cierta acción.

• **가다 (verbo)** : 어떤 목적을 가지고 일정한 곳으로 움직이다.
Ir
Trasladarse a cierto lugar con objetivo determinado.

• -았- : 사건이 과거에 일어났음을 나타내는 어미.
No hay expresión equivalente
Desinencia que se usa para indicar que el suceso ocurrió en el pasado.

• -다 : 어떤 사건이나 사실, 상태를 서술함을 나타내는 종결 어미.
No hay expresión equivalente
Desinencia de terminación que se usa cuando se describe un suceso o hecho del presente.

환자 : 의사 선생님, 도대체 어디+가 아프+ㄴ지 잘 모르+겠+어요.
아픈지

• **의사 (sustantivo)** : 일정한 자격을 가지고서 병을 진찰하고 치료하는 일을 직업으로 하는 사람.
médico, profesional sanitario
Profesional con licencia para examinar y tratar enfermedades.

• **선생님 (sustantivo)** : 어떤 사람의 성이나 직업에 붙여 그 사람을 높이는 말.
señor
Dícese de expresión de respeto para llamar a alguien, seguida de su apellido o profesión.

• **도대체 (adverbio)** : 유감스럽게도 전혀.
de ninguna manera, nada en absoluto
Lamentablemente nada en absoluto.

• **어디 (pronombre)** : 모르는 곳을 가리키는 말.
dónde
Palabra que señala un lugar desconocido.

• 가 : 어떤 상태나 상황에 놓인 대상이나 동작의 주체를 나타내는 조사.
No hay expresión equivalente
Posposición que se usa para indicar el objeto de cierto estado o situación o el agente de un movimiento.

• **아프다 (adjetivo)** : 다치거나 병이 생겨 통증이나 괴로움을 느끼다.
doloroso, dolorido
Que siente dolor y aflicción por lastimarse o padecer una enfermedad.

• -ㄴ지 : 뒤에 오는 말의 내용에 대한 막연한 이유나 판단을 나타내는 연결 어미.
No hay expresión equivalente
Desinencia conectora que se usa cuando se indica una razón o un juicio vago sobre el contenido de la palabra posterior.

• **잘 (adverbio)** : 분명하고 정확하게.
exacto, preciso
Clara y precisamente.

• **모르다 (verbo)** : 사람이나 사물, 사실 등을 알지 못하거나 이해하지 못하다.
desconocer
No conocer algo o a alguien, o no comprenderlos.

• -겠- : 완곡하게 말하는 태도를 나타내는 어미.
No hay expresión equivalente
Desinencia que se usa para mostrar una actitud de hablar de manera indirecta.

• -어요 : (두루높임으로) 어떤 사실을 서술하거나 질문, 명령, 권유함을 나타내는 종결 어미.
No hay expresión equivalente
(TRATAMIENTO HONORÍFICO GENERAL) Desinencia de terminación que se usa cuando se describe cierto hecho; o pregunta, ordena o reclama algo.

의사 : 일단, 손가락+으로 여기저기 한번 누르(눌ㄹ)+[어 보]+세요. **눌러 보세요**

• **일단 (adverbio)** : 우선 먼저.
primeramente, antes que nada
Ante todo.

• **손가락 (sustantivo)** : 사람의 손끝의 다섯 개로 갈라진 부분.
dedo
Parte dividida en cinco de la punta de la mano de una persona.

• 으로 : 어떤 일의 수단이나 도구를 나타내는 조사.
No hay expresión equivalente
Posposición que se usa para indicar el medio o la herramienta de algo.

• **여기저기 (sustantivo)** : 분명하게 정해지지 않은 여러 장소나 위치.
todo lugar, todas partes, varias partes, aquí y allí
Varios espacios o lugares que no se han designado claramente.

• **한번 (adverbio)** : 어떤 일을 시험 삼아 시도함을 나타내는 말.
No hay expresión equivalente
Palabras que indican que se intenta algo como prueba.

• **누르다 (verbo)** : 물체의 전체나 부분에 대하여 위에서 아래로 힘을 주어 무게를 가하다.
presionar, apretar, empujar
Hacer fuerza ejerciendo presión sobre una parte o la totalidad de un objeto.

• -어 보다 : 앞의 말이 나타내는 행동을 시험 삼아 함을 나타내는 표현.
No hay expresión equivalente
Expresión que indica la realización de la acción que indica el comentario anterior a modo de prueba.

• -세요 : (두루높임으로) 설명, 의문, 명령, 요청의 뜻을 나타내는 종결 어미.
No hay expresión equivalente
(TRATAMIENTO HONORÍFICO GENERAL) Desinencia de terminación que se usa cuando se manifiesta el sentido de explicación, duda, orden, reclamación, etc.

환자 : 어디+를 누르(눌ㄹ)+어도 까무러치+ㄹ 만큼 아프(아ㅍ)+아요.
눌러도 까무러칠 아파요

• **어디 (pronombre)** : 정해져 있지 않거나 정확하게 말할 수 없는 어느 곳을 가리키는 말.
algún lugar
Palabra que señala un lugar que no puede decir exactamente o no se encuentra definido.

• 를 : 동작이 직접적으로 영향을 미치는 대상을 나타내는 조사.
No hay expresión equivalente
Posposición que indica el objeto que influye directamente en la acción.

• **누르다 (verbo)** : 물체의 전체나 부분에 대하여 위에서 아래로 힘을 주어 무게를 가하다.
presionar, apretar, empujar
Hacer fuerza ejerciendo presión sobre una parte o la totalidad de un objeto.

• -어도 : 앞에 오는 말을 가정하거나 인정하지만 뒤에 오는 말에는 관계가 없거나 영향을 끼치지 않음을 나타내는 연결 어미.
No hay expresión equivalente
Desinencia conectora que se usa cuando se conjetura o se acepta el contenido anterior pero no se relaciona con el contenido posterior ni influye en él.

• **까무러치다 (verbo)** : 정신을 잃고 쓰러지다.
desmayarse, desfallecer, marearse, languidecerse
Desfallecer perdiendo el conocimiento.

• -ㄹ : 앞의 말이 관형어의 기능을 하게 만드는 어미.
No hay expresión equivalente
Desinencia que hace que la palabra antecedente ejerza la función de un componente determinante.

• **만큼 (sustantivo)** : 앞의 내용과 같은 양이나 정도임을 나타내는 말.
No hay expresión equivalente
Palabra que muestra la igualdad de cantidad o grado del contenido anterior.

• **아프다 (adjetivo)** : 다치거나 병이 생겨 통증이나 괴로움을 느끼다.
doloroso, dolorido
Que siente dolor y aflicción por lastimarse o padecer una enfermedad.

• -아요 : (두루높임으로) 어떤 사실을 서술하거나 질문, 명령, 권유함을 나타내는 종결 어미.
No hay expresión equivalente
(TRATAMIENTO HONORÍFICO GENERAL) Desinencia de terminación que se usa cuando se describe cierto hecho; o pregunta, ordena o reclama algo.

의사 : 그럼, 제+가 한번 누르(눌ㄹ)+[어 보]+ㄹ게요. 어떻(어떠)+세요?
눌러 볼게요 어떠세요

• **그럼 (adverbio)** : 앞의 내용을 받아들이거나 그 내용을 바탕으로 하여 새로운 주장을 할 때 쓰는 말.
entonces, pues, en ese caso, en tal caso, de ser así
Se usa para manifestar que se admite lo antedicho, o plantear un nuevo argumento fundamentado en eso.

• **제 (pronombre)** : 말하는 사람이 자신을 낮추어 가리키는 말인 '저'에 조사 '가'가 붙을 때의 형태.
yo
Forma que toma '저' -palabra que usa el hablante para referirse a sí mismo en tono de humildad- cuando va antecedida de la posposición '가'.

• 가 : 어떤 상태나 상황에 놓인 대상이나 동작의 주체를 나타내는 조사.
No hay expresión equivalente
Posposición que se usa para indicar el objeto de cierto estado o situación o el agente de un movimiento.

• **한번 (adverbio)** : 어떤 일을 시험 삼아 시도함을 나타내는 말.
No hay expresión equivalente
Palabras que indican que se intenta algo como prueba.

• **누르다 (verbo)** : 물체의 전체나 부분에 대하여 위에서 아래로 힘을 주어 무게를 가하다.
presionar, apretar, empujar
Hacer fuerza ejerciendo presión sobre una parte o la totalidad de un objeto.

• -어 보다 : 앞의 말이 나타내는 행동을 시험 삼아 함을 나타내는 표현.
No hay expresión equivalente
Expresión que indica la realización de la acción que indica el comentario anterior a modo de prueba.

• -ㄹ게요 : (두루높임으로) 말하는 사람이 어떤 행동을 할 것을 듣는 사람에게 약속하거나 의지를 나타내는 표현.
No hay expresión equivalente
(TRATAMIENTO HONORÍFICO GENERAL) Expresión que se usa para prometer o anunciar al oyente una acción que realizará el hablante.

• **어떻다 (adjetivo)** : 생각, 느낌, 상태, 형편 등이 어찌 되어 있다.
cómo, qué tal
Estar de tal forma pensamientos, sentimientos, estados, situaciones, etc.

• -세요 : (두루높임으로) 설명, 의문, 명령, 요청의 뜻을 나타내는 종결 어미.
No hay expresión equivalente
(TRATAMIENTO HONORÍFICO GENERAL) Desinencia de terminación que se usa cuando se manifiesta el sentido de explicación, duda, orden, reclamación, etc.

환자 : 그다지 아프+[ㄴ 것 같]+[지 않]+은데요.
아픈 것 같지 않은데요

• **그다지 (adverbio)** : 대단한 정도로는. 또는 그렇게까지는.
muy, tanto
(Usado generalmente en oración negativa) Tanto, o hasta tal punto.

• **아프다 (adjetivo)** : 다치거나 병이 생겨 통증이나 괴로움을 느끼다.
doloroso, dolorido
Que siente dolor y aflicción por lastimarse o padecer una enfermedad.

• -ㄴ 것 같다 : 추측을 나타내는 표현.
No hay expresión equivalente
Expresión que se usa a la hora de conjeturar algo.

• -지 않다 : 앞의 말이 나타내는 행위나 상태를 부정하는 뜻을 나타내는 표현.
No hay expresión equivalente
Expresión para negar la acción o la situación de lo que se mencionó anteriormente.

• -은데요 : (두루높임으로) 의외라 느껴지는 어떤 사실을 감탄하여 말할 때 쓰는 표현.
No hay expresión equivalente
(TRATAMIENTO HONORÍFICO GENERAL) Expresión que se usa para hablar con emoción sobre un hecho inesperado.

결국 그 환자+는 다른 병원+을 찾아가+았+지만 역시 아프+ㄴ 곳+을 정확히 찾+[지 못하]+였+다. 찾아갔지만 아픈 찾지 못했다

• **결국 (adverbio)** : 일의 결과로.
como consecuencia, consecuentemente, como resultado
Como resultado de algo.

• **그 (determinante)** : 앞에서 이미 이야기한 대상을 가리킬 때 쓰는 말.
ese
Expresión usada para designar algo que se acaba de mencionar.

• **환자 (sustantivo)** : 몸에 병이 들거나 다쳐서 아픈 사람.
paciente, enfermo
Persona que padece de alguna enfermedad o lesión.

• 는 : 문장 속에서 어떤 대상이 화제임을 나타내는 조사.
No hay expresión equivalente
Posposición que muestra que el referente es el tópico de una oración.

• **다른 (determinante)** : 해당하는 것 이외의.
otro, demás
Además del correspondiente.

• **병원 (sustantivo)** : 시설을 갖추고 의사와 간호사가 병든 사람을 치료해 주는 곳.
hospital, clínica
Lugar en donde médicos y enfermeros atienden y tratan a los enfermos, y que cuenta con las instalaciones necesarias para ello.

• 을 : 동작의 도착지나 동작이 이루어지는 장소를 나타내는 조사.
No hay expresión equivalente
Posposición que se usa para indicar el destino de la acción o el lugar en el que se realiza la acción.

• **찾아가다 (verbo)** : 사람을 만나거나 어떤 일을 하러 가다.
ir a ver, buscar, ir en busca
Dirigirse a un lugar para encontrarse con alguien o para realizar un trabajo.

• -았- : 사건이 과거에 일어났음을 나타내는 어미.
No hay expresión equivalente
Desinencia que se usa para mostrar que el suceso ocurrió en el pasado.

• -지만 : 앞에 오는 말을 인정하면서 그와 반대되거나 다른 사실을 덧붙일 때 쓰는 연결 어미.
No hay expresión equivalente
Desinencia conectora que se usa cuando alguien acepta el contenido anterior pero agrega otro hecho o un hecho contario a él.

• **역시 (adverbio)** : 이전과 마찬가지로.
igualmente
Igual que antes.

• **아프다 (adjetivo)** : 다치거나 병이 생겨 통증이나 괴로움을 느끼다.
doloroso, dolorido
Que siente dolor y aflicción por lastimarse o padecer una enfermedad.

• -ㄴ : 앞의 말이 관형어의 기능을 하게 만들고 현재의 상태를 나타내는 어미.
No hay expresión equivalente
Desinencia que hace que la palabra antecedente ejerza la función de una palabra determinante, e indica el estado del presente.

• **곳 (sustantivo)** : 일정한 장소나 위치.
lugar, sitio, localización
Ubicación o espacio determinado.

• 을 : 동작이 직접적으로 영향을 미치는 대상을 나타내는 조사.
No hay expresión equivalente
Posposición que se usa para indicar el objeto que ha sido influido directamente por una acción.

• **정확히 (adverbio)** : 바르고 확실하게.
correctamente, exactamente, precisamente
Con exactitud y seguridad.

• **찾다 (verbo)** : 모르는 것을 알아내려고 노력하다. 또는 모르는 것을 알아내다.
buscar, averiguar
Esforzarse para conocer algo que uno no sabe. O conocer algo que uno no sabe.

• -지 못하다 : 앞의 말이 나타내는 행동을 할 능력이 없거나 주어의 의지대로 되지 않음을 나타내는 표현.
No hay expresión equivalente
Expresión que se usa para indicar que el sujeto no tiene la capacidad para cumplir la acción de la frase anterior o va en contra de la voluntad del sujeto.

• -였- : 사건이 과거에 일어났음을 나타내는 어미.
No hay expresión equivalente
Desinencia que se usa para indicar que el suceso ocurrió en el pasado.

• -다 : 어떤 사건이나 사실, 상태를 서술함을 나타내는 종결 어미.
No hay expresión equivalente
Desinencia de terminación que se usa cuando se describe un suceso o hecho del presente.

답답하+였던 그 환자+는 어느 한의원+에 들어가+았+다.
답답했던 **들어갔다**

• **답답하다 (adjetivo)** : 근심이나 걱정으로 마음이 초조하고 속이 시원하지 않다.
sofocante, asfixiante
Que siente desesperación y angustia debido a una preocupación o inquietud.

• -였던 : 과거의 사건이나 상태를 다시 떠올리거나 그 사건이나 상태가 완료되지 않고 중단되었다는 의미를 나타내는 표현.
No hay expresión equivalente
Expresión que indica la suspensión de un caso o un estado sin concluir, o recuerda otra vez aquellos hechos del pasado.

• **그 (determinante)** : 앞에서 이미 이야기한 대상을 가리킬 때 쓰는 말.
ese
Expresión usada para designar algo que se acaba de mencionar.

• **환자 (sustantivo)** : 몸에 병이 들거나 다쳐서 아픈 사람.
paciente, enfermo
Persona que padece de alguna enfermedad o lesión.

• 는 : 문장 속에서 어떤 대상이 화제임을 나타내는 조사.
No hay expresión equivalente
Posposición que muestra que el referente es el tópico de una oración.

• **어느 (determinante)** : 확실하지 않거나 분명하게 말할 필요가 없는 사물, 사람, 때, 곳 등을 가리키는 말.
alguno
Palabra que se aplica indeterminadamente o sin especificación a una persona, cosa, lugar o tiempo.

• **한의원 (sustantivo)** : 우리나라 전통 의술로 환자를 치료하는 의원.
clínica de medicina tradicional coreana
Clínica de curar los enfermos con la medicina tradicional de Corea.

• 에 : 앞말이 목적지이거나 어떤 행위의 진행 방향임을 나타내는 조사.
No hay expresión equivalente
Posposición que se usa cuando la palabra anterior indica el destino o la dirección de avance de cierta acción.

• **들어가다 (verbo)** : 밖에서 안으로 향하여 가다.
entrar
Pasar de fuera hacia adentro.

• -았- : 사건이 과거에 일어났음을 나타내는 어미.
No hay expresión equivalente
Desinencia que se usa para indicar que el suceso ocurrió en el pasado.

• -다 : 어떤 사건이나 사실, 상태를 서술함을 나타내는 종결 어미.
No hay expresión equivalente
Desinencia de terminación que se usa cuando se describe un suceso o hecho del presente.

환자 : 정확히 어디+가 아프+ㄴ지 잘 모르+겠+지만
아픈지

어디+를 누르(눌ㄹ)+[어 보]+아도 아프(아ㅍ)+[아 죽]+겠+어요.
눌러 보아도 아파 죽겠어요

• **정확히 (adverbio)** : 바르고 확실하게.
correctamente, exactamente, precisamente
Con exactitud y seguridad.

- **어디 (pronombre)** : 모르는 곳을 가리키는 말.
  dónde
  Palabra que señala un lugar desconocido.

- 가 : 어떤 상태나 상황에 놓인 대상이나 동작의 주체를 나타내는 조사.
  No hay expresión equivalente
  Posposición que se usa para indicar el objeto de cierto estado o situación o el agente de un movimiento.

- **아프다 (adjetivo)** : 다치거나 병이 생겨 통증이나 괴로움을 느끼다.
  doloroso, dolorido
  Que siente dolor y aflicción por lastimarse o padecer una enfermedad.

- -ㄴ지 : 뒤에 오는 말의 내용에 대한 막연한 이유나 판단을 나타내는 연결 어미.
  No hay expresión equivalente
  Desinencia conectora que se usa cuando se indica una razón o un juicio vago sobre el contenido de la palabra posterior.

- **잘 (adverbio)** : 분명하고 정확하게.
  exacto, preciso
  Clara y precisamente.

- **모르다 (verbo)** : 사람이나 사물, 사실 등을 알지 못하거나 이해하지 못하다.
  desconocer
  No conocer algo o a alguien, o no comprenderlos.

- -겠- : 완곡하게 말하는 태도를 나타내는 어미.
  No hay expresión equivalente
  Desinencia que se usa para mostrar una actitud de hablar de manera indirecta.

- -지만 : 앞에 오는 말을 인정하면서 그와 반대되거나 다른 사실을 덧붙일 때 쓰는 연결 어미.
  No hay expresión equivalente
  Desinencia conectora que se usa cuando alguien acepta el contenido anterior pero agrega otro hecho o un hecho contario a él.

- **어디 (pronombre)** : 정해져 있지 않거나 정확하게 말할 수 없는 어느 곳을 가리키는 말.
  algún lugar
  Palabra que señala un lugar que no puede decir exactamente o no se encuentra definido.

- 를 : 동작이 직접적으로 영향을 미치는 대상을 나타내는 조사.
  No hay expresión equivalente
  Posposición que indica el objeto que influye directamente en la acción.

• **누르다 (verbo)** : 물체의 전체나 부분에 대하여 위에서 아래로 힘을 주어 무게를 가하다.
presionar, apretar, empujar
Hacer fuerza ejerciendo presión sobre una parte o la totalidad de un objeto.

• -어 보다 : 앞의 말이 나타내는 행동을 시험 삼아 함을 나타내는 표현.
No hay expresión equivalente
Expresión que indica la realización de la acción que indica el comentario anterior a modo de prueba.

• -아도 : 앞에 오는 말을 가정하거나 인정하지만 뒤에 오는 말에는 관계가 없거나 영향을 끼치지 않음을 나타내는 연결 어미.
No hay expresión equivalente
Desinencia conectora que se usa cuando se conjetura o se acepta el contenido anterior pero no se relaciona con el contenido posterior ni influye en él.

• **아프다 (adjetivo)** : 다치거나 병이 생겨 통증이나 괴로움을 느끼다.
doloroso, dolorido
Que siente dolor y aflicción por lastimarse o padecer una enfermedad.

• -아 죽다 : 앞의 말이 나타내는 상태의 정도가 매우 심함을 나타내는 표현.
No hay expresión equivalente
Expresión que indica extrema seriedad del comentario anterior.

• -겠- : 완곡하게 말하는 태도를 나타내는 어미.
No hay expresión equivalente
Desinencia que se usa para mostrar una actitud de hablar de manera indirecta.

• -어요 : (두루높임으로) 어떤 사실을 서술하거나 질문, 명령, 권유함을 나타내는 종결 어미.
No hay expresión equivalente
(TRATAMIENTO HONORÍFICO GENERAL) Desinencia de terminación que se usa cuando se describe cierto hecho; o pregunta, ordena o reclama algo.

환자 : 제발 좀 찾+[아 주]+세요.
찾아 주세요

• **제발 (adverbio)** : 간절히 부탁하는데.
por favor
Formulando ansiosamente una petición.

• **좀 (adverbio)** : 주로 부탁이나 동의를 구할 때 부드러운 느낌을 주기 위해 넣는 말.
por favor
Palabra que generalmente se añade para dar sensación de suavidad al pedir un favor o apoyo.

• **찾다 (verbo)** : 모르는 것을 알아내려고 노력하다. 또는 모르는 것을 알아내다.
buscar, averiguar
Esforzarse para conocer algo que uno no sabe. O conocer algo que uno no sabe.

• -아 주다 : 남을 위해 앞의 말이 나타내는 행동을 함을 나타내는 표현.
No hay expresión equivalente
Expresión que indica la realización de una acción que indica el comentario anterior para el bien del otro.

• -세요 : (두루높임으로) 설명, 의문, 명령, 요청의 뜻을 나타내는 종결 어미.
No hay expresión equivalente
(TRATAMIENTO HONORÍFICO GENERAL) Desinencia de terminación que se usa cuando se manifiesta el sentido de explicación, duda, orden, reclamación, etc.

한의사 선생님+은 의미심장하+ㄴ 표정+을 짓(지)+으며 말하+였+다.
의미심장한 **지으며** **말했다**

• **한의사 (sustantivo)** : 우리나라 전통 의술로 치료하는 의사.
médico tradicional coreano
Persona que practica la medicina tradicional coreana.

• **선생님 (sustantivo)** : 어떤 사람의 성이나 직업에 붙여 그 사람을 높이는 말.
señor
Dícese de expresión de respeto para llamar a alguien, seguida de su apellido o profesión.

• 은 : 문장 속에서 어떤 대상이 화제임을 나타내는 조사.
No hay expresión equivalente
Posposición que se usa para indicar que cierto objeto es tópico en la oración.

• **의미심장하다 (adjetivo)** : 뜻이 매우 깊다.
significativo, característico, expresivo, importante, valioso, relevante, representativo
Que tiene mucha importancia.

• -ㄴ : 앞의 말이 관형어의 기능을 하게 만들고 현재의 상태를 나타내는 어미.
No hay expresión equivalente
Desinencia que hace que la palabra antecedente ejerza la función de una palabra determinante, e indica el estado del presente.

• **표정 (sustantivo)** : 마음속에 품은 감정이나 생각 등이 얼굴에 드러남. 또는 그런 모습.
expresión facial
Estado del rostro de alguien que expresa sus sentimientos o pensamientos. O tal rostro expresivo.

• 을 : 동작이 직접적으로 영향을 미치는 대상을 나타내는 조사.
No hay expresión equivalente
Posposición que se usa para indicar el objeto que ha sido influido directamente por una acción.

• **짓다 (verbo)** : 어떤 표정이나 태도 등을 얼굴이나 몸에 나타내다.
expresar, mostrar
Aparecer en la cara o en el cuerpo alguna expresión o actitud.

• -으며 : 두 가지 이상의 동작이나 상태가 함께 일어남을 나타내는 연결 어미.
No hay expresión equivalente
Desinencia conectora que se usa cuando se realizan más de dos acciones, estados, hechos, etc. al mismo tiempo.

• **말하다 (verbo)** : 어떤 사실이나 자신의 생각 또는 느낌을 말로 나타내다.
decir
Expresar oralmente un pensamiento, un hecho, una sensación, etc.

• -였- : 사건이 과거에 일어났음을 나타내는 어미.
No hay expresión equivalente
Desinencia que se usa para indicar que el suceso ocurrió en el pasado.

• -다 : 어떤 사건이나 사실, 상태를 서술함을 나타내는 종결 어미.
No hay expresión equivalente
Desinencia de terminación que se usa cuando se describe un suceso o hecho del presente.

한의사 : 손가락+이 부러지+시+었+군요!
부러지셨군요

• **손가락 (sustantivo)** : 사람의 손끝의 다섯 개로 갈라진 부분.
dedo
Parte dividida en cinco de la punta de la mano de una persona.

• 이 : 어떤 상태나 상황의 대상이나 동작의 주체를 나타내는 조사.
No hay expresión equivalente
Posposición que se usa para indicar el objeto de cierto estado o situación o el agente de un movimiento.

• **부러지다 (verbo)** : 단단한 물체가 꺾여 둘로 겹쳐지거나 동강이 나다.
romperse, partirse, quebrarse, despedazarse, fracturarse
Partirse en dos un objeto sólido tras haber sido doblado.

• -시- : 높이고자 하는 인물과 관계된 소유물이나 신체의 일부가 문장의 주어일 때 그 인물을 높이는 뜻을 나타내는 어미.

No hay expresión equivalente

Desinencia que se usa para dar un tratamiento honorífico a alguien, cuando esa persona y su propiedad, o una parte de su cuerpo, sea el sujeto de la oración.

• -었- : 어떤 사건이 과거에 완료되었거나 그 사건의 결과가 현재까지 지속되는 상황을 나타내는 어미.

No hay expresión equivalente

Desinencia que se usa cuando cierto suceso fue acabado en el pasado o cuando el resultado de ese suceso continúa hasta el presente.

• -군요 : (두루높임으로) 새롭게 알게 된 사실에 주목하거나 감탄함을 나타내는 표현.

No hay expresión equivalente

(TRATAMIENTO HONORÍFICO GENERAL) Expresión que indica emoción después de confirmar o darse cuenta de algo nuevo.

< 8 단원(unidad) >

제목 : 소는 왜 안 보이니?

● 본문 (contexto principal)

어느 초등학교 미술 시간이었다.

선생님 : 여러분! 지금은 미술 시간이에요.

오늘은 목장 풍경을 한번 그려 보세요.

시간이 한참 지난 후에 선생님께서는 아이들 자리를 돌아다니며 그림을 살펴보았다.

선생님 : 소가 참 한가로워 보이네요.

잘 그렸어요.

이렇게 선생님께서는 학생들의 그림을 보면서 칭찬을 해 주셨다.

그런데 한 학생의 스케치북은 백지상태 그대로였다.

선생님 : 넌 어떤 그림을 그린 거니?

학생 : 풀을 뜯고 있는 소를 그렸어요.

선생님 : 그런데 풀은 어디 있니?

학생 : 소가 이미 다 먹어 버렸어요.

선생님 : 그럼 소는 왜 안 보이니?

학생 : 선생님도 참, 소가 풀을 다 먹었는데 여기에 있겠어요?

● 발음 (pronunciación)

어느 초등학교 미술 시간이었다.
어느 초등학꾜 미술 시가니얻따.
eoneu chodeunghaggyo misul siganieotda.

선생님 : 여러분! 지금은 미술 시간이에요.
선생님 : 여러분! 지그믄 미술 시가니에요.
seonsaengnim : yeoreobun! jigeumeun misul siganieyo.

오늘은 목장 풍경을 한번 그려 보세요.
오느른 목짱 풍경을 한번 그려 보세요.
oneureun mokjang punggyeongeul hanbeon geuryeo boseyo.

시간이 한참 지난 후에 선생님께서는 아이들 자리를 돌아다니며 그림을 살펴보았다.
시가니 한참 지난 후에 선생님께서는 아이들 자리를 도라다니며 그리믈 살펴보앋따.
sigani hancham jinan hue seonsaengnimkkeseoneun aideul jarireul doradanimyeo geurimeul salpyeoboatda.

선생님 : 소가 참 한가로워 보이네요.
선생님 : 소가 참 한가로워 보이네요.
seonsaengnim : soga cham hangarowo boineyo.

잘 그렸어요.
잘 그려써요.
jal geuryeosseoyo.

이렇게 선생님께서는 학생들의 그림을 보면서 칭찬을 해 주셨다.
이러케 선생님께서는 학쌩드레 그리믈 보면서 칭차늘 해 주셛따.
ireoke seonsaengnimkkeseoneun haksaengdeurui(haksaengdeure) geurimeul bomyeonseo chingchaneul hae jusyeotda.

그런데 한 학생의 스케치북은 백지상태 그대로였다.
그런데 한 학쌩에 스케치부근 백찌상태 그대로엳따.
geureonde han haksaengui(haksaenge) seukechibugeun baekjisangtae geudaeroyeotda.

선생님 : 넌 어떤 그림을 그린 거니?
선생님 : 넌 어떤 그리믈 그린 거니?
seonsaengnim : neon eotteon geurimeul geurin geoni?

학생 : 풀을 뜯고 있는 소를 그렸어요.
학쌩 : 푸를 뜯꼬 인는 소를 그려써요.
haksaeng : pureul tteutgo inneun soreul geuryeosseoyo.

선생님 : 그런데 풀은 어디 있니?
선생님 : 그런데 푸른 어디 인니?
seonsaengnim : geureonde pureun eodi inni?

학생 : 소가 이미 다 먹어 버렸어요.
학쌩 : 소가 이미 다 머거 버려써요.
haksaeng : soga imi da meogeo beoryeosseoyo.

선생님 : 그럼 소는 왜 안 보이니?
선생님 : 그럼 소는 왜 안 보이니?
seonsaengnim : geureom soneun wae an boini?

학생 : 선생님도 참, 소가 풀을 다 먹었는데 여기에 있겠어요?
학쌩 : 선생님도 참, 소사 푸를 다 머건는데 여기에 읻께써요?
haksaeng : seonsaengnimdo cham, soga pureul da meogeonneunde yeogie itgesseoyo?

● 어휘 (palabra) / 문법 (gramática)

어느 초등학교 미술 시간+이+었+다.

선생님 : 여러분! 지금+은 미술 시간+이+에요.

오늘+은 목장 풍경+을 한번 그리+어 보+세요.

시간+이 한참 지나+ㄴ 후에 선생님+께서+는 아이+들 자리+를 돌아다니+며 그림+을 살펴보+았+다.

선생님 : 소+가 참 한가롭(한가로우)+어 보이+네요.

잘 그리+었+어요.

이렇+게 선생님+께서+는 학생+들+의 그림+을 보+면서 칭찬+을 하+여 주+시+었+다.

그런데 한 학생+의 스케치북+은 백지상태 그대로+이+었+다.

선생님 : 너+는 어떤 그림+을 그리+ㄴ 것(거)+(이)+니?

학생 : 풀+을 뜯+고 있+는 소+를 그리+었+어요.

선생님 : 그런데 풀+은 어디 있+니?

학생 : 소+가 이미 다 먹+어 버리+었+어요.

선생님 : 그럼 소+는 왜 안 보이+니?

학생 : 선생님+도 참, 소+가 풀+을 다 먹+었+는데 여기+에 있+겠+어요?

어느 초등학교 미술 시간+이+었+다.

• **어느 (determinante)** : 확실하지 않거나 분명하게 말할 필요가 없는 사물, 사람, 때, 곳 등을 가리키는 말.
alguno
Palabra que se aplica indeterminadamente o sin especificación a una persona, cosa, lugar o tiempo.

• **초등학교 (sustantivo)** : 학교 교육의 첫 번째 단계로 만 여섯 살에 입학하여 육 년 동안 기본 교육을 받는 학교.
escuela primaria
Primera etapa de la educación escolar, que se ingresa a la edad de 6 años y recibe una enseñanza básica durante 6 años.

• **미술 (sustantivo)** : 그림이나 조각처럼 눈으로 볼 수 있는 아름다움을 표현한 예술.
bellas artes
Formas que expresan la belleza visualmente, como la pintura, la escultura, etc.

• **시간 (sustantivo)** : 어떤 일이 시작되어 끝날 때까지의 동안.
tiempo
Período desde el comienzo hasta el final de un hecho.

• 이다 : 주어가 지시하는 대상의 속성이나 부류를 지정하는 뜻을 나타내는 서술격 조사.
No hay expresión equivalente
Posposición de caso atributivo, que se usa para designar el atributo o la clase del objeto al que se refiere el sujeto.

• -었- : 사건이 과거에 일어났음을 나타내는 어미.
No hay expresión equivalente
Desinencia que se usa para indicar que el suceso ocurrió en el pasado.

• -다 : 어떤 사건이나 사실, 상태를 서술함을 나타내는 종결 어미.
No hay expresión equivalente
Desinencia de terminación que se usa cuando se describe un suceso o hecho del presente.

선생님 : 여러분! 지금+은 미술 시간+이+에요.

• **여러분 (pronombre)** : 듣는 사람이 여러 명일 때 그 사람들을 높여 이르는 말.
señores, ustedes
Expresión que se utiliza para denominar con respeto a las personas cuando son muchos los oyentes.

• **지금 (sustantivo)** : 말을 하고 있는 바로 이때.
ahora
En este preciso momento en que se está hablando.

• 은 : 문장 속에서 어떤 대상이 화제임을 나타내는 조사.
No hay expresión equivalente
Posposición que se usa para indicar que cierto objeto es tópico en la oración.

• **미술 (sustantivo)** : 그림이나 조각처럼 눈으로 볼 수 있는 아름다움을 표현한 예술.
bellas artes
Formas que expresan la belleza visualmente, como la pintura, la escultura, etc.

• **시간 (sustantivo)** : 어떤 일이 시작되어 끝날 때까지의 동안.
tiempo
Período desde el comienzo hasta el final de un hecho.

• 이다 : 주어가 지시하는 대상의 속성이나 부류를 지정하는 뜻을 나타내는 서술격 조사.
No hay expresión equivalente
Posposición de caso atributivo, que se usa para designar el atributo o la clase del objeto al que se refiere el sujeto.

• -에요 : (두루높임으로) 어떤 사실을 서술하거나 질문함을 나타내는 종결 어미.
No hay expresión equivalente
(TRATAMIENTO HONORÍFICO GENERAL) Desinencia de terminación que se usa cuando se describe o interroga cierto hecho.

선생님 : 오늘+은 목장 풍경+을 한번 <u>그리+[어 보]+세요</u>. **그려 보세요**

• **오늘 (sustantivo)** : 지금 지나가고 있는 이날.
hoy
Día actual que está transcurriendo ahora.

• 은 : 문장 속에서 어떤 대상이 화제임을 나타내는 조사.
No hay expresión equivalente
Posposición que se usa para indicar que cierto objeto es tópico en la oración.

• **목장 (sustantivo)** : 우리와 풀밭 등을 갖추어 소나 말이나 양 등을 놓아 기르는 곳.
granja, rancho
Finca con jaulas y prado, dedicada a la cría de diferentes animales, como reses, caballos u ovejas.

• **풍경 (sustantivo)** : 감정을 불러일으키는 경치나 상황.
escena, situación
Escena o situación que evoca determinadas emociones.

• 을 : 동작이 직접적으로 영향을 미치는 대상을 나타내는 조사.
No hay expresión equivalente
Posposición que se usa para indicar el objeto que ha sido influido directamente por una acción.

• **한번 (adverbio)** : 어떤 일을 시험 삼아 시도함을 나타내는 말.
No hay expresión equivalente
Palabras que indican que se intenta algo como prueba.

• **그리다 (verbo)** : 연필이나 붓 등을 이용하여 사물을 선이나 색으로 나타내다.
dibujar, trazar, delinear
Representar algo en líneas o colores utilizando lápiz, pincel, etc.

• -어 보다 : 앞의 말이 나타내는 행동을 시험 삼아 함을 나타내는 표현.
No hay expresión equivalente
Expresión que indica la realización de la acción que indica el comentario anterior a modo de prueba.

• -세요 : (두루높임으로) 설명, 의문, 명령, 요청의 뜻을 나타내는 종결 어미.
No hay expresión equivalente
(TRATAMIENTO HONORÍFICO GENERAL) Desinencia de terminación que se usa cuando se manifiesta el sentido de explicación, duda, orden, reclamación, etc.

시간+이 한참 지나+[ㄴ 후에] 선생님+께서+는 아이+들 자리+를 돌아다니+며 그림+을 살펴보+았+다. **지난 후에**

• **시간 (sustantivo)** : 자연히 지나가는 세월.
tiempo
Época que pasa naturalmente.

• 이 : 어떤 상태나 상황의 대상이나 동작의 주체를 나타내는 조사.
No hay expresión equivalente
Posposición que se usa para indicar el objeto de cierto estado o situación o el agente de un movimiento.

• **한참 (sustantivo)** : 시간이 꽤 지나는 동안.
mucho tiempo
Lapso de un tiempo bastante largo.

• **지나다 (verbo)** : 시간이 흘러 그 시기에서 벗어나다.
pasar, transcurrir
Ir más allá de un momento debido al paso del tiempo.

• -ㄴ 후에 : 앞에 오는 말이 나타내는 행동을 하고 시간적으로 뒤에 다른 행동을 함을 나타내는 표현.
No hay expresión equivalente
Expresión que denota realizar una acción diferida a la que había realizado antes.

• **선생님 (sustantivo)** : (높이는 말로) 학생을 가르치는 사람.
profesor
(EXPRESIÓN DE RESPETO) Persona que enseña a los alumnos.

• 께서 : (높임말로) 가. 이. 어떤 동작의 주체가 높여야 할 대상임을 나타내는 조사.
No hay expresión equivalente
(TRATAMIENTO HONORÍFICO) Posposición que muestra que el agente de una acción es merecedor de tratamiento honorífico.

• 는 : 문장 속에서 어떤 대상이 화제임을 나타내는 조사.
No hay expresión equivalente
Posposición que se usa para indicar que cierto objeto es tópico en la oración.

• **아이 (sustantivo)** : 나이가 어린 사람.
niño, nene, chico
Persona que tiene pocos años.

• 들 : '복수'의 뜻을 더하는 접미사.
No hay expresión equivalente
Sufijo que añade el significado de 'plural'.

• **자리 (sustantivo)** : 사람이 앉을 수 있도록 만들어 놓은 곳.
asiento, huella
Lugar hecho para que una persona se pueda sentar.

• 를 : 동작의 도착지나 동작이 이루어지는 장소를 나타내는 조사.
No hay expresión equivalente
Posposición que indica el destino del movimiento o el lugar en que se realiza una acción.

• **돌아다니다 (verbo)** : 여기저기를 두루 다니다.
recorrer, vagar, deambular
Andar, pasear, dar vueltas sin rumbo fijo.

• -며 : 두 가지 이상의 동작이나 상태가 함께 일어남을 나타내는 연결 어미.
No hay expresión equivalente
Desinencia conectora que se usa cuando se realizan más de dos acciones, estados, hechos, etc. al mismo tiempo.

• **그림 (sustantivo)** : 선이나 색채로 사물의 모양이나 이미지 등을 평면 위에 나타낸 것.
dibujo
Representación de una superficie plana la forma o la imagen de un objeto con líneas y colores.

• **을** : 동작이 직접적으로 영향을 미치는 대상을 나타내는 조사.
No hay expresión equivalente
Posposición que se usa para indicar el objeto que ha sido influido directamente por una acción.

• **살펴보다 (verbo)** : 여기저기 빠짐없이 자세히 보다.
examinar
Investigar con diligencia y cuidado una cosa.

• **-았-** : 사건이 과거에 일어났음을 나타내는 어미.
No hay expresión equivalente
Desinencia que se usa para indicar que el suceso ocurrió en el pasado.

• **-다** : 어떤 사건이나 사실, 상태를 서술함을 나타내는 종결 어미.
No hay expresión equivalente
Desinencia de terminación que se usa cuando se describe un suceso o hecho del presente.

선생님 : 소+가 참 한가롭(한가로우)+[어 보이]+네요.
한가로워 보이네요

• **소 (sustantivo)** : 몸집이 크고 갈색이나 흰색과 검은색의 털이 있으며, 젖을 짜 먹거나 고기를 먹기 위해 기르는 짐승.
vaca
Animal que se cría para ordeñar o comer su carne, de cuerpo grande con pelaje marrón, blanco o negro.

• **가** : 어떤 상태나 상황에 놓인 대상이나 동작의 주체를 나타내는 조사.
No hay expresión equivalente
Posposición que se usa para indicar el objeto de cierto estado o situación o el agente de un movimiento.

• **참 (adverbio)** : 사실이나 이치에 조금도 어긋남이 없이 정말로.
verdaderamente, realmente, muy, mucho
Sinceramente, sin siquiera la más mínima perturbación sobre una verdad o un valor.

• **한가롭다 (adjetivo)** : 바쁘지 않고 여유가 있는 듯하다.
relajado, tranquilo, desocupado
Que parece estar tranquilo y sin prisa.

• -어 보이다 : 겉으로 볼 때 앞의 말이 나타내는 것처럼 느껴지거나 추측됨을 나타내는 표현.
No hay expresión equivalente
Expresión que indica que externamente, puede sentir o especular lo que quiere decir el comentario anterior.

• -네요 : (두루높임으로) 말하는 사람이 직접 경험하여 새롭게 알게 된 사실에 대해 감탄함을 나타낼 때 쓰는 표현.
No hay expresión equivalente
(TRATAMIENTO HONORÍFICO GENERAL) Expresión que se usa para mostrar que el hablante presenta una emoción sobre algo nuevo que se acaba de conocer por haberlo experimentado directamente.

선생님 : 잘 그리+었+어요.
그렸어요

• **잘 (adverbio)** : 익숙하고 솜씨 있게.
habilidosamente, talentosamente
Con mucho talento y habilidosamente

• **그리다 (verbo)** : 연필이나 붓 등을 이용하여 사물을 선이나 색으로 나타내다.
dibujar, trazar, delinear
Representar algo en líneas o colores utilizando lápiz, pincel, etc.

• -었- : 어떤 사건이 과거에 완료되었거나 그 사건의 결과가 현재까지 지속되는 상황을 나타내는 어미.
No hay expresión equivalente
Desinencia que se usa cuando cierto suceso fue acabado en el pasado o cuando el resultado de ese suceso continúa hasta el presente.

• -어요 : (두루높임으로) 어떤 사실을 서술하거나 질문, 명령, 권유함을 나타내는 종결 어미.
No hay expresión equivalente
(TRATAMIENTO HONORÍFICO GENERAL) Desinencia de terminación que se usa cuando se describe cierto hecho; o pregunta, ordena o reclama algo.

이렇+게 선생님+께서+는 학생+들+의 그림+을 보+면서 칭찬+을 하+[여 주]+시+었+다.
해 주셨다

• **이렇다 (adjetivo)** : 상태, 모양, 성질 등이 이와 같다.
tal
Que la cualidad, la forma, el estado, etc. es como esto.

• -게 : 앞의 말이 뒤에서 가리키는 일의 목적이나 결과, 방식, 정도 등이 됨을 나타내는 연결 어미.
No hay expresión equivalente
Desinencia conectora que se usa cuando la palabra anterior es el objetivo, resultado, método, grado, etc. que indica al posterior.

• **선생님 (sustantivo)** : (높이는 말로) 학생을 가르치는 사람.
profesor
(EXPRESIÓN DE RESPETO) Persona que enseña a los alumnos.

• 께서 : (높임말로) 가. 이. 어떤 동작의 주체가 높여야 할 대상임을 나타내는 조사.
No hay expresión equivalente
(TRATAMIENTO HONORÍFICO) Posposición que muestra que el agente de una acción es merecedor de tratamiento honorífico.

• 는 : 문장 속에서 어떤 대상이 화제임을 나타내는 조사.
No hay expresión equivalente
Posposición que se usa para indicar que cierto objeto es tópico en la oración.

• **학생 (sustantivo)** : 학교에 다니면서 공부하는 사람.
estudiante, alumno
Persona que estudia en una escuela.

• 들 : '복수'의 뜻을 더하는 접미사.
No hay expresión equivalente
Sufijo que añade el significado de 'plural'.

• 의 : 앞의 말이 뒤의 말에 대하여 소유, 소속, 소재, 관계, 기원, 주체의 관계를 가짐을 나타내는 조사.
No hay expresión equivalente
Posposición que se usa para indicar que la palabra anterior tiene una relación de posesión, pertenencia, integración, conexión, procedencia, sujeto con la posterior.

• **그림 (sustantivo)** : 선이나 색채로 사물의 모양이나 이미지 등을 평면 위에 나타낸 것.
dibujo
Representación de una superficie plana la forma o la imagen de un objeto con líneas y colores.

• 을 : 동작이 직접적으로 영향을 미치는 대상을 나타내는 조사.
No hay expresión equivalente
Posposición que se usa para indicar el objeto que ha sido influido directamente por una acción.

• **보다 (verbo)** : 책이나 신문, 지도 등의 글자나 그림, 기호 등을 읽고 내용을 이해하다.
ver, leer, mirar, observar
Entender el contenido tras leer textos en libros, periódicos, mapas, etc. u observar dibujos, signos, etc..

• -면서 : 두 가지 이상의 동작이나 상태가 함께 일어남을 나타내는 연결 어미.
No hay expresión equivalente
Desinencia conectora que se usa cuando se contraponen más de dos acciones o estados.

• **칭찬 (sustantivo)** : 좋은 점이나 잘한 일 등을 매우 훌륭하게 여기는 마음을 말로 나타냄. 또는 그런 말.
halago, felicitación, cumplido
Expresión en palabras el sentimiento de grandiosidad sobre un punto bueno o un buen trabajo. O ese comentario.

• 을 : 동작이 직접적으로 영향을 미치는 대상을 나타내는 조사.
No hay expresión equivalente
Posposición que se usa para indicar el objeto que ha sido influido directamente por una acción.

• **하다 (verbo)** : 어떤 행동이나 동작, 활동 등을 행하다.
hacer, realizar
Llevar a cabo un acto o una acción.

• -여 주다 : 남을 위해 앞의 말이 나타내는 행동을 함을 나타내는 표현.
No hay expresión equivalente
Expresión que indica la realización de una acción que indica el comentario anterior para el bien del otro.

• -시- : 어떤 동작이나 상태의 주체를 높이는 뜻을 나타내는 어미.
No hay expresión equivalente
Desinencia que se usa para dar un tratamiento honorífico al agente de una acción verbal o de un determinado estado.

• -었- : 사건이 과거에 일어났음을 나타내는 어미.
No hay expresión equivalente
Desinencia que se usa para indicar que el suceso ocurrió en el pasado.

• -다 : 어떤 사건이나 사실, 상태를 서술함을 나타내는 종결 어미.
No hay expresión equivalente
Desinencia de terminación que se usa cuando se describe un suceso o hecho del presente.

그런데 한 학생+의 스케치북+은 백지상태 그대로+이+었+다. **그대로였다**

• **그런데 (adverbio)** : 이야기를 앞의 내용과 관련시키면서 다른 방향으로 바꿀 때 쓰는 말.
a propósito
Se usa para cambiar de tema y hablar de otra cosa, sin interrumpir el flujo de la conversación.

• **한 (determinante)** : 여럿 중 하나인 어떤.
No hay expresión equivalente
Uno entre varios.

• **학생 (sustantivo)** : 학교에 다니면서 공부하는 사람.
estudiante, alumno
Persona que estudia en una escuela.

• 의 : 앞의 말이 뒤의 말에 대하여 소유, 소속, 소재, 관계, 기원, 주체의 관계를 가짐을 나타내는 조사.
No hay expresión equivalente
Posposición que se usa para indicar que la palabra anterior tiene una relación de posesión, pertenencia, integración, conexión, procedencia, sujeto con la posterior.

• **스케치북 (sustantivo)** : 그림을 그릴 수 있는 하얀 도화지를 여러 장 묶어 놓은 책.
bloc de dibujos, cuaderno de bocetos
Conjunto de varias hojas blancas de papel juntadas para dibujar.

• 은 : 문장 속에서 어떤 대상이 화제임을 나타내는 조사.
No hay expresión equivalente
Posposición que se usa para indicar que cierto objeto es tópico en la oración.

• **백지상태 (sustantivo)** : 종이에 아무것도 쓰지 않은 상태.
hoja blanca
Estado de una hoja que no tiene nada escrito.

• **그대로 (sustantivo)** : 그것과 똑같은 것.
lo mismo
Igual que eso. Similar o igual al objeto o situación descrita.

• 이다 : 주어가 지시하는 대상의 속성이나 부류를 지정하는 뜻을 나타내는 서술격 조사.
No hay expresión equivalente
Posposición de caso atributivo, que se usa para designar el atributo o la clase del objeto al que se refiere el sujeto.

• -었- : 사건이 과거에 일어났음을 나타내는 어미.
No hay expresión equivalente
Desinencia que se usa para indicar que el suceso ocurrió en el pasado.

• -다 : 어떤 사건이나 사실, 상태를 서술함을 나타내는 종결 어미.
No hay expresión equivalente
Desinencia de terminación que se usa cuando se describe un suceso o hecho del presente.

선생님 : 너+는 어떤 그림+을 그리+[ㄴ 것(거)]+(이)+니? 넌 그린 거니

• **너 (pronombre)** : 듣는 사람이 친구나 아랫사람일 때, 그 사람을 가리키는 말.
tú, vos
Pronombre que designa al oyente cuando éste es de la misma edad o menor que el hablante.

• 는 : 문장 속에서 어떤 대상이 화제임을 나타내는 조사.
No hay expresión equivalente
Posposición que se usa para indicar que cierto objeto es tópico en la oración.

• **어떤 (determinante)** : 사람이나 사물의 특징, 내용, 성격, 성질, 모양 등이 무엇인지 물을 때 쓰는 말.
qué
Palabra que se usa para preguntar sobre la característica, contenido, carácter, cualidad, forma, etc. de alguien o de algo.

• **그림 (sustantivo)** : 선이나 색채로 사물의 모양이나 이미지 등을 평면 위에 나타낸 것.
dibujo
Representación de una superficie plana la forma o la imagen de un objeto con líneas y colores.

• 을 : 서술어의 명사형 목적어임을 나타내는 조사.
No hay expresión equivalente
Posposición que se usa para indicar que es el complemento del nombre del predicado.

• **그리다 (verbo)** : 연필이나 붓 등을 이용하여 사물을 선이나 색으로 나타내다.
dibujar, trazar, delinear
Representar algo en líneas o colores utilizando lápiz, pincel, etc.

• -ㄴ 것 : 명사가 아닌 것을 문장에서 명사처럼 쓰이게 하거나 '이다' 앞에 쓰일 수 있게 할 때 쓰는 표현.
No hay expresión equivalente
Expresión que se usa para hacer que una palabra que no es sustantivo sea utilizada como tal en una oración, o para hacer que se use delante de '이다' .

• 이다 : 주어가 지시하는 대상의 속성이나 부류를 지정하는 뜻을 나타내는 서술격 조사.
No hay expresión equivalente
Posposición de caso atributivo, que se usa para designar el atributo o la clase del objeto al que se refiere el sujeto.

• -니 : (아주낮춤으로) 물음을 나타내는 종결 어미.
No hay expresión equivalente
(TRATAMIENTO DE MODESTIA MÁXIMA) Desinencia de terminación que se usa cuando se interroga algo.

학생 : 풀+을 뜯+[고 있]+는 소+를 그리+었+어요.
그렸어요

• **풀 (sustantivo)** : 줄기가 연하고, 대개 한 해를 지내면 죽는 식물.
césped, hierba, mala hierba
Planta con un tallo tierno, que muere por lo general después de un año.

• 을 : 동작이 직접적으로 영향을 미치는 대상을 나타내는 조사.
No hay expresión equivalente
Posposición que se usa para indicar el objeto que ha sido influido directamente por una acción.

• **뜯다 (verbo)** : 풀이나 질긴 음식을 입에 물고 떼어서 먹다.
comer fibra
Dícese del ganado y las personas, comer hierba o alimentos fibrosos como la carne.

• -고 있다 : 앞의 말이 나타내는 행동이 계속 진행됨을 나타내는 표현.
No hay expresión equivalente
Expresión que indica que la acción que representa la parte anterior de la cláusula continúa.

• -는 : 앞의 말이 관형어의 기능을 하게 만들고 사건이나 동작이 현재 일어남을 나타내는 어미.
No hay expresión equivalente
Desinencia que hace que la palabra antecedente ejerza la función de un componente determinante, e indica que un suceso o una acción se produce en el presente.

• **소 (sustantivo)** : 몸집이 크고 갈색이나 흰색과 검은색의 털이 있으며, 젖을 짜 먹거나 고기를 먹기 위해 기르는 짐승.
vaca
Animal que se cría para ordeñar o comer su carne, de cuerpo grande con pelaje marrón, blanco o negro.

• 를 : 동작이 직접적으로 영향을 미치는 대상을 나타내는 조사.
No hay expresión equivalente
Posposición que se usa para indicar el objeto que ha sido influido directamente por una acción.

• **그리다 (verbo)** : 연필이나 붓 등을 이용하여 사물을 선이나 색으로 나타내다.
dibujar, trazar, delinear
Representar algo en líneas o colores utilizando lápiz, pincel, etc.

• -었- : 어떤 사건이 과거에 완료되었거나 그 사건의 결과가 현재까지 지속되는 상황을 나타내는 어미.
No hay expresión equivalente
Desinencia que se usa cuando cierto suceso fue acabado en el pasado o cuando el resultado de ese suceso continúa hasta el presente.

• -어요 : (두루높임으로) 어떤 사실을 서술하거나 질문, 명령, 권유함을 나타내는 종결 어미.
No hay expresión equivalente
(TRATAMIENTO HONORÍFICO GENERAL) Desinencia de terminación que se usa cuando se describe cierto hecho; o pregunta, ordena o reclama algo.

선생님 : 그런데 풀+은 어디 있+니?

• **그런데 (adverbio)** : 이야기를 앞의 내용과 관련시키면서 다른 방향으로 바꿀 때 쓰는 말.
a propósito
Se usa para cambiar de tema y hablar de otra cosa, sin interrumpir el flujo de la conversación.

• **풀 (sustantivo)** : 줄기가 연하고, 대개 한 해를 지내면 죽는 식물.
césped, hierba, mala hierba
Planta con un tallo tierno, que muere por lo general después de un año.

• 은 : 문장 속에서 어떤 대상이 화제임을 나타내는 조사.
No hay expresión equivalente
Posposición que se usa para indicar que cierto objeto es tópico en la oración.

• **어디 (pronombre)** : 모르는 곳을 가리키는 말.
dónde
Palabra que señala un lugar desconocido.

• **있다 (adjetivo)** : 무엇이 어떤 곳에 자리나 공간을 차지하고 존재하는 상태이다.
existente
Que ocupa o se halla algo en cierto lugar o espacio.

• -니 : (아주낮춤으로) 물음을 나타내는 종결 어미.
No hay expresión equivalente
(TRATAMIENTO DE MODESTIA MÁXIMA) Desinencia de terminación que se usa cuando se interroga algo.

학생 : 소+가 이미 다 먹+[어 버리]+었+어요.
먹어 버렸어요

• **소 (sustantivo)** : 몸집이 크고 갈색이나 흰색과 검은색의 털이 있으며, 젖을 짜 먹거나 고기를 먹기 위해 기르는 짐승.
vaca
Animal que se cría para ordeñar o comer su carne, de cuerpo grande con pelaje marrón, blanco o negro.

• 가 : 어떤 상태나 상황에 놓인 대상이나 동작의 주체를 나타내는 조사.
No hay expresión equivalente
Posposición que se usa para indicar el objeto de cierto estado o situación o el agente de un movimiento.

• **이미 (adverbio)** : 어떤 일이 이루어진 때가 지금 시간보다 앞서.
ya
Antes del tiempo presente en la que se ha realizado cierto hecho.

• **다 (adverbio)** : 남거나 빠진 것이 없이 모두.
todo
Enteramente, sin falta alguna.

• **먹다 (verbo)** : 음식 등을 입을 통하여 배 속에 들여보내다.
comer
Introducir por boca alimentos, etc. en el estómago.

• -어 버리다 : 앞의 말이 나타내는 행동이 완전히 끝났음을 나타내는 표현.
No hay expresión equivalente
Expresión que indica que la acción que indica el comentario anterior ha finalizado completamente.

• -었- : 어떤 사건이 과거에 완료되었거나 그 사건의 결과가 현재까지 지속되는 상황을 나타내는 어미.
No hay expresión equivalente
Desinencia que se usa cuando cierto suceso fue acabado en el pasado o cuando el resultado de ese suceso continúa hasta el presente.

• -어요 : (두루높임으로) 어떤 사실을 서술하거나 질문, 명령, 권유함을 나타내는 종결 어미.
No hay expresión equivalente
(TRATAMIENTO HONORÍFICO GENERAL) Desinencia de terminación que se usa cuando se describe cierto hecho; o pregunta, ordena o reclama algo.

선생님 : 그럼 소+는 왜 안 보이+니?

• **그럼 (adverbio)** : 앞의 내용을 받아들이거나 그 내용을 바탕으로 하여 새로운 주장을 할 때 쓰는 말.
entonces, pues, en ese caso, en tal caso, de ser así
Se usa para manifestar que se admite lo antedicho, o plantear un nuevo argumento fundamentado en eso.

• **소 (sustantivo)** : 몸집이 크고 갈색이나 흰색과 검은색의 털이 있으며, 젖을 짜 먹거나 고기를 먹기 위해 기르는 짐승.
vaca
Animal que se cría para ordeñar o comer su carne, de cuerpo grande con pelaje marrón, blanco o negro.

• 는 : 문장 속에서 어떤 대상이 화제임을 나타내는 조사.
No hay expresión equivalente
Posposición que se usa para indicar que cierto objeto es tópico en la oración.

• **왜 (adverbio)** : 무슨 이유로. 또는 어째서.
por qué, porque
Por qué causa. O el porqué.

• **안 (adverbio)** : 부정이나 반대의 뜻을 나타내는 말.
no
Palabra que expresa negación u oposición.

• **보이다 (verbo)** : 눈으로 대상의 존재나 겉모습을 알게 되다.
verse, mirarse
Percibir por los ojos la existencia o la apariencia de un objeto.

• -니 : (아주낮춤으로) 물음을 나타내는 종결 어미.
No hay expresión equivalente
(TRATAMIENTO DE MODESTIA MÁXIMA) Desinencia de terminación que se usa cuando se interroga algo.

학생 : 선생님+도 참, 소+가 풀+을 다 먹+었+는데 여기+에 있+겠+어요?

• **선생님 (sustantivo)** : (높이는 말로) 학생을 가르치는 사람.
profesor
(EXPRESIÓN DE RESPETO) Persona que enseña a los alumnos.

• 도 : 놀라움, 감탄, 실망 등의 감정을 강조함을 나타내는 조사.
No hay expresión equivalente
Posposición que enfatiza sentimientos como asombro, admiración, desilusión, etc.

• **참 (interjección)** : 어이가 없거나 난처할 때 내는 소리.
No hay expresión equivalente
Interjección que se emite cuando uno está en una situación incómoda o incomprensible.

• **소 (sustantivo)** : 몸집이 크고 갈색이나 흰색과 검은색의 털이 있으며, 젖을 짜 먹거나 고기를 먹기 위해 기르는 짐승.
vaca
Animal que se cría para ordeñar o comer su carne, de cuerpo grande con pelaje marrón, blanco o negro.

• 가 : 어떤 상태나 상황에 놓인 대상이나 동작의 주체를 나타내는 조사.
No hay expresión equivalente
Posposición que se usa para indicar el objeto de cierto estado o situación o el agente de un movimiento.

• **풀 (sustantivo)** : 줄기가 연하고, 대개 한 해를 지내면 죽는 식물.
césped, hierba, mala hierba
Planta con un tallo tierno, que muere por lo general después de un año.

• 을 : 동작이 직접적으로 영향을 미치는 대상을 나타내는 조사.
No hay expresión equivalente
Posposición que se usa para indicar el objeto que ha sido influido directamente por una acción.

• **다 (adverbio)** : 남거나 빠진 것이 없이 모두.
todo
Enteramente, sin falta alguna.

• **먹다 (verbo)** : 음식 등을 입을 통하여 배 속에 들여보내다.
comer
Introducir por boca alimentos, etc. en el estómago.

• -었- : 어떤 사건이 과거에 완료되었거나 그 사건의 결과가 현재까지 지속되는 상황을 나타내는 어미.
No hay expresión equivalente
Desinencia que se usa cuando cierto suceso fue acabado en el pasado o cuando el resultado de ese suceso continúa hasta el presente.

• -는데 : 뒤의 말을 하기 위하여 그 대상과 관련이 있는 상황을 미리 말함을 나타내는 연결 어미.
No hay expresión equivalente
Desinencia conectora que se usa cuando se habla con antelación una circunstancia pasada relacionada con la palabra posterior.

• **여기 (pronombre)** : 말하는 사람에게 가까운 곳을 가리키는 말.
aquí, acá
Palabra que señala el lugar cercano al hablante.

• 에 : 앞말이 어떤 장소나 자리임을 나타내는 조사.
No hay expresión equivalente
Posposición que se usa cuando la palabra anterior indica cierto lugar o sitio.

• **있다 (verbo)** : 사람이나 동물이 어느 곳에서 떠나거나 벗어나지 않고 머물다.
estar, haber
Permanecer una persona o un animal en cierto lugar sin marcharse o sin abandonarlo.

• -겠- : 완곡하게 말하는 태도를 나타내는 어미.
No hay expresión equivalente
Desinencia que se usa para mostrar una actitud de hablar de manera indirecta.

• -어요 : (두루높임으로) 어떤 사실을 서술하거나 질문, 명령, 권유함을 나타내는 종결 어미.
No hay expresión equivalente
(TRATAMIENTO HONORÍFICO GENERAL) Desinencia de terminación que se usa cuando se describe cierto hecho; o pregunta, ordena o reclama algo.

< 9 단원(unidad) >

제목 : 가장 큰 장애 요소는 무엇일까요?

● 본문 (contexto principal)

한 중학교에서 선생님이 꿈의 중요성에 대해 이야기하고 있었다.

선생님 : 자, 여러분들에게 질문 하나 할게요.

여러분들이 꿈을 펼치려고 할 때 가장 큰 장애 요소는 무엇일까요?

잘 생각해 보세요.

힌트를 하나 줄게요.

답은 '자'로 시작하는 네 글자예요.

학생 1 : 정답은 자기 비하라고 생각합니다.

학생 2 : 정답은 자기 부정이라고 생각합니다.

선생님 : 맞아요.

자기 비하 또는 자기 부정은 꿈을 이루는 데 장애 요소가 돼요.

그때 한 학생이 천연덕스럽게 대답했다.

학생 3 : 정답은 자기 부모라고 생각합니다.

● 발음 (pronunciación)

한 중학교에서 선생님이 꿈의 중요성에 대해 이야기하고 있었다.
한 중학꾜에서 선생니미 꾸메 중요성에 대해 이야기하고 이썯따.
han junghakgyoeseo seonsaengnimi kkumui(kkume) jungyoseonge daehae iyagihago isseotda.

선생님 : 자, 여러분들에게 질문 하나 할게요.
선생님 : 자, 여러분드레게 질문 하나 할께요.
seonsaengnim : ja, yeoreobundeurege jilmun hana halgeyo.

여러분들이 꿈을 펼치려고 할 때 가장 큰 장애 요소는 무엇일까요?
여러분드리 꾸믈 펼치려고 할 때 가장 큰 장애 요소는 무어실까요?
yeoreobundeuri kkumeul pyeolchiryeogo hal ttae gajang keun jangae yosoneun mueosilkkayo?

잘 생각해 보세요.
잘 생가캐 보세요.
jal saenggakae boseyo.

힌트를 하나 줄게요.
힌트를 하나 줄께요.
hinteureul hana julgeyo.

답은 '자'로 시작하는 네 글자예요.
다븐 '자'로 시자카는 네 글자예요.
dabeun 'ja'ro sijakaneun ne geuljayeyo.

학생 1 : 정답은 자기 비하라고 생각합니다.
학쌩 1 : 정다븐 자기 비하라고 생가캄니다.
haksaeng 1 : jeongdabeun jagi biharago saenggakamnida.

학생 2 : 정답은 자기 부정이라고 생각합니다.
학생 2 : 정다븐 자기 부정이라고 생가캄니다.
haksaeng 2 : jeongdabeun jagi bujeongirago saenggakamnida.

선생님 : 맞아요.
선생님 : 마자요.
seonsaengnim : majayo.

> **자기 비하 또는 자기 부정은 꿈을 이루는 데 장애 요소가 돼요.**
> 자기 비하 또는 자기 부정은 꾸믈 이루는 데 장애 요소가 돼요.
> jagi biha ttoneun jagi bujeongeun kkumeul iruneun de jangae yosoga dwaeyo.

그때 한 학생이 천연덕스럽게 대답했다.
그때 한 학쌩이 처년덕쓰럽께 대다팯따.
geuttae han haksaengi cheonyeondeokseureopge daedapaetda.

학생 3 : 정답은 자기 부모라고 생각합니다.
학쌩 3 : 정다븐 자기 부모라고 생가캄니다.
haksaeng 3 : jeongdabeun jagi bumorago saenggakamnida.

● 어휘 (palabra) / 문법 (gramática)

한 중학교+에서 선생님+이 꿈+의 중요성+에 대하+여 이야기하+고 있+었+다.

선생님 : 자, 여러분+들+에게 질문 하나 하+ㄹ게요.

여러분+들+이 꿈+을 펼치+려고 하+ㄹ 때 가장 크+ㄴ 장애 요소+는

무엇+이+ㄹ까요?

잘 생각하+여 보+세요.

힌트+를 하나 주+ㄹ게요.

답+은 '자'+로 시작하+는 네 글자+이+에요.

학생 1 : 정답+은 자기 비하+(이)+라고 생각하+ㅂ니다.

학생 2 : 정답+은 자기 부정+이+라고 생각하+ㅂ니다.

선생님 : 맞+아요.

자기 비하 또는 자기 부정+은 꿈+을 이루+는 데 장애 요소+가 되+어요.

그때 한 학생+이 천연덕스럽+게 대답하+였+다.

학생 3 : 정답+은 자기 부모+(이)+라고 생각하+ㅂ니다.

한 중학교+에서 선생님+이 꿈+의 중요성+에 <u>대하+여</u> 이야기하+[고 있]+었+다. **대해**

- **한 (determinante)** : 여럿 중 하나인 어떤.
  No hay expresión equivalente
  Uno entre varios.

- **중학교 (sustantivo)** : 초등학교를 졸업하고 중등 교육을 받기 위해 다니는 학교.
  escuela media, escuela secundaria, bachillerato
  Escuela que se cursa tras terminar la primaria para recibir enseñanza superior.

- 에서 : 앞말이 행동이 이루어지고 있는 장소임을 나타내는 조사.
  No hay expresión equivalente
  Posposición que se usa para indicar el lugar en el que se realiza la acción de la palabra anterior.

- **선생님 (sustantivo)** : (높이는 말로) 학생을 가르치는 사람.
  profesor
  (EXPRESIÓN DE RESPETO) Persona que enseña a los alumnos.

- 이 : 어떤 상태나 상황의 대상이나 동작의 주체를 나타내는 조사.
  No hay expresión equivalente
  Posposición que se usa para indicar el objeto de cierto estado o situación o el agente de un movimiento.

- **꿈 (sustantivo)** : 앞으로 이루고 싶은 희망이나 목표.
  sueño
  Meta o deseo a alcanzar.

- 의 : 앞의 말이 뒤의 말에 대하여 속성이나 수량을 한정하거나 같은 자격임을 나타내는 조사.
  No hay expresión equivalente
  Posposición que se usa para indicar que la palabra anterior limita el atributo o la cantidad a la posterior; o que estas son de mismo atributo.

- **중요성 (sustantivo)** : 귀중하고 꼭 필요한 요소나 성질.
  importancia, imprescindible, esencial
  Cualidad o factor valioso y muy necesario.

- 에 : 앞말이 말하고자 하는 특정한 대상임을 나타내는 조사.
  No hay expresión equivalente
  Posposición que se usa cuando la palabra anterior es un objeto determinado que se desea hablar.

• **대하다 (verbo)** : 대상이나 상대로 삼다.
corresponder
Pertenecer o estar relacionado con algo o con alguien.

• -여 : 앞의 말이 뒤의 말보다 먼저 일어났거나 뒤의 말에 대한 방법이나 수단이 됨을 나타내는 연결 어미.
No hay expresión equivalente
Desinencia conectora que se usa cuando la palabra anterior se realiza antes de que la posterior, o es un método o medio de la palabra posterior.

• **이야기하다 (verbo)** : 어떠한 사실이나 상태, 현상, 경험, 생각 등에 관해 누군가에게 말을 하다.
contar, relatar, narrar, referir, detallar, expresar
Referir cierto hecho, estado, fenómeno, experiencia, pensamiento, etc. a alguien.

• -고 있다 : 앞의 말이 나타내는 행동이 계속 진행됨을 나타내는 표현.
No hay expresión equivalente
Expresión que indica que la acción que representa la parte anterior de la cláusula continúa.

• -었- : 사건이 과거에 일어났음을 나타내는 어미.
No hay expresión equivalente
Desinencia que se usa cuando indica que el suceso ocurrió en el pasado.

• -다 : 어떤 사건이나 사실, 상태를 서술함을 나타내는 종결 어미.
No hay expresión equivalente
Desinencia de terminación que se usa cuando se describe un suceso o hecho del presente.

선생님 : 자, 여러분+들+에게 질문 하나 하+ㄹ게요.
할게요

• **자 (interjección)** : 남의 주의를 끌려고 할 때에 하는 말.
No hay expresión equivalente
Interjección que se usa para llamar la atención a otra persona.

• **여러분 (pronombre)** : 듣는 사람이 여러 명일 때 그 사람들을 높여 이르는 말.
señores, ustedes
Expresión que se utiliza para denominar con respeto a las personas cuando son muchos los oyentes.

• 들 : '복수'의 뜻을 더하는 접미사.
No hay expresión equivalente
Sufijo que añade el significado de 'plural'.

• 에게 : 어떤 행동이 미치는 대상임을 나타내는 조사.
No hay expresión equivalente
Posposición que indica ser un objeto influyente de cierta acción.

• **질문 (sustantivo)** : 모르는 것이나 알고 싶은 것을 물음.
pregunta
Interrogación acerca de algo que se desea saber o se desconoce.

• **하나 (pronombre numeral)** : 숫자를 셀 때 맨 처음의 수.
uno
El primero en orden numérico.

• **하다 (verbo)** : 어떤 행동이나 동작, 활동 등을 행하다.
hacer, realizar
Llevar a cabo un acto o una acción.

• -ㄹ게요 : (두루높임으로) 말하는 사람이 어떤 행동을 할 것을 듣는 사람에게 약속하거나 의지를 나타내는 표현.
No hay expresión equivalente
(TRATAMIENTO HONORÍFICO GENERAL) Expresión que se usa para prometer o anunciar al oyente una acción que realizará el hablante.

선생님 : 여러분+들+이 꿈+을 펼치+[려고 하]+[ㄹ 때] 가장 크+ㄴ 장애 요소+는
펼치려고 할 때 큰

무엇+이+ㄹ까요?
무엇일까요

• **여러분 (pronombre)** : 듣는 사람이 여러 명일 때 그 사람들을 높여 이르는 말.
señores, ustedes
Expresión que se utiliza para denominar con respeto a las personas cuando son muchos los oyentes.

• 들 : '복수'의 뜻을 더하는 접미사.
No hay expresión equivalente
Sufijo que añade el significado de 'plural'.

• 이 : 어떤 상태나 상황의 대상이나 동작의 주체를 나타내는 조사.
No hay expresión equivalente
Posposición que se usa para indicar el objeto de cierto estado o situación o el agente de un movimiento.

- **꿈 (sustantivo)** : 앞으로 이루고 싶은 희망이나 목표.
  sueño
  Meta o deseo a alcanzar.

- 을 : 동작이 직접적으로 영향을 미치는 대상을 나타내는 조사.
  No hay expresión equivalente
  Posposición que indica el objeto que influye directamente en la acción.

- **펼치다 (verbo)** : 꿈이나 계획 등을 실제로 행하다.
  llevar a cabo, hacer realidad
  Dicho de un sueño, plan, etc., efectuar algo de verdad.

- -려고 하다 : 앞의 말이 나타내는 행동을 할 의도나 의향이 있음을 나타내는 표현.
  No hay expresión equivalente
  Expresión que indica que tiene la voluntad o está dispuesto a mostrar en acciones lo dicho anteriormente.

- -ㄹ 때 : 어떤 행동이나 상황이 일어나는 동안이나 그 시기 또는 그러한 일이 일어난 경우를 나타내는 표현.
  No hay expresión equivalente
  Expresión que indica el surgimiento de un mismo hecho o de algo en un mismo tiempo, mientras surge alguna situación o se realiza alguna acción.

- **가장 (adverbio)** : 여럿 가운데에서 제일로.
  el más, el mejor
  El mejor o el máximo entre varios.

- **크다 (adjetivo)** : 길이, 넓이, 높이, 부피 등이 보통 정도를 넘다.
  grande, amplio, extenso
  Que el largo, ancho, alto o volumen es superior a lo normal.

- -ㄴ : 앞의 말이 관형어의 기능을 하게 만들고 현재의 상태를 나타내는 어미.
  No hay expresión equivalente
  Desinencia que hace que la palabra antecedente ejerza la función de una palabra determinante, e indica el estado del presente.

- **장애 (sustantivo)** : 가로막아서 어떤 일을 하는 데 거슬리거나 방해가 됨. 또는 그런 일이나 물건.
  obstáculo
  Acción de obstaculizar o dificultar cierto hecho impidiendo su realización. O ese hecho u objeto.

- **요소 (sustantivo)** : 무엇을 이루는 데 반드시 있어야 할 중요한 성분이나 조건.
  requisito, factor
  Condición o componente importante que debe existir para lograr algo.

• 는 : 문장 속에서 어떤 대상이 화제임을 나타내는 조사.
No hay expresión equivalente
Posposición que se usa para indicar que cierto objeto es tópico en la oración.

• **무엇 (pronombre)** : 모르는 사실이나 사물을 가리키는 말.
¿qué?, ¿cuál?
Pronombre interrogativo que se usa para inquirir un hecho o una cosa.

• 이다 : 주어가 지시하는 대상의 속성이나 부류를 지정하는 뜻을 나타내는 서술격 조사.
No hay expresión equivalente
Posposición de caso atributivo, que se usa para designar el atributo o la clase del objeto al que se refiere el sujeto.

• -ㄹ까요 : (두루높임으로) 아직 일어나지 않았거나 모르는 일에 대해서 말하는 사람이 추측하며 질문할 때 쓰는 표현.
No hay expresión equivalente
(TRATAMIENTO HONORÍFICO GENERAL) Expresión que usa el hablante para preguntar suponiendo un hecho que desconoce o que todavía no ha ocurrido.

선생님 : 잘 생각하+[여 보]+세요. 생각해 보세요 힌트+를 하나 주+ㄹ게요. 줄게요

• **잘 (adverbio)** : 생각이 매우 깊고 조심스럽게.
bien
Con pensamiento profundo y cuidadosamente.

• **생각하다 (verbo)** : 사람이 머리를 써서 판단하거나 인식하다.
pensar, razonar, discurrir, cavilar, meditar
Juzgar o percibir algo utilizando la cabeza.

• -여 보다 : 앞의 말이 나타내는 행동을 시험 삼아 함을 나타내는 표현.
No hay expresión equivalente
Expresión que indica la realización de la acción que indica el comentario anterior a modo de prueba.

• -세요 : (두루높임으로) 설명, 의문, 명령, 요청의 뜻을 나타내는 종결 어미.
No hay expresión equivalente
(TRATAMIENTO HONORÍFICO GENERAL) Desinencia de terminación que se usa cuando se manifiesta el sentido de explicación, duda, orden, reclamación, etc.

• **힌트 (sustantivo)** : 문제를 풀거나 일을 해결하는 데 도움이 되는 것.
pista
Algo que ayuda a resolver un problema.

• 를 : 동작이 직접적으로 영향을 미치는 대상을 나타내는 조사.
No hay expresión equivalente
Posposición que indica el objeto que influye directamente en la acción.

• **하나 (pronombre numeral)** : 숫자를 셀 때 맨 처음의 수.
uno
El primero en orden numérico.

• **주다 (verbo)** : 남에게 경고, 암시 등을 하여 어떤 내용을 알 수 있게 하다.
dar
Dar a alguien una advertencia, insinuación, etc. para que se entere de algo.

• -ㄹ게요 : (두루높임으로) 말하는 사람이 어떤 행동을 할 것을 듣는 사람에게 약속하거나 의지를 나타내는 표현.
No hay expresión equivalente
(TRATAMIENTO HONORÍFICO GENERAL) Expresión que se usa para prometer o anunciar al oyente una acción que realizará el hablante.

선생님 : 답+은 '자'+로 시작하+는 네 글자+이+에요.
글자예요

• **답 (sustantivo)** : 질문이나 문제가 요구하는 것을 밝혀 말함. 또는 그런 말.
respuesta
Expresión que busca satisfacer los requerimientos de una pregunta o duda. O la contestación misma.

• 은 : 문장 속에서 어떤 대상이 화제임을 나타내는 조사.
No hay expresión equivalente
Posposición que se usa para indicar que cierto objeto es tópico en la oración.

• 로 : 움직임의 방향을 나타내는 조사.
No hay expresión equivalente
Posposición que indica la dirección del movimiento.

• **시작하다 (verbo)** : 어떤 일이나 행동의 처음 단계를 이루거나 이루게 하다.
comenzar
Iniciar una cosa o una acción, o lograr empezar algo.

• -는 : 앞의 말이 관형어의 기능을 하게 만들고 사건이나 동작이 현재 일어남을 나타내는 어미.
No hay expresión equivalente
Desinencia que hace que la palabra antecedente ejerza la función de un componente determinante, e indica que un suceso o una acción se produce en el presente.

• **네 (determinante)** : 넷의.
cuatro
Cuatro.

• **글자 (sustantivo)** : 말을 적는 기호.
letra
Cada uno de los signos con los que se escriben las palabras.

• 이다 : 주어가 지시하는 대상의 속성이나 부류를 지정하는 뜻을 나타내는 서술격 조사.
No hay expresión equivalente
Posposición de caso atributivo, que se usa para designar el atributo o la clase del objeto al que se refiere el sujeto.

• -에요 : (두루높임으로) 어떤 사실을 서술하거나 질문함을 나타내는 종결 어미.
No hay expresión equivalente
(TRATAMIENTO HONORÍFICO GENERAL) Desinencia de terminación que se usa cuando se describe o interroga cierto hecho.

학생 1 : 정답+은 자기 비하+(이)+라고 생각하+ㅂ니다. **자기 비하라고 생각합니다**

• **정답 (sustantivo)** : 어떤 문제나 질문에 대한 옳은 답.
respuesta correcta
Contestación exacta a cierto asunto o pregunta.

• 은 : 문장 속에서 어떤 대상이 화제임을 나타내는 조사.
No hay expresión equivalente
Posposición que se usa para indicar que cierto objeto es tópico en la oración.

• **자기 (sustantivo)** : 그 사람 자신.
sí mismo, uno mismo, el yo
Sí mismo.

• **비하 (sustantivo)** : 자기 자신을 낮춤.
humillación, degradación
Acción de rebajarse a sí mismo.

• 이다 : 주어가 지시하는 대상의 속성이나 부류를 지정하는 뜻을 나타내는 서술격 조사.
No hay expresión equivalente
Posposición de caso atributivo, que se usa para designar el atributo o la clase del objeto al que se refiere el sujeto.

• -라고 : 다른 사람에게서 들은 내용을 간접적으로 전달하거나 주어의 생각, 의견 등을 나타내는 표현.
No hay expresión equivalente
Expresión que se usa para transmitir de manera indirecta algo que se ha escuchado o mostrar la opinión o postura del sujeto.

• **생각하다 (verbo)** : 사람이 머리를 써서 판단하거나 인식하다.
pensar, razonar, discurrir, cavilar, meditar
Juzgar o percibir algo utilizando la cabeza.

• -ㅂ니다 : (아주높임으로) 현재의 동작이나 상태, 사실을 정중하게 설명함을 나타내는 종결 어미.
No hay expresión equivalente
(TRATAMIENTO HONORÍFICO MÁXIMO) Desinencia de terminación que se usa cuando se explica cortésmente una acción, un estado, o un hecho del presente.

학생 2 : 정답+은 자기 부정+이+라고 생각하+ㅂ니다.
생각합니다

• **정답 (sustantivo)** : 어떤 문제나 질문에 대한 옳은 답.
respuesta correcta
Contestación exacta a cierto asunto o pregunta.

• 은 : 문장 속에서 어떤 대상이 화제임을 나타내는 조사.
No hay expresión equivalente
Posposición que se usa para indicar que cierto objeto es tópico en la oración.

• **자기 (sustantivo)** : 그 사람 자신.
sí mismo, uno mismo, el yo
Sí mismo.

• **부정 (sustantivo)** : 그렇지 않다고 판단하여 결정하거나 옳지 않다고 반대함.
rechazo, oposición, contradicción, desacuerdo
Decisión tomada por creer que es incorrecta u oposición a algo por desacuerdo.

• 이다 : 주어가 지시하는 대상의 속성이나 부류를 지정하는 뜻을 나타내는 서술격 조사.
No hay expresión equivalente
Posposición de caso atributivo, que se usa para designar el atributo o la clase del objeto al que se refiere el sujeto.

• -라고 : 다른 사람에게서 들은 내용을 간접적으로 전달하거나 주어의 생각, 의견 등을 나타내는 표현.
No hay expresión equivalente
Expresión que se usa para transmitir de manera indirecta algo que se ha escuchado o mostrar la opinión o postura del sujeto.

• **생각하다 (verbo)** : 사람이 머리를 써서 판단하거나 인식하다.
pensar, razonar, discurrir, cavilar, meditar
Juzgar o percibir algo utilizando la cabeza.

• -ㅂ니다 : (아주높임으로) 현재의 동작이나 상태, 사실을 정중하게 설명함을 나타내는 종결 어미.
No hay expresión equivalente
(TRATAMIENTO HONORÍFICO MÁXIMO) Desinencia de terminación que se usa cuando se explica cortésmente una acción, un estado, o un hecho del presente.

선생님 : 맞+아요.

• **맞다 (verbo)** : 문제에 대한 답이 틀리지 않다.
acertar
Responder de manera correcta a una pregunta.

• -아요 : (두루높임으로) 어떤 사실을 서술하거나 질문, 명령, 권유함을 나타내는 종결 어미.
No hay expresión equivalente
(TRATAMIENTO HONORÍFICO GENERAL) Desinencia de terminación que se usa cuando se describe cierto hecho; o pregunta, ordena o reclama algo.

선생님 : 자기 비하 또는 자기 부정+은 꿈+을 이루+는 데 장애 요소+가 되+어요. **돼요**

• **자기 (sustantivo)** : 그 사람 자신.
sí mismo, uno mismo, el yo
Sí mismo.

• **비하 (sustantivo)** : 자기 자신을 낮춤.
humillación, degradación
Acción de rebajarse a sí mismo.

• **또는 (adverbio)** : 그렇지 않으면.
o
De no ser eso.

• **자기 (sustantivo)** : 그 사람 자신.
sí mismo, uno mismo, el yo
Sí mismo.

• **부정 (sustantivo)** : 그렇지 않다고 판단하여 결정하거나 옳지 않다고 반대함.
rechazo, oposición, contradicción, desacuerdo
Decisión tomada por creer que es incorrecta u oposición a algo por desacuerdo.

• 은 : 문장 속에서 어떤 대상이 화제임을 나타내는 조사.
No hay expresión equivalente
Posposición que se usa para indicar que cierto objeto es tópico en la oración.

• **꿈 (sustantivo)** : 앞으로 이루고 싶은 희망이나 목표.
sueño
Meta o deseo a alcanzar.

• 을 : 동작이 직접적으로 영향을 미치는 대상을 나타내는 조사.
No hay expresión equivalente
Posposición que indica el objeto que influye directamente en la acción.

• **이루다 (verbo)** : 뜻대로 되어 바라는 결과를 얻다.
realizar, conseguir, alcanzar
Obtener el resultado como se había esperado.

• -는 : 앞의 말이 관형어의 기능을 하게 만들고 사건이나 동작이 현재 일어남을 나타내는 어미.
No hay expresión equivalente
Desinencia que hace que la palabra antecedente ejerza la función de un componente determinante, e indica que un suceso o una acción se produce en el presente.

• **데 (sustantivo)** : 일이나 것.
cosa, asunto
Asunto o cosa.

• **장애 (sustantivo)** : 가로막아서 어떤 일을 하는 데 거슬리거나 방해가 됨. 또는 그런 일이나 물건.
obstáculo
Acción de obstaculizar o dificultar cierto hecho impidiendo su realización. O ese hecho u objeto.

• **요소 (sustantivo)** : 무엇을 이루는 데 반드시 있어야 할 중요한 성분이나 조건.
requisito, factor
Condición o componente importante que debe existir para lograr algo.

• 가 : 바뀌게 되는 대상이나 부정하는 대상임을 나타내는 조사.
No hay expresión equivalente
Posposición que se usa para indicar el objeto de cierto estado o situación o el agente de un movimiento.

• **되다 (verbo)** : 어떤 특별한 뜻을 가지는 상태에 놓이다.
resultar
Redundar algo en beneficio o en daño sobre alguien.

• -어요 : (두루높임으로) 어떤 사실을 서술하거나 질문, 명령, 권유함을 나타내는 종결 어미.
No hay expresión equivalente
(TRATAMIENTO HONORÍFICO GENERAL) Desinencia de terminación que se usa cuando se describe cierto hecho; o pregunta, ordena o reclama algo.

그때 한 학생+이 천연덕스럽+게 대답하+였+다. **대답했다**

• **그때 (sustantivo)** : 앞에서 이야기한 어떤 때.
ese momento, en ese entonces
Cierto momento mencionado con anterioridad.

• **한 (determinante)** : 여럿 중 하나인 어떤.
No hay expresión equivalente
Uno entre varios.

• **학생 (sustantivo)** : 학교에 다니면서 공부하는 사람.
estudiante, alumno
Persona que estudia en una escuela.

• 이 : 어떤 상태나 상황의 대상이나 동작의 주체를 나타내는 조사.
No hay expresión equivalente
Posposición que se usa para indicar el objeto de cierto estado o situación o el agente de un movimiento.

• **천연덕스럽다 (adjetivo)** : 생긴 그대로 조금도 거짓이나 꾸밈이 없고 자연스러운 데가 있다.
sencillo, espontáneo
Que es natural, tal como es su forma de ser, sin mentiras o falsedad.

• -게 : 앞의 말이 뒤에서 가리키는 일의 목적이나 결과, 방식, 정도 등이 됨을 나타내는 연결 어미.
No hay expresión equivalente
Desinencia conectora que se usa cuando la palabra anterior es el objetivo, resultado, método, grado, etc. que indica al posterior.

• **대답하다 (verbo)** : 묻거나 요구하는 것에 해당하는 것을 말하다.
responder
Contestar a lo que se pregunta o se pide.

• -였- : 사건이 과거에 일어났음을 나타내는 어미.
No hay expresión equivalente
Desinencia que se usa cuando indica que el suceso ocurrió en el pasado.

• -다 : 어떤 사건이나 사실, 상태를 서술함을 나타내는 종결 어미.
No hay expresión equivalente
Desinencia de terminación que se usa cuando se describe un suceso o hecho del presente.

학생 3 : 정답+은 자기 부모+(이)+라고 생각하+ㅂ니다. 자기 부모라고 생각합니다

• **정답 (sustantivo)** : 어떤 문제나 질문에 대한 옳은 답.
respuesta correcta
Contestación exacta a cierto asunto o pregunta.

• 은 : 문장 속에서 어떤 대상이 화제임을 나타내는 조사.
No hay expresión equivalente
Posposición que se usa para indicar que cierto objeto es tópico en la oración.

• **자기 (sustantivo)** : 그 사람 자신.
sí mismo, uno mismo, el yo
Sí mismo.

• **부모 (sustantivo)** : 아버지와 어머니.
padres
Madre y padre.

• 이다 : 주어가 지시하는 대상의 속성이나 부류를 지정하는 뜻을 나타내는 서술격 조사.
No hay expresión equivalente
Posposición de caso atributivo, que se usa para designar el atributo o la clase del objeto al que se refiere el sujeto.

• -라고 : 다른 사람에게서 들은 내용을 간접적으로 전달하거나 주어의 생각, 의견 등을 나타내는 표현.
No hay expresión equivalente
Expresión que se usa para transmitir de manera indirecta algo que se ha escuchado o mostrar la opinión o postura del sujeto.

• **생각하다 (verbo)** : 사람이 머리를 써서 판단하거나 인식하다.
pensar, razonar, discurrir, cavilar, meditar
Juzgar o percibir algo utilizando la cabeza.

• -ㅂ니다 : (아주높임으로) 현재의 동작이나 상태, 사실을 정중하게 설명함을 나타내는 종결 어미.
No hay expresión equivalente
(TRATAMIENTO HONORÍFICO MÁXIMO) Desinencia de terminación que se usa cuando se explica cortésmente una acción, un estado, o un hecho del presente.

< 10 단원(unidad) >

제목 : 뭐, 없어진 물건이라도 있으세요?

● 본문 (contexto principal)

북적거리는 쇼핑몰에서 한 여성이 핸드백을 잃어버렸다.

핸드백을 주운 정직한 소년은 그 여성에게 가방을 돌려줬다.

건네받은 핸드백 안을 이리저리 살펴보던 여자가 말했다.

여자 : 핸드백에 중요한 것이 많아서 못 찾을까 봐 걱정했는데 너무 고맙구나.

그런데 음, 이상한 일이구나.

소년 : 뭐, 없어진 물건이라도 있으세요?

여자 : 그건 아니고, 지갑 안에 분명히 오만 원짜리 지폐 한 장이 들어 있었는데

지금은 만 원짜리 다섯 장이 들어 있네.

거참, 신기하네.

소년 : 아, 그거요.

저번에 제가 어떤 여자분 지갑을 찾아 줬는데 그분이 잔돈이 없다고

사례금을 안 주셨거든요.

● 발음 (pronunciación)

북적거리는 쇼핑몰에서 한 여성이 핸드백을 잃어버렸다.
북쩍꺼리는 쇼핑모레서 한 여성이 핸드배글 이러버렫따.
bukjeokgeorineun syopingmoreseo han yeoseongi haendeubaegeul ireobeoryeotda.

핸드백을 주운 정직한 소년은 그 여성에게 가방을 돌려줬다.
핸드배글 주운 정지칸 소녀는 그 여성에게 가방을 돌려줟따.
haendeubaegeul juun jeongjikan sonyeoneun geu yeoseongege gabangeul dollyeojwotda.

건네받은 핸드백 안을 이리저리 살펴보던 여자가 말했다.
건네바든 핸드백 아늘 이리저리 살펴보던 여자가 말핻따.
geonnebadeun haendeubaek aneul irijeori salpyeobodeon yeojaga malhaetda.

여자 : 핸드백에 중요한 것이 많아서 못 찾을까 봐 걱정했는데 너무 고맙구나.
여자 : 핸드배게 중요한 거시 마나서 몯 차즐까 봐 걱쩡핸는데 너무 고맙꾸나.
yeoja : haendeubaege jungyohan geosi manaseo mot chajeulkka bwa geokjeonghaenneunde neomu gomapguna.

그런데 음, 이상한 일이구나.
그런데 음, 이상한 이리구나.
geureonde eum, isanghan iriguna.

소년 : 뭐, 없어진 물건이라도 있으세요?
소년 : 뭐, 업써진 물거니라도 이쓰세요?
sonyeon : mwo, eopseojin mulgeonirado isseuseyo?

여자 : 그건 아니고, 지갑 안에 분명히 오만 원짜리 지폐 한 장이 들어 있었는데
여자 : 그건 아니고, 지갑 아네 분명히 오만 원짜리 지폐 한 장이 드러 이썬는데
yeoja : geugeon anigo, jigap ane bunmyeonghi oman wonjjari jipye(jipe) han jangi deureo isseonneunde

지금은 만 원짜리 다섯 장이 들어 있네.
지그믄 만 원짜리 다섣 장이 드러 인네.
jigeumeun man wonjjari daseot jangi deureo inne.

거참, 신기하네.
거참, 신기하네.
geocham, singihane.

소년 : 아, 그거요.
소년 : 아, 그거요.
sonyeon : a, geugeoyo.

저번에 제가 어떤 여자분 지갑을 찾아 줬는데 그분이 잔돈이 없다고
저버네 제가 어떤 여자분 지가블 차자 줜는데 그부니 잔도니 업따고
jeobeone jega eotteon yeojabun jigabeul chaja jwonneunde geubuni jandoni eopdago

사례금을 안 주셨거든요.
사례그믈 안 주셛꺼드뇨.
saryegeumeul an jusyeotgeodeunyo.

● 어휘 (palabra) / 문법 (gramática)

북적거리+는 쇼핑몰+에서 한 여성+이 핸드백+을 잃어버리+었+다.

핸드백+을 줍(주우)+ㄴ 정직하+ㄴ 소년+은 그 여성+에게 가방+을 돌려주+었+다.

건네받+은 핸드백 안+을 이리저리 살펴보+던 여자+가 말하+였+다.

여자 : 핸드백+에 중요하+ㄴ 것+이 많+아서 못 찾+을까 보+아 걱정하+였+는데 너무

고맙+구나.

그런데 음, 이상하+ㄴ 일+이+구나.

소년 : 뭐, 없어지+ㄴ 물건+이라도 있+으세요?

여자 : 그것(그거)+은 아니+고, 지갑 안+에 분명히 오만 원+짜리 지폐 한 장+이

들+어 있+었+는데 지금+은 만 원+짜리 다섯 장+이 들+어 있+네.

거참, 신기하+네.

소년 : 아, 그거+요.

저번+에 제+가 어떤 여자+분 지갑+을 찾+아 주+었+는데 그분+이 잔돈+이

없+다고 사례금+을 안 주+시+었+거든요.

북적거리+는 쇼핑몰+에서 한 여성+이 핸드백+을 잃어버리+었+다. **잃어버렸다**

• **북적거리다** (verbo) : 많은 사람이 한곳에 모여 매우 어수선하고 시끄럽게 자꾸 떠들다.
bullir, pulular, rebosar
Seguir hablando muy estrepitosa y bulliciosamente las personas reunidas en un mismo lugar.

• -는 : 앞의 말이 관형어의 기능을 하게 만들고 사건이나 동작이 현재 일어남을 나타내는 어미.
No hay expresión equivalente
Desinencia que hace que la palabra antecedente ejerza la función de un componente determinante, e indica que un suceso o una acción se produce en el presente.

• **쇼핑몰** (sustantivo) : 여러 가지 물건을 파는 상점들이 모여 있는 곳.
centro comercial
Grupo de tiendas que ofrecen artículos diversos.

• 에서 : 앞말이 행동이 이루어지고 있는 장소임을 나타내는 조사.
No hay expresión equivalente
Posposición que se usa para indicar el lugar en el que se realiza la acción de la palabra anterior.

• **한** (determinante) : 여럿 중 하나인 어떤.
No hay expresión equivalente
Uno entre varios.

• **여성** (sustantivo) : 어른이 되어 아이를 낳을 수 있는 여자.
mujer
Mujer que puede dar a luz tras haber llegado a la edad adulta.

• 이 : 어떤 상태나 상황의 대상이나 동작의 주체를 나타내는 조사.
No hay expresión equivalente
Posposición que se usa para indicar el objeto de cierto estado o situación o el agente de un movimiento.

• **핸드백** (sustantivo) : 여자들이 손에 들거나 한쪽 어깨에 메는 작은 가방.
bolso, cartera
Pequeña bolsa que llevan las mujeres en una mano u hombro.

• 을 : 동작이 직접적으로 영향을 미치는 대상을 나타내는 조사.
No hay expresión equivalente
Posposición que se usa para indicar el objeto que ha sido influido directamente por una acción.

• **잃어버리다** (verbo) : 가졌던 물건을 흘리거나 놓쳐서 더 이상 갖지 않게 되다.
perder
Dejar de tener una cosa que poseía por descuidarla o por no guardarla bien.

• -었- : 사건이 과거에 일어났음을 나타내는 어미.
No hay expresión equivalente
Desinencia que se usa cuando indica que el suceso ocurrió en el pasado.

• -다 : 어떤 사건이나 사실, 상태를 서술함을 나타내는 종결 어미.
No hay expresión equivalente
Desinencia de terminación que se usa cuando se describe un suceso o hecho del presente.

핸드백+을 줍(주우)+ㄴ 정직하+ㄴ 소년+은 그 여성+에게 가방+을 돌려주+었+다.
주운　정직한　돌려줬다

• **핸드백** (sustantivo) : 여자들이 손에 들거나 한쪽 어깨에 메는 작은 가방.
bolso, cartera
Pequeña bolsa que llevan las mujeres en una mano u hombro.

• 을 : 동작이 직접적으로 영향을 미치는 대상을 나타내는 조사.
No hay expresión equivalente
Posposición que se usa para indicar el objeto que ha sido influido directamente por una acción.

• **줍다** (verbo) : 남이 잃어버린 물건을 집다.
tomar, agarrar, recoger
Coger un objeto que ha perdido una persona ajena.

• -ㄴ : 앞의 말이 관형어의 기능을 하게 만들고 사건이나 동작이 완료되어 그 상태가 유지되고 있음을 나타내는 어미.
No hay expresión equivalente
Desinencia que hace que la palabra antecedente ejerza la función de una palabra determinante, e indica que un suceso o una acción se mantiene en el mismo estado que cuando concluyó en un momento del pasado.

• **정직하다** (adjetivo) : 마음에 거짓이나 꾸밈이 없고 바르고 곧다.
honrado, honesto, decente, íntegro, leal, recto, justo
Que es justo y honesto sin falsedad o hipocresía.

• -ㄴ : 앞의 말이 관형어의 기능을 하게 만들고 현재의 상태를 나타내는 어미.
No hay expresión equivalente
Desinencia que hace que la palabra antecedente ejerza la función de una palabra determinante, e indica el estado del presente.

• **소년 (sustantivo)** : 아직 어른이 되지 않은 어린 남자아이.
chico
Hombre joven que no llega a la edad adulta.

• 은 : 문장 속에서 어떤 대상이 화제임을 나타내는 조사.
No hay expresión equivalente
Posposición que se usa para indicar que cierto objeto es tópico en la oración.

• **그 (determinante)** : 앞에서 이미 이야기한 대상을 가리킬 때 쓰는 말.
ese
Expresión usada para designar algo que se acaba de mencionar.

• **여성 (sustantivo)** : 어른이 되어 아이를 낳을 수 있는 여자.
mujer
Mujer que puede dar a luz tras haber llegado a la edad adulta.

• 에게 : 어떤 행동이 미치는 대상임을 나타내는 조사.
No hay expresión equivalente
Posposición que indica ser un objeto influyente de cierta acción.

• **가방 (sustantivo)** : 물건을 넣어 손에 들거나 어깨에 멜 수 있게 만든 것.
bolso, cartera
Bolsa de mano u hombro que se usa para llevar objetos personales.

• 을 : 동작이 직접적으로 영향을 미치는 대상을 나타내는 조사.
No hay expresión equivalente
Posposición que se usa para indicar el objeto que ha sido influido directamente por una acción.

• **돌려주다 (verbo)** : 빌리거나 빼거나 받은 것을 주인에게 도로 주거나 갚다.
devolver
Restituir a una persona lo que poseía o una cantidad que había desembolsado.

• -었- : 사건이 과거에 일어났음을 나타내는 어미.
No hay expresión equivalente
Desinencia que se usa cuando indica que el suceso ocurrió en el pasado.

• -다 : 어떤 사건이나 사실, 상태를 서술함을 나타내는 종결 어미.
No hay expresión equivalente
Desinencia de terminación que se usa cuando se describe un suceso o hecho del presente.

건네받+은 핸드백 안+을 이리저리 살펴보+던 여자+가 말하+였+다. **말했다**

- **건네받다 (verbo)** : 다른 사람으로부터 어떤 것을 옮기어 받다.
  recibir
  Tomar algo que alguien envía.

- -은 : 앞의 말이 관형어의 기능을 하게 만들고 사건이나 동작이 완료되어 그 상태가 유지되고 있음을 나타내는 어미.
  No hay expresión equivalente
  Desinencia que hace que la palabra antecedente ejerza la función de un componente determinante, e indica que una acción se mantiene en el mismo estado que cuando concluyó en un momento del pasado.

- **핸드백 (sustantivo)** : 여자들이 손에 들거나 한쪽 어깨에 메는 작은 가방.
  bolso, cartera
  Pequeña bolsa que llevan las mujeres en una mano u hombro.

- **안 (sustantivo)** : 어떤 물체나 공간의 둘레에서 가운데로 향한 쪽. 또는 그러한 부분.
  interior
  Dirección hacia el centro o parte céntrica en oposición a la periferia de cierto cuerpo o espacio.

- 을 : 동작이 직접적으로 영향을 미치는 대상을 나타내는 조사.
  No hay expresión equivalente
  Posposición que se usa para indicar el objeto que ha sido influido directamente por una acción.

- **이리저리 (adverbio)** : 방향을 정하지 않고 이쪽저쪽으로.
  de un lado a otro
  De acá para allá sin haber decidido la dirección.

- **살펴보다 (verbo)** : 무엇을 찾거나 알아보다.
  buscar
  Intentar localizar o encontrar una cosa.

- -던 : 앞의 말이 관형어의 기능을 하게 만들고 사건이나 동작이 과거에 완료되지 않고 중단되었음을 나타내는 어미.
  No hay expresión equivalente
  Desinencia que hace que la palabra antecedente ejerza la función de un componente determinante, e indica que un suceso o una acción fue suspendida en un momento del pasado sin concluir.

- **여자 (sustantivo)** : 여성으로 태어난 사람.
  mujer
  Persona del sexo femenino.

• 가 : 어떤 상태나 상황에 놓인 대상이나 동작의 주체를 나타내는 조사.
No hay expresión equivalente
Posposición que se usa para indicar el objeto de cierto estado o situación o el agente de un movimiento.

• **말하다** (verbo) : 어떤 사실이나 자신의 생각 또는 느낌을 말로 나타내다.
decir
Expresar oralmente un pensamiento, un hecho, una sensación, etc.

• -였- : 사건이 과거에 일어났음을 나타내는 어미.
No hay expresión equivalente
Desinencia que se usa cuando indica que el suceso ocurrió en el pasado.

• -다 : 어떤 사건이나 사실, 상태를 서술함을 나타내는 종결 어미.
No hay expresión equivalente
Desinencia de terminación que se usa cuando se describe un suceso o hecho del presente.

여자 : 핸드백+에 중요하+[ㄴ 것]+이 많+아서 못 찾+[을까 보]+아 걱정하+였+는데
중요한 것이 찾을까 봐 걱정했는데

너무 고맙+구나.

• **핸드백** (sustantivo) : 여자들이 손에 들거나 한쪽 어깨에 메는 작은 가방.
bolso, cartera
Pequeña bolsa que llevan las mujeres en una mano u hombro.

• 에 : 앞말이 어떤 장소나 자리임을 나타내는 조사.
No hay expresión equivalente
Posposición que se usa cuando la palabra anterior indica cierto lugar o sitio.

• **중요하다** (adjetivo) : 귀중하고 꼭 필요하다.
importante, necesario, imprescindible, esencial, crucial
Que es valioso y muy necesario.

• -ㄴ 것 : 명사가 아닌 것을 문장에서 명사처럼 쓰이게 하거나 '이다' 앞에 쓰일 수 있게 할 때 쓰는 표현.
No hay expresión equivalente
Expresión que posibilita que, en una oración, sea usado como sustantivo algo que no es, o se anteponga a '이다'.

• 이 : 어떤 상태나 상황의 대상이나 동작의 주체를 나타내는 조사.
No hay expresión equivalente
Posposición que se usa para indicar el objeto de cierto estado o situación o el agente de un movimiento.

• **많다** (adjetivo) : 수나 양, 정도 등이 일정한 기준을 넘다.
mucho, generoso, abundante, satisfactorio, cuantioso
Que supera un determinado criterio en número, cantidad o nivel.

• -아서 : 이유나 근거를 나타내는 연결 어미.
No hay expresión equivalente
Desinencia conectora que se usa para indicar causa o fundamento.

• **못** (adverbio) : 동사가 나타내는 동작을 할 수 없게.
no
Para negar la acción indicada por el verbo.

• **찾다** (verbo) : 무엇을 얻거나 누구를 만나려고 여기저기를 살피다. 또는 그것을 얻거나 그 사람을 만나다.
buscar
Mirar por todos lados para conseguir algo o encontrarse con alguien. O conseguir ese algo o encontrarse con esa persona.

• -을까 보다 : 앞에 오는 말이 나타내는 상황이 될 것을 걱정하거나 두려워함을 나타내는 표현.
No hay expresión equivalente
Expresión que indica miedo o preocupación de que surja una situación que describe el comentario anterior.

• -아 : 앞에 오는 말이 뒤에 오는 말에 대한 원인이나 이유임을 나타내는 연결 어미.
No hay expresión equivalente
Desinencia conectora que se usa cuando la palabra anterior es la causa o la razón de la palabra posterior.

• **걱정하다** (verbo) : 좋지 않은 일이 있을까 봐 두려워하고 불안해하다.
preocupar
Dícese de sentimiento de inquietud o miedo que se experimenta por algo que sucede.

• -였- : 어떤 사건이 과거에 완료되었거나 그 사건의 결과가 현재까지 지속되는 상황을 나타내는 어미.
No hay expresión equivalente
Desinencia que se usa cuando cierto suceso fue acabado en el pasado o cuando el resultado de ese suceso continúa hasta el presente.

- -는데 : 뒤의 말을 하기 위하여 그 대상과 관련이 있는 상황을 미리 말함을 나타내는 연결 어미.
  No hay expresión equivalente
  Desinencia conectora que se usa cuando se habla con antelación una circunstancia pasada relacionada con la palabra posterior.

- **너무 (adverbio)** : 일정한 정도나 한계를 훨씬 넘어선 상태로.
  demasiado, excesivamente
  Habiendo excedido en gran medida determinado nivel o límite.

- **고맙다 (adjetivo)** : 남이 자신을 위해 무엇을 해주어서 마음이 흐뭇하고 보답하고 싶다.
  agradecido
  Que está satisfecho uno porque otra persona hizo algo para él y desea devolverle el favor.

- -구나 : (아주낮춤으로) 새롭게 알게 된 사실에 어떤 느낌을 실어 말함을 나타내는 종결 어미.
  No hay expresión equivalente
  (TRATAMIENTO DE MODESTIA MÁXIMA) Desinencia de terminación que se usa cuando se suma cierto sentimiento en el nuevo hecho enterado.

여자 : 그런데 음, 이상하+ㄴ 일+이+구나. **이상한**

- **그런데 (adverbio)** : 이야기를 앞의 내용과 관련시키면서 다른 방향으로 바꿀 때 쓰는 말.
  a propósito
  Se usa para cambiar de tema y hablar de otra cosa, sin interrumpir el flujo de la conversación.

- **음 (interjección)** : 믿지 못할 때 내는 소리.
  mm…
  Interjección que se usa al no creer en algo.

- **이상하다 (adjetivo)** : 원래 알고 있던 것과 달리 별나거나 색다르다.
  extraño, raro, insólito, excepcional, misterioso, singular, sorprendente
  Que es extraordinario o particular, diferente a lo que se sabía antes.

- -ㄴ : 앞의 말이 관형어의 기능을 하게 만들고 현재의 상태를 나타내는 어미.
  No hay expresión equivalente
  Desinencia que hace que la palabra antecedente ejerza la función de una palabra determinante, e indica el estado del presente.

- **일 (sustantivo)** : 어떤 내용을 가진 상황이나 사실.
  cosa, hecho
  Circunstancia o verdad con cierto contexto.

• 이다 : 주어가 지시하는 대상의 속성이나 부류를 지정하는 뜻을 나타내는 서술격 조사.
No hay expresión equivalente
Posposición de caso atributivo, que se usa para designar el atributo o la clase del objeto al que se refiere el sujeto.

• -구나 : (아주낮춤으로) 새롭게 알게 된 사실에 어떤 느낌을 실어 말함을 나타내는 종결 어미.
No hay expresión equivalente
(TRATAMIENTO DE MODESTIA MÁXIMA) Desinencia de terminación que se usa cuando se suma cierto sentimiento en el nuevo hecho enterado.

소년 : 뭐, 없어지+ㄴ 물건+이라도 있+으세요? **없어진**

• **뭐 (interjección)** : 놀랐을 때 내는 소리.
¿qué?
Palabra que se dice al estar sorprendido o asustado.

• **없어지다 (verbo)** : 사람, 사물, 현상 등이 어떤 곳에 자리나 공간을 차지하고 존재하지 않게 되다.
eliminarse, desaparecerse
No existir más una persona, cosa, fenómeno que ocupaba cierto lugar o espacio.

• -ㄴ : 앞의 말이 관형어의 기능을 하게 만들고 사건이나 동작이 완료되어 그 상태가 유지되고 있음을 나타내는 어미.
No hay expresión equivalente
Desinencia que hace que la palabra antecedente ejerza la función de una palabra determinante, e indica que un suceso o una acción se mantiene en el mismo estado que cuando concluyó en un momento del pasado.

• **물건 (sustantivo)** : 일정한 모양을 갖춘 어떤 물질.
objeto
Sustancia que tiene una forma determinada.

• 이라도 : 불확실한 사실에 대한 말하는 이의 의심이나 의문을 나타내는 조사.
No hay expresión equivalente
Posposición que indica duda o interrogación ante los dichos inciertos del hablante.

• **있다 (adjetivo)** : 무엇이 어떤 곳에 자리나 공간을 차지하고 존재하는 상태이다.
existente
Que ocupa o se halla algo en cierto lugar o espacio.

• -으세요 : (두루높임으로) 설명, 의문, 명령, 요청의 뜻을 나타내는 종결 어미.
No hay expresión equivalente
(TRATAMIENTO HONORÍFICO GENERAL) Desinencia de terminación que se usa cuando se manifiesta el sentido de explicación, duda, orden, reclamación, etc.

여자 : <u>그것(그거)+은</u> 아니+고, 지갑 안+에 분명히 오만 원+짜리 지폐 한 장+이 **그건** **들+[어 있]+었+는데 지금+은 만 원+짜리 다섯 장+이 들+[어 있]+네.**

• **그것 (pronombre)** : 앞에서 이미 이야기한 대상을 가리키는 말.
eso, esa persona
Pronombre que designa a alguien o algo ya mencionado.

• 은 : 문장 속에서 어떤 대상이 화제임을 나타내는 조사.
No hay expresión equivalente
Posposición que se usa para indicar que cierto objeto es tópico en la oración.

• **아니다 (adjetivo)** : 어떤 사실이나 내용을 부정하는 뜻을 나타내는 말.
no
Palabra que denota el significado de negación de un hecho o un contenido.

• -고 : 두 가지 이상의 대등한 사실을 나열할 때 쓰는 연결 어미.
No hay expresión equivalente
Desinencia conectora que se usa cuando se enumeran más de dos hechos similares.

• **지갑 (sustantivo)** : 돈, 카드, 명함 등을 넣어 가지고 다닐 수 있게 가죽이나 헝겊 등으로 만든 물건.
billetera, cartera
Objeto hecho de cuero o tela para guardar por dentro dinero, tarjetas de crédito o tarjetas personales.

• **안 (sustantivo)** : 어떤 물체나 공간의 둘레에서 가운데로 향한 쪽. 또는 그러한 부분.
interior
Dirección hacia el centro o parte céntrica en oposición a la periferia de cierto cuerpo o espacio.

• 에 : 앞말이 어떤 장소나 자리임을 나타내는 조사.
No hay expresión equivalente
Posposición que se usa cuando la palabra anterior indica cierto lugar o sitio.

• **분명히 (adverbio)** : 어떤 사실이 틀림이 없이 확실하게.
seguramente, ciertamente, infaliblemente
Sin lugar a dudas acerca de algún hecho.

• **오만** : 50,000

• **원 (sustantivo)** : 한국의 화폐 단위.
won
Unidad monetaria de Corea.

• **짜리** : '그만한 수나 양을 가진 것' 또는 '그만한 가치를 가진 것'의 뜻을 더하는 접미사.
No hay expresión equivalente
Sufijo que añade el significado de 'que tiene ese número o cantidad de algo' o 'que tiene ese valor'.

• **지폐 (sustantivo)** : 종이로 만든 돈.
dinero de papel
Dinero hecho de papel.

• **한 (determinante)** : 하나의.
No hay expresión equivalente
uno

• **장 (sustantivo)** : 종이나 유리와 같이 얇고 넓적한 물건을 세는 단위.
No hay expresión equivalente
Unidad de conteo de cosas finas y planas como el papel, el vidrio, etc.

• 이 : 어떤 상태나 상황의 대상이나 동작의 주체를 나타내는 조사.
No hay expresión equivalente
Posposición que se usa para indicar el objeto de cierto estado o situación o el agente de un movimiento.

• **들다 (verbo)** : 안에 담기거나 그 일부를 이루다.
contenerse
Llevarse dentro de sí una cosa a otra o formar una parte de ella.

• -어 있다 : 앞의 말이 나타내는 상태가 계속됨을 나타내는 표현.
No hay expresión equivalente
Expresión que indica la continuación del estado que indica el comentario anterior.

• -었- : 어떤 사건이 과거에 완료되었거나 그 사건의 결과가 현재까지 지속되는 상황을 나타내는 어미.
No hay expresión equivalente
Desinencia que se usa cuando cierto suceso fue acabado en el pasado o cuando el resultado de ese suceso continúa hasta el presente.

• -는데 : 뒤의 말을 하기 위하여 그 대상과 관련이 있는 상황을 미리 말함을 나타내는 연결 어미.
No hay expresión equivalente
Desinencia conectora que se usa cuando se habla con antelación una circunstancia pasada relacionada con la palabra posterior.

• **지금 (sustantivo)** : 말을 하고 있는 바로 이때.
ahora
En este preciso momento en que se está hablando.

• 은 : 문장 속에서 어떤 대상이 화제임을 나타내는 조사.
No hay expresión equivalente
Posposición que se usa para indicar que cierto objeto es tópico en la oración.

• **만 : 10,000**

• **원 (sustantivo)** : 한국의 화폐 단위.
won
Unidad monetaria de Corea.

• 짜리 : '그만한 수나 양을 가진 것' 또는 '그만한 가치를 가진 것'의 뜻을 더하는 접미사.
No hay expresión equivalente
Sufijo que añade el significado de 'que tiene ese número o cantidad de algo' o 'que tiene ese valor'.

• **다섯 (determinante)** : 넷에 하나를 더한 수의.
cinco
Cuatro más uno.

• **장 (sustantivo)** : 종이나 유리와 같이 얇고 넓적한 물건을 세는 단위.
No hay expresión equivalente
Unidad de conteo de cosas finas y planas como el papel, el vidrio, etc.

• 이 : 어떤 상태나 상황의 대상이나 동작의 주체를 나타내는 조사.
No hay expresión equivalente
Posposición que se usa para indicar el objeto de cierto estado o situación o el agente de un movimiento.

• **들다 (verbo)** : 안에 담기거나 그 일부를 이루다.
contenerse
Llevarse dentro de sí una cosa a otra o formar una parte de ella.

• -어 있다 : 앞의 말이 나타내는 상태가 계속됨을 나타내는 표현.
No hay expresión equivalente
Expresión que indica la continuación del estado que indica el comentario anterior.

• -네 : (아주낮춤으로) 지금 깨달은 일에 대하여 말함을 나타내는 종결 어미.
No hay expresión equivalente
(TRATAMIENTO DE MODESTIA MÁXIMA) Desinencia de terminación que se usa cuando se habla de lo que se ha enterado ahora.

여자 : 거참, 신기하+네.

• **거참 (interjección)** : 안타까움이나 아쉬움, 놀라움의 뜻을 나타낼 때 하는 말.
¡qué pena!, ¡qué sorpresa!, ¡Dios mío!
Interjección que se usa para expresar lamento, arrepentimiento o sorpresa.

• **신기하다 (adjetivo)** : 믿을 수 없을 정도로 색다르고 이상하다.
maravilloso, fantástico, portentoso, estupendo
Increíblemente excepcional y extraño.

• -네 : (아주낮춤으로) 지금 깨달은 일에 대하여 말함을 나타내는 종결 어미.
No hay expresión equivalente
(TRATAMIENTO DE MODESTIA MÁXIMA) Desinencia de terminación que se usa cuando se habla de lo que se ha enterado ahora.

소년 : 아, 그거+요.

• **아 (interjección)** : 남에게 말을 걸거나 주의를 끌 때, 말에 앞서 내는 소리.
ah
Interjección que se usa antes de dirigir la palabra a alguien o para llamar la atención a alguien.

• **그거 (pronombre)** : 앞에서 이미 이야기한 대상을 가리키는 말.
eso, esa persona
Pronombre que designa a alguien o algo ya mencionado.

• 요 : 높임의 대상인 상대방에게 존대의 뜻을 나타내는 조사.
No hay expresión equivalente
Posposición con la que se expresa respeto a alguien que merece tratamiento honorífico.

소년 : 저번+에 제+가 어떤 여자+분 지갑+을 찾+[아 주]+었+는데 그분+이 잔돈+이
찾아 줬는데

없+다고 사례금+을 안 주+시+었+거든요.
주셨거든요

• **저번 (sustantivo)** : 말하고 있는 때 이전의 지나간 차례나 때.
pasado
Turno o tiempo que ya ha pasado en un momento anterior al que está hablando uno.

• 에 : 앞말이 시간이나 때임을 나타내는 조사.
No hay expresión equivalente
Posposición que se usa cuando la palabra anterior indica hora o tiempo.

• **제 (pronombre)** : 말하는 사람이 자신을 낮추어 가리키는 말인 '저'에 조사 '가'가 붙을 때의 형태.
yo
Forma que toma '저' -palabra que usa el hablante para referirse a sí mismo en tono de humildad- cuando va antecedida de la posposición '가'.

• 가 : 어떤 상태나 상황에 놓인 대상이나 동작의 주체를 나타내는 조사.
No hay expresión equivalente
Posposición que se usa para indicar el objeto de cierto estado o situación o el agente de un movimiento.

• **어떤 (determinante)** : 굳이 말할 필요가 없는 대상을 뚜렷하게 밝히지 않고 나타낼 때 쓰는 말.
algún, alguna
Palabra que se usa para indicar vagamente un objeto que no vale la pena de mencionar en concreto.

• **여자 (sustantivo)** : 여성으로 태어난 사람.
mujer
Persona del sexo femenino.

• 분 : '높임'의 뜻을 더하는 접미사.
No hay expresión equivalente
Sufijo que añade tono honorífico.

• **지갑 (sustantivo)** : 돈, 카드, 명함 등을 넣어 가지고 다닐 수 있게 가죽이나 헝겊 등으로 만든 물건.
billetera, cartera
Objeto hecho de cuero o tela para guardar por dentro dinero, tarjetas de crédito o tarjetas personales.

• 을 : 동작이 직접적으로 영향을 미치는 대상을 나타내는 조사.
No hay expresión equivalente
Posposición que se usa para indicar el objeto que ha sido influido directamente por una acción.

• **찾다 (verbo)** : 무엇을 얻거나 누구를 만나려고 여기저기를 살피다. 또는 그것을 얻거나 그 사람을 만나다.
buscar
Mirar por todos lados para conseguir algo o encontrarse con alguien. O conseguir ese algo o encontrarse con esa persona.

• -아 주다 : 남을 위해 앞의 말이 나타내는 행동을 함을 나타내는 표현.
No hay expresión equivalente
Expresión que indica la realización de una acción que indica el comentario anterior para el bien del otro.

• -었- : 사건이 과거에 일어났음을 나타내는 어미.
No hay expresión equivalente
Desinencia que se usa cuando indica que el suceso ocurrió en el pasado.

• -는데 : 뒤의 말을 하기 위하여 그 대상과 관련이 있는 상황을 미리 말함을 나타내는 연결 어미.
No hay expresión equivalente
Desinencia conectora que se usa cuando se habla con antelación una circunstancia pasada relacionada con la palabra posterior.

• **그분 (pronombre)** : (아주 높이는 말로) 그 사람.
esa persona
(EXPRESIÓN DE RESPETO MÁXIMO) Esa persona.

• 이 : 어떤 상태나 상황의 대상이나 동작의 주체를 나타내는 조사.
No hay expresión equivalente
Posposición que se usa para indicar el objeto de cierto estado o situación o el agente de un movimiento.

• **잔돈 (sustantivo)** : 단위가 작은 돈.
suelto
Dinero de pequeña unidad.

• 이 : 어떤 상태나 상황의 대상이나 동작의 주체를 나타내는 조사.
No hay expresión equivalente
Posposición que se usa para indicar el objeto de cierto estado o situación o el agente de un movimiento.

• **없다 (adjetivo)** : 사람, 사물, 현상 등이 어떤 곳에 자리나 공간을 차지하고 존재하지 않는 상태이다.
inexistente, irreal
Estado en que una persona, un objeto o un fenómeno no ocupa un espacio ni existe.

• -다고 : 어떤 행위의 목적, 의도를 나타내거나 어떤 상황의 이유, 원인을 나타내는 연결 어미.
No hay expresión equivalente
Desinencia conectora que se usa cuando se muestra el objetivo o la intención sobre cierta acción o indica la causa o la razón de cierta circunstancia.

• **사례금 (sustantivo)** : 고마운 뜻을 나타내려고 주는 돈.
dinero de recompensa, dinero de compensación
Dinero que se da para expresar agradecimiento.

• 을 : 동작이 직접적으로 영향을 미치는 대상을 나타내는 조사.
No hay expresión equivalente
Posposición que se usa para indicar el objeto que ha sido influido directamente por una acción.

• **안 (adverbio)** : 부정이나 반대의 뜻을 나타내는 말.
no
Palabra que expresa negación u oposición.

• **주다 (verbo)** : 물건 등을 남에게 건네어 가지거나 쓰게 하다.
entregar, dar, ofrecer
Hacer que el otro utilice o posea un objeto.

• -시- : 어떤 동작이나 상태의 주체를 높이는 뜻을 나타내는 어미.
No hay expresión equivalente
Desinencia que se usa para dar un tratamiento honorífico al agente de una acción verbal o de un determinado estado.

• -었- : 사건이 과거에 일어났음을 나타내는 어미.
No hay expresión equivalente
Desinencia que se usa cuando indica que el suceso ocurrió en el pasado.

• -거든요 : (두루높임으로) 앞의 내용에 대해 말하는 사람이 생각한 이유나 원인, 근거를 나타내는 표현.
No hay expresión equivalente
(TRATAMIENTO HONORÍFICO GENERAL) Expresión que se usa cuando el hablante quiere mostrar su propia opinión sobre la causa o el fundamento de lo que se ha dicho en el comentario anterior de la cláusula.

< 11 단원(unidad) >

제목 : 새에 대한 논문을 쓰고 계시나 보죠?

● 본문 (contexto principal)

강의 준비를 하기 위해 교수님 한 분이 컴퓨터를 켜고 있었다.

그런데 컴퓨터가 바이러스에 걸렸는지 작동되지 않아 수리 기사를 부르게 되었다.

수리공이 컴퓨터를 고치다가 저장된 파일을 보니 독수리, 참새, 앵무새, 까치, 비둘기, 제비 등 모두 새 이름으로 되어 있었다.

수리 기사는 궁금증을 참다못해 교수님에게 물었다.

수리 기사 : 교수님, 파일 이름을 모두 새 이름으로 지으셨네요.

요즘 새에 대한 논문을 쓰고 계시나 보죠?

교수님이 울상을 지으면서 말했다.

교수님 : 아니에요.

실은 그것 때문에 짜증이 나서 미치겠어요.

파일 저장할 때마다 '새 이름으로 저장'이라고 나오는데 이제 생각나는 새 이름도 없는데.

● 발음 (pronunciación)

강의 준비를 하기 위해 교수님 한 분이 컴퓨터를 켜고 있었다.
강의 준비를 하기 위해 교수님 한 부니 컴퓨터를 켜고 이썯따.
gangui junbireul hagi wihae gyosunim han buni keompyuteoreul kyeogo isseotda.

그런데 컴퓨터가 바이러스에 걸렸는지 작동되지 않아 수리 기사를 부르게 되었다.
그런데 컴퓨터가 바이러스에 걸련는지 작똥되지 아나 수리 기사를 부르게 되얻따.
geureonde keompyuteoga baireoseue geollyeonneunji jakdongdoeji ana suri gisareul bureuge doeeotda.

수리공이 컴퓨터를 고치다가 저장된 파일을 보니 독수리, 참새, 앵무새, 까치, 비둘기, 제비 등 모두 새
수리공이 컴퓨터를 고치다가 저장된 파이를 보니 독쑤리, 참새, 앵무새, 까치, 비둘기, 제비 등 모두 새
surigongi keompyuteoreul gochidaga jeojangdoen paireul boni doksuri, chamsae, aengmusae, kkachi, bidulgi, jebi deung modu sae

이름으로 되어 있었다.
이르므로 되어 이썯따.
ireumeuro doeeo isseotda.

수리 기사는 궁금증을 참다못해 교수님에게 물었다.
수리 기사는 궁금쯩을 참따모태 교수니메게 무럳따.
suri gisaneun gunggeumjeungeul chamdamotae gyosunimege mureotda.

수리 기사 : 교수님, 파일 이름을 모두 새 이름으로 지으셨네요.
수리 기사 : 교수님, 파일 이르믈 모두 새 이르므로 지으션네요.
suri gisa : gyosunim, pail ireumeul modu sae ireumeuro jieusyeonneyo.

요즘 새에 대한 논문을 쓰고 계시나 보죠?
요즘 새에 대한 논무늘 쓰고 게시나 보죠?
yojeum saee daehan nonmuneul sseugo gyesina(gesina) bojyo?

교수님이 울상을 지으면서 말했다.
교수니미 울쌍을 지으면서 말핻따.
gyosunimi ulsangeul jieumyeonseo malhaetda.

교수님 : 아니에요.
교수님 : 아니에요.
gyosunim : anieyo.

실은 그것 때문에 짜증이 나서 미치겠어요.
시른 그걷 때무네 짜증이 나서 미치게써요.
sireun geugeot ttaemune jjajeungi naseo michigesseoyo.

파일 저장할 때마다 '새 이름으로 저장'이라고 나오는데 이제 생각나는
파일 저장할 때마다 '새 이르므로 저장'이라고 나오는데 이제 생강나는
pail jeojanghal ttaemada 'sae ireumeuro jeojang'irago naoneunde ije saenggangnaneun

새 이름도 없는데.
새 이름도 엄는데.
sae ireumdo eomneunde.

● 어휘 (palabra) / 문법 (gramática)

강의 준비+를 하+기 위해서 교수+님 한 분+이 컴퓨터+를 켜+고 있+었+다.

그런데 컴퓨터+가 바이러스+에 걸리+었+는지 작동되+지 않+아 수리 기사+를 부르+게 되+었+다.

수리공+이 컴퓨터+를 고치+다가 저장되+ㄴ 파일+을 보+니 독수리, 참새, 앵무새, 까치, 비둘기, 제비 등

모두 새 이름+으로 되+어 있+었+다.

수리 기사+는 궁금증+을 참다못하+여 교수+님+에게 묻(물)+었+다.

수리 기사 : 교수+님, 파일 이름+을 모두 새 이름+으로 짓(지)+으시+었+네요.

요즘 새+에 대한 논문+을 쓰+고 계시+나 보+지요?

교수+님+이 울상+을 짓(지)+으면서 말하+였+다.

교수님 : 아니+에요.

실은 그것 때문+에 짜증+이 나+(아)서 미치+겠+어요.

파일 저장하+르 때+마다 '새 이름+으로 저장'+이라고 나오+는데

이제 생각나+는 새 이름+도 없+는데.

강의 준비+를 하+[기 위해서] 교수+님 한 분+이 컴퓨터+를 켜+[고 있]+었+다.

• **강의 (sustantivo)** : 대학이나 학원, 기관 등에서 지식이나 기술 등을 체계적으로 가르침.
clase, lección
Acción de enseñar sistemáticamente los conocimientos o técnicas en una universidad, academia o cualquier otra entidad.

• **준비 (sustantivo)** : 미리 마련하여 갖춤.
preparación
Posesión de algo preparándolo de antemano.

• 를 : 동작이 직접적으로 영향을 미치는 대상을 나타내는 조사.
No hay expresión equivalente
Posposición que indica el objeto que influye directamente en la acción.

• **하다 (verbo)** : 어떤 행동이나 동작, 활동 등을 행하다.
hacer, realizar
Llevar a cabo un acto o una acción.

• -기 위해서 : 어떤 일을 하는 목적인 의도를 나타내는 표현.
No hay expresión equivalente
Expresión que se usa para mostrar la finalidad de una acción.

• **교수 (sustantivo)** : 대학에서 학문을 연구하고 가르치는 일을 하는 사람. 또는 그 직위.
profesor, catedrático
Persona que enseña o investiga estudios académicos en una universidad, o persona en tal cargo.

• 님 : '높임'의 뜻을 더하는 접미사.
No hay expresión equivalente
Sufijo que añade tono honorífico.

• **한 (determinante)** : 하나의.
No hay expresión equivalente
uno

• **분 (sustantivo)** : 사람을 높여서 세는 단위.
No hay expresión equivalente
Unidad de conteo de persona con respeto.

• 이 : 어떤 상태나 상황의 대상이나 동작의 주체를 나타내는 조사.
No hay expresión equivalente
Posposición que se usa para indicar el objeto de cierto estado o situación o el agente de un movimiento.

• **컴퓨터 (sustantivo)** : 전자 회로를 이용하여 문서, 사진, 영상 등의 대량의 데이터를 빠르고 정확하게 처리하는 기계.
ordenador, computadora
Máquina o sistema de tratamiento de la información que realiza operaciones automáticas, para las cuales ha sido previamente programada.

• 를 : 동작이 직접적으로 영향을 미치는 대상을 나타내는 조사.
No hay expresión equivalente
Posposición que indica el objeto que influye directamente en la acción.

• **켜다 (verbo)** : 전기 제품 등을 작동하게 만들다.
encender, prender
Poner en operación un producto eléctrico.

• -고 있다 : 앞의 말이 나타내는 행동이 계속 진행됨을 나타내는 표현.
No hay expresión equivalente
Expresión que indica que la acción que representa la parte anterior de la cláusula continúa.

• -었- : 사건이 과거에 일어났음을 나타내는 어미.
No hay expresión equivalente
Desinencia que se usa cuando indica que el suceso ocurrió en el pasado.

• -다 : 어떤 사건이나 사실, 상태를 서술함을 나타내는 종결 어미.
No hay expresión equivalente
Desinencia de terminación que se usa cuando se describe un suceso o hecho del presente.

그런데 컴퓨터+가 바이러스+에 걸리+었+는지 작동되+[지 않]+아 수리 기사+를 **걸렸는지** 부르+[게 되]+었+다.

• **그런데 (adverbio)** : 이야기를 앞의 내용과 관련시키면서 다른 방향으로 바꿀 때 쓰는 말.
a propósito
Se usa para cambiar de tema y hablar de otra cosa, sin interrumpir el flujo de la conversación.

• **컴퓨터 (sustantivo)** : 전자 회로를 이용하여 문서, 사진, 영상 등의 대량의 데이터를 빠르고 정확하게 처리하는 기계.
ordenador, computadora
Máquina o sistema de tratamiento de la información que realiza operaciones automáticas, para las cuales ha sido previamente programada.

• 가 : 어떤 상태나 상황에 놓인 대상이나 동작의 주체를 나타내는 조사.
No hay expresión equivalente
Posposición que se usa para indicar el objeto de cierto estado o situación o el agente de un movimiento.

• **바이러스 (sustantivo)** : 컴퓨터를 비정상적으로 작용하게 만드는 프로그램.
virus
Programa que hace que la computadora funcione de forma anormal.

• 에 : 앞말이 무엇의 조건, 환경, 상태 등임을 나타내는 조사.
No hay expresión equivalente
Posposición que se usa cuando la palabra anterior es una condición, ambiente, estado, etc. de algo.

• **걸리다 (verbo)** : 어떤 상태에 빠지게 되다.
enredarse
Terminar atrapado en un estado o una situación

• -었- : 사건이 과거에 일어났음을 나타내는 어미.
No hay expresión equivalente
Desinencia que se usa cuando indica que el suceso ocurrió en el pasado.

• -는지 : 뒤에 오는 말의 내용에 대한 막연한 이유나 판단을 나타내는 연결 어미.
No hay expresión equivalente
Desinencia conectora que se usa cuando se indica una razón o un juicio vago sobre el contenido de la palabra posterior.

• **작동되다 (verbo)** : 기계 등이 움직여 일하다.
operarse
Trabajar una máquina con movimientos.

• -지 않다 : 앞의 말이 나타내는 행위나 상태를 부정하는 뜻을 나타내는 표현.
No hay expresión equivalente
Expresión para negar la acción o la situación de lo que se mencionó anteriormente.

• -아 : 앞에 오는 말이 뒤에 오는 말에 대한 원인이나 이유임을 나타내는 연결 어미.
No hay expresión equivalente
Desinencia conectora que se usa cuando la palabra anterior es la causa o la razón de la palabra posterior.

• **수리 (sustantivo)** : 고장 난 것을 손보아 고침.
reparación
Acción de reparar cosas estropeadas.

• **기사 (sustantivo)** : 국가나 단체가 인정한 기술 자격증을 가진 기술자.
técnico certificado
Técnico que posee un certificado acreditado por el estado o por alguna organización.

• 를 : 동작이 직접적으로 영향을 미치는 대상을 나타내는 조사.
No hay expresión equivalente
Posposición que indica el objeto que influye directamente en la acción.

• **부르다 (verbo)** : 부탁하여 오게 하다.
llamar, pedir
Pedir a alguien que venga.

• -게 되다 : 앞의 말이 나타내는 상태나 상황이 됨을 나타내는 표현.
No hay expresión equivalente
Expresión que se usa para mostrar se ha llegado a un estado o una situación descrita previamente.

• -었- : 사건이 과거에 일어났음을 나타내는 어미.
No hay expresión equivalente
Desinencia que se usa cuando indica que el suceso ocurrió en el pasado.

• -다 : 어떤 사건이나 사실, 상태를 서술함을 나타내는 종결 어미.
No hay expresión equivalente
Desinencia de terminación que se usa cuando se describe un suceso o hecho del presente.

수리공+이 컴퓨터+를 고치+다가 저장되+ㄴ 파일+을 보+니 독수리, 참새, 앵무새, 까치, 비둘기, 제비 **저장된** 등 모두 새 이름+으로 되+[어 있]+었+다.

• **수리공 (sustantivo)** : 고장 난 것을 고치는 일을 하는 사람.
reparador, mecánico
Persona que profesa la reparación de cosas estropeadas.

• 이 : 어떤 상태나 상황의 대상이나 동작의 주체를 나타내는 조사.
No hay expresión equivalente
Posposición que se usa para indicar el objeto de cierto estado o situación o el agente de un movimiento.

• **컴퓨터** (sustantivo) : 전자 회로를 이용하여 문서, 사진, 영상 등의 대량의 데이터를 빠르고 정확하게 처리하는 기계.
ordenador, computadora
Máquina o sistema de tratamiento de la información que realiza operaciones automáticas, para las cuales ha sido previamente programada.

• 를 : 동작이 직접적으로 영향을 미치는 대상을 나타내는 조사.
No hay expresión equivalente
Posposición que indica el objeto que influye directamente en la acción.

• **고치다** (verbo) : 고장이 나거나 못 쓰게 된 것을 손질하여 쓸 수 있게 하다.
reparar
Arreglar lo que se ha roto o no funciona para continuar usándolo.

• -다가 : 어떤 행동이 진행되는 중에 다른 행동이 나타남을 나타내는 연결 어미.
No hay expresión equivalente
Desinencia conectora que se usa para mostrar que se realiza una acción cuando otra está en curso.

• **저장되다** (verbo) : 물건이나 재화 등이 모아져서 보관되다.
ser almacenado, ser conservado
Guardar cosas o mercancías tras juntarlas.

• -ㄴ : 앞의 말이 관형어의 기능을 하게 만들고 사건이나 동작이 완료되어 그 상태가 유지되고 있음을 나타내는 어미.
No hay expresión equivalente
Desinencia que hace que la palabra antecedente ejerza la función de una palabra determinante, e indica que un suceso o una acción se mantiene en el mismo estado que cuando concluyó en un momento del pasado.

• **파일** (sustantivo) : 컴퓨터의 기억 장치에 일정한 단위로 저장된 정보의 묶음.
archivo
Conjunto de datos almacenados en cierta unidad en el dispositivo de memoria de un ordenador.

• 을 : 동작이 직접적으로 영향을 미치는 대상을 나타내는 조사.
No hay expresión equivalente
Posposición que indica el objeto que influye directamente en la acción.

• **보다** (verbo) : 대상의 내용이나 상태를 알기 위하여 살피다.
ver, mirar, observar
Observar el contenido o estado de un objeto para estar al tanto.

- -니 : 앞에서 이야기한 내용과 관련된 다른 사실을 이어서 설명할 때 쓰는 연결 어미.
  No hay expresión equivalente
  Desinencia conectora que se usa cuando se explica de seguido un hecho contrario al contenido comentado anteriormente.

- **독수리 (sustantivo)** : 갈고리처럼 굽은 날카로운 부리와 발톱을 가지고 있으며 빛깔이 검은 큰 새.
  águila
  Ave grande de color negro que tiene pico de forma ganchuda y pezuñas filosas.

- **참새 (sustantivo)** : 주로 사람이 사는 곳 근처에 살며, 몸은 갈색이고 배는 회백색인 작은 새.
  gorrión
  Pájaro de plumaje castaño en el dorso y las alas y blanco grisáceo en el vientre, que en su mayoría habita en lugares poblados por el hombre.

- **앵무새 (sustantivo)** : 사람의 말을 잘 흉내 내며 여러 빛깔을 가진 새.
  loro, papagayo, cotorra
  Ave multicolor que imita el habla de las personas.

- **까치 (sustantivo)** : 머리에서 등까지는 검고 윤이 나며 어깨와 배는 흰, 사람의 집 근처에 사는 새.
  urraca
  Ave negra con visos metálicos desde la cabeza hasta la espalda, y plumaje blanco en el vientre y en el arranque de las alas. Habita cerca del hombre.

- **비둘기 (sustantivo)** : 공원이나 길가 등에서 흔히 볼 수 있는, 다리가 짧고 날개가 큰 회색 혹은 하얀색의 새.
  paloma
  Ave de color gris o blanco con patas cortas y alas grandes que se ve frecuentemente en los parques o en la calle.

- **제비 (sustantivo)** : 등은 검고 배는 희며 매우 빠르게 날고, 봄에 한국에 날아왔다가 가을에 남쪽으로 날아가는 작은 여름 철새.
  golondrina
  Ave migratoria pequeña con cuerpo negro por el dorso y blanco por el pecho, vuela muy rápido y llega a Corea en primavera y parte hacia el sur en otoño.

- **등 (sustantivo)** : 앞에서 말한 것 외에도 같은 종류의 것이 더 있음을 나타내는 말.
  No hay expresión equivalente
  Palabra que indica la existencia de más cosas del mismo género aparte de lo mencionado anteriormente.

- **모두 (adverbio)** : 빠짐없이 다.
  todo, todos, totalmente, enteramente, completamente
  Todos, sin excepción.

• **새 (sustantivo)** : 몸에 깃털과 날개가 있고 날 수 있으며 다리가 둘인 동물.
pájaro
Animal de dos patas con plumas y alas en el cuerpo que puede volar.

• **이름 (sustantivo)** : 다른 것과 구별하기 위해 동물, 사물, 현상 등에 붙여서 부르는 말.
nombre, denominación, nomenclatura
Palabra que designa a un animal, un objeto o un fenómeno para distinguirlo de lo otro.

• 으로 : 어떤 일의 방법이나 방식을 나타내는 조사.
No hay expresión equivalente
Posposición que se usa para indicar el método o la forma de algo.

• **되다 (verbo)** : 어떤 형태나 구조로 이루어지다.
componerse de
Constituirse un cuerpo de varias cosas o personas.

• -어 있다 : 앞의 말이 나타내는 상태가 계속됨을 나타내는 표현.
No hay expresión equivalente
Expresión que indica la continuación del estado que indica el comentario anterior.

• -었- : 사건이 과거에 일어났음을 나타내는 어미.
No hay expresión equivalente
Desinencia que se usa cuando indica que el suceso ocurrió en el pasado.

• -다 : 어떤 사건이나 사실, 상태를 서술함을 나타내는 종결 어미.
No hay expresión equivalente
Desinencia de terminación que se usa cuando se describe un suceso o hecho del presente.

수리 기사+는 궁금증+을 참다못하+여 교수+님+에게 묻(물)+었+다.
참다못해 **물었다**

• **수리 (sustantivo)** : 고장 난 것을 손보아 고침.
reparación
Acción de reparar cosas estropeadas.

• **기사 (sustantivo)** : 국가나 단체가 인정한 기술 자격증을 가진 기술자.
técnico certificado
Técnico que posee un certificado acreditado por el estado o por alguna organización.

• 는 : 문장 속에서 어떤 대상이 화제임을 나타내는 조사.
No hay expresión equivalente
Posposición que muestra que el referente es el tópico de una oración.

• **궁금증 (sustantivo)** : 몹시 궁금한 마음.
curiosidad, ansiedad, inquietud
Inclinación o fuerte deseo por conocer algo.

• 을 : 동작이 직접적으로 영향을 미치는 대상을 나타내는 조사.
No hay expresión equivalente
Posposición que indica el objeto que influye directamente en la acción.

• **참다못하다 (verbo)** : 참을 수 있는 만큼 참다가 더 이상 참지 못하다.
no aguantar más, perder la paciencia
No poder aguantar más después de resistir todo lo que se pueda.

• -여 : 앞의 말이 뒤의 말보다 먼저 일어났거나 뒤의 말에 대한 방법이나 수단이 됨을 나타내는 연결 어미.
No hay expresión equivalente
Desinencia conectora que se usa cuando la palabra anterior se realiza antes de que la posterior, o es un método o medio de la palabra posterior.

• **교수 (sustantivo)** : 대학에서 학문을 연구하고 가르치는 일을 하는 사람. 또는 그 직위.
profesor, catedrático
Persona que enseña o investiga estudios académicos en una universidad, o persona en tal cargo.

• 님 : '높임'의 뜻을 더하는 접미사.
No hay expresión equivalente
Sufijo que añade tono honorífico.

• 에게 : 어떤 행동이 미치는 대상임을 나타내는 조사.
No hay expresión equivalente
Posposición que indica ser un objeto influyente de cierta acción.

• **묻다 (verbo)** : 대답이나 설명을 요구하며 말하다.
preguntar
Hacer preguntas a alguien exigiendo su respuesta o explicación.

• -었- : 사건이 과거에 일어났음을 나타내는 어미.
No hay expresión equivalente
Desinencia que se usa cuando indica que el suceso ocurrió en el pasado.

• -다 : 어떤 사건이나 사실, 상태를 서술함을 나타내는 종결 어미.
No hay expresión equivalente
Desinencia de terminación que se usa cuando se describe un suceso o hecho del presente.

수리 기사 : 교수+님, 파일 이름+을 모두 새 이름+으로 짓(지)+으시+었+네요.
지으셨네요

• **교수 (sustantivo)** : 대학에서 학문을 연구하고 가르치는 일을 하는 사람. 또는 그 직위.
profesor, catedrático
Persona que enseña o investiga estudios académicos en una universidad, o persona en tal cargo.

• 님 : '높임'의 뜻을 더하는 접미사.
No hay expresión equivalente
Sufijo que añade tono honorífico.

• **파일 (sustantivo)** : 컴퓨터의 기억 장치에 일정한 단위로 저장된 정보의 묶음.
archivo
Conjunto de datos almacenados en cierta unidad en el dispositivo de memoria de un ordenador.

• **이름 (sustantivo)** : 다른 것과 구별하기 위해 동물, 사물, 현상 등에 붙여서 부르는 말.
nombre, denominación, nomenclatura
Palabra que designa a un animal, un objeto o un fenómeno para distinguirlo de lo otro.

• 을 : 동작이 직접적으로 영향을 미치는 대상을 나타내는 조사.
No hay expresión equivalente
Posposición que indica el objeto que influye directamente en la acción.

• **모두 (adverbio)** : 빠짐없이 다.
todo, todos, totalmente, enteramente, completamente
Todos, sin excepción.

• **새 (sustantivo)** : 몸에 깃털과 날개가 있고 날 수 있으며 다리가 둘인 동물.
pájaro
Animal de dos patas con plumas y alas en el cuerpo que puede volar.

• **이름 (sustantivo)** : 다른 것과 구별하기 위해 동물, 사물, 현상 등에 붙여서 부르는 말.
nombre, denominación, nomenclatura
Palabra que designa a un animal, un objeto o un fenómeno para distinguirlo de lo otro.

• 으로 : 어떤 일의 방법이나 방식을 나타내는 조사.
No hay expresión equivalente
Posposición que se usa para indicar el método o la forma de algo.

• **짓다 (verbo)** : 이름 등을 정하다.
decidir, poner, definir, designar
Elegir un nombre.

• -으시- : 어떤 동작이나 상태의 주체를 높이는 뜻을 나타내는 어미.
No hay expresión equivalente
Desinencia que se usa para dar un tratamiento honorífico al agente de una acción verbal o de un determinado estado.

• -었- : 어떤 사건이 과거에 완료되었거나 그 사건의 결과가 현재까지 지속되는 상황을 나타내는 어미.
No hay expresión equivalente
Desinencia que se usa cuando cierto suceso fue acabado en el pasado o cuando el resultado de ese suceso continúa hasta el presente.

• -네요 : (두루높임으로) 말하는 사람이 직접 경험하여 새롭게 알게 된 사실에 대해 감탄함을 나타낼 때 쓰는 표현.
No hay expresión equivalente
(TRATAMIENTO HONORÍFICO GENERAL) Expresión que se usa para mostrar que el hablante presenta una emoción sobre algo nuevo que se acaba de conocer por haberlo experimentado directamente.

수리 기사 : 요즘 새+[에 대한] 논문+을 쓰+[고 계시]+[나 보]+지요? **쓰고 계시나 보죠**

• **요즘 (sustantivo)** : 아주 가까운 과거부터 지금까지의 사이.
estos días
Desde un pasado cercano hasta ahora.

• **새 (sustantivo)** : 몸에 깃털과 날개가 있고 날 수 있으며 다리가 둘인 동물.
pájaro
Animal de dos patas con plumas y alas en el cuerpo que puede volar.

• 에 대한 : 뒤에 오는 명사를 수식하며 앞에 오는 명사를 뒤에 오는 명사의 대상으로 함을 나타내는 표현.
No hay expresión equivalente
Expresión que se usa para modificar el sustantivo posterior; el sustantivo anterior es el objeto del sustantivo posterior.

• **논문 (sustantivo)** : 어떠한 주제에 대한 학술적인 연구 결과를 일정한 형식에 맞추어 체계적으로 쓴 글.
tesis, estudio, ensayo
Escrito que se redacta sistemáticamente según formato sobre un resultado de estudio académico llevado a cabo en relación a un tema.

• 을 : 동작이 직접적으로 영향을 미치는 대상을 나타내는 조사.
No hay expresión equivalente
Posposición que indica el objeto que influye directamente en la acción.

• **쓰다 (verbo)** : 머릿속의 생각이나 느낌 등을 종이 등에 글로 적어 나타내다.
escribir, describir, redactar
Representar en papel por escrito pensamientos o sensaciones interiores.

• -고 계시다 : (높임말로) 앞의 말이 나타내는 행동이 계속 진행됨을 나타내는 표현.
No hay expresión equivalente
(TRATAMIENTO HONORÍFICO) Expresión que indica que la acción que representa la parte anterior de la cláusula continúa.

• -나 보다 : 앞의 말이 나타내는 사실을 추측함을 나타내는 표현.
No hay expresión equivalente
Expresión que se usa para mostrar que el hablante está suponiendo un acto o estado que representa el comentario anterior.

• -지요 : (두루높임으로) 말하는 사람이 듣는 사람에게 친근함을 나타내며 물을 때 쓰는 종결 어미.
No hay expresión equivalente
(TRATAMIENTO HONORÍFICO GENERAL) Desinencia de terminación que se usa cuando el hablante interroga íntimamente al oyente.

교수+님+이 울상+을 짓(지)+으면서 말하+였+다. **지으면서** **말했다**

• **교수 (sustantivo)** : 대학에서 학문을 연구하고 가르치는 일을 하는 사람. 또는 그 직위.
profesor, catedrático
Persona que enseña o investiga estudios académicos en una universidad, o persona en tal cargo.

• 님 : '높임'의 뜻을 더하는 접미사.
No hay expresión equivalente
Sufijo que añade tono honorífico.

• 이 : 어떤 상태나 상황의 대상이나 동작의 주체를 나타내는 조사.
No hay expresión equivalente
Posposición que se usa para indicar el objeto de cierto estado o situación o el agente de un movimiento.

• **울상 (sustantivo)** : 울려고 하는 얼굴 표정.
cara larga, cara lúgubre
Expresión de casi llorar.

• 을 : 동작이 직접적으로 영향을 미치는 대상을 나타내는 조사.
No hay expresión equivalente
Posposición que indica el objeto que influye directamente en la acción.

• **짓다 (verbo)** : 어떤 표정이나 태도 등을 얼굴이나 몸에 나타내다.
expresar, mostrar
Aparecer en la cara o en el cuerpo alguna expresión o actitud.

• -으면서 : 두 가지 이상의 동작이나 상태가 함께 일어남을 나타내는 연결 어미.
No hay expresión equivalente
Desinencia conectora que se usa cuando se realizan más de dos acciones, estados, hechos, etc. al mismo tiempo.

• **말하다 (verbo)** : 어떤 사실이나 자신의 생각 또는 느낌을 말로 나타내다.
decir
Expresar oralmente un pensamiento, un hecho, una sensación, etc.

• -였- : 사건이 과거에 일어났음을 나타내는 어미.
No hay expresión equivalente
Desinencia que se usa cuando indica que el suceso ocurrió en el pasado.

• -다 : 어떤 사건이나 사실, 상태를 서술함을 나타내는 종결 어미.
No hay expresión equivalente
Desinencia de terminación que se usa cuando se describe un suceso o hecho del presente.

교수님 : 아니+에요.

실은 그것 **때문+에 짜증+이** 나+(아)서 미치+겠+어요.
나서

• **아니다 (adjetivo)** : 어떤 사실이나 내용을 부정하는 뜻을 나타내는 말.
no
Palabra que denota el significado de negación de un hecho o un contenido.

• -에요 : (두루높임으로) 어떤 사실을 서술하거나 질문함을 나타내는 종결 어미.
No hay expresión equivalente
(TRATAMIENTO HONORÍFICO GENERAL) Desinencia de terminación que se usa cuando se describe o interroga cierto hecho.

• **실은 (adverbio)** : 사실을 말하자면. 실제로는.
de hecho, efectivamente, en efecto
A decir la verdad. En realidad.

• **그것 (pronombre)** : 앞에서 이미 이야기한 대상을 가리키는 말.
eso, esa persona
Pronombre que designa a un referente ya mencionado.

• **때문 (sustantivo)** : 어떤 일의 원인이나 이유.
causa, motivo, razón
Causa o motivo de cierta cosa.

• 에 : 앞말이 어떤 일의 원인임을 나타내는 조사.
No hay expresión equivalente
Posposición que se usa cuando la palabra anterior indica la causa de algo.

• **짜증 (sustantivo)** : 마음에 들지 않아서 화를 내거나 싫은 느낌을 겉으로 드러내는 일. 또는 그런 성미.
irritación, enfado
Expresión de enfado o disgusto por algo insatisfactorio. O tal carácter.

• 이 : 어떤 상태나 상황의 대상이나 동작의 주체를 나타내는 조사.
No hay expresión equivalente
Posposición que se usa para indicar el objeto de cierto estado o situación o el agente de un movimiento.

• **나다 (verbo)** : 어떤 감정이나 느낌이 생기다.
surgirse, producirse, generarse, ocasionarse, suscitarse
Producirse algún sentimiento o alguna sensación.

• -아서 : 이유나 근거를 나타내는 연결 어미.
No hay expresión equivalente
Desinencia conectora que se usa para indicar causa o fundamento.

• **미치다 (verbo)** : 어떤 상태가 너무 심해서 정신이 없어질 정도로 괴로워하다.
enloquecer, enajenarse, perturbarse, trastornarse
Atormentarse como para perder el juicio por el agravamiento de cierto estado.

• -겠- : 완곡하게 말하는 태도를 나타내는 어미.
No hay expresión equivalente
Desinencia que se usa para mostrar una actitud de hablar de manera indirecta.

• -어요 : (두루높임으로) 어떤 사실을 서술하거나 질문, 명령, 권유함을 나타내는 종결 어미.
No hay expresión equivalente
(TRATAMIENTO HONORÍFICO GENERAL) Desinencia de terminación que se usa cuando se describe cierto hecho; o pregunta, ordena o reclama algo.

교수님 : 파일 저장하+[ㄹ 때]+마다 '새 이름+으로 저장'+이라고 나오+는데
저장할 때

이제 생각나+는 새 이름+도 없+는데.

• **파일 (sustantivo)** : 컴퓨터의 기억 장치에 일정한 단위로 저장된 정보의 묶음.
archivo
Conjunto de datos almacenados en cierta unidad en el dispositivo de memoria de un ordenador.

• **저장하다 (verbo)** : 물건이나 재화 등을 모아서 보관하다.
almacenar, conservar
Guardar cosas o mercancías tras juntarlas.

• -ㄹ 때 : 어떤 행동이나 상황이 일어나는 동안이나 그 시기 또는 그러한 일이 일어난 경우를 나타내는 표현.
No hay expresión equivalente
Expresión que indica el surgimiento de un mismo hecho o de algo en un mismo tiempo, mientras surge alguna situación o se realiza alguna acción.

• 마다 : 하나하나 빠짐없이 모두의 뜻을 나타내는 조사.
Posposición que significa 'Todos y cada uno' de algo.
Posposición que indica la voluntad de todos sin que falte ninguno o la repetición de cada situación.

• **새 (determinante)** : 생기거나 만든 지 얼마 되지 않은.
nuevo
Recién creado o fabricado.

• **이름 (sustantivo)** : 다른 것과 구별하기 위해 동물, 사물, 현상 등에 붙여서 부르는 말.
nombre, denominación, nomenclatura
Palabra que designa a un animal, un objeto o un fenómeno para distinguirlo de lo otro.

• 으로 : 어떤 일의 방법이나 방식을 나타내는 조사.
No hay expresión equivalente
Posposición que se usa para indicar el método o la forma de algo.

• **저장 (sustantivo)** : 물건이나 재화 등을 모아서 보관함.
almacenamiento, acumulación, provisión, reserva, depósito
Acción de guardar cosas o mercancías tras juntarlas.

• 이라고 : 앞의 말이 원래 말해진 그대로 인용됨을 나타내는 조사.
No hay expresión equivalente
Posposición que indica la palabra anterior fue citada tal como se había dicho al principio.

• **나오다 (verbo)** : 책, 신문, 방송 등에 글이나 그림 등이 실리거나 어떤 내용이 나타나다.
salir, publicarse, aparecer, mostrarse
Ponerse artículos o dibujos o aparecer algún asunto en un libro, periódico, televisión, etc..

• -는데 : 뒤의 말을 하기 위하여 그 대상과 관련이 있는 상황을 미리 말함을 나타내는 연결 어미.
No hay expresión equivalente
Desinencia conectora que se usa cuando se habla con antelación una circunstancia pasada relacionada con la palabra posterior.

• **이제 (adverbio)** : 말하고 있는 바로 이때에.
ahora
En este momento en que está hablando.

• **생각나다 (verbo)** : 새로운 생각이 머릿속에 떠오르다.
discurrir
Inventar o idear cosas nuevas.

• -는 : 앞의 말이 관형어의 기능을 하게 만들고 사건이나 동작이 현재 일어남을 나타내는 어미.
No hay expresión equivalente
Desinencia que hace que la palabra antecedente ejerza la función de un componente determinante, e indica que un suceso o una acción se produce en el presente.

• **새 (sustantivo)** : 몸에 깃털과 날개가 있고 날 수 있으며 다리가 둘인 동물.
pájaro
Animal de dos patas con plumas y alas en el cuerpo que puede volar.

• **이름 (sustantivo)** : 다른 것과 구별하기 위해 동물, 사물, 현상 등에 붙여서 부르는 말.
nombre, denominación, nomenclatura
Palabra que designa a un animal, un objeto o un fenómeno para distinguirlo de lo otro.

• 도 : 이미 있는 어떤 것에 다른 것을 더하거나 포함함을 나타내는 조사.
No hay expresión equivalente
Posposición que añade o incluye algo a cierta cosa ya existente.

• **없다 (adjetivo)** : 어떤 물건을 가지고 있지 않거나 자격이나 능력 등을 갖추지 않은 상태이다.
incapacitado
Estado en que alguien no posee un objeto ni tiene algún tipo de capacidad o derecho.

• -는데 : (두루낮춤으로) 듣는 사람의 반응을 기대하며 어떤 일에 대해 감탄함을 나타내는 종결 어미.
No hay expresión equivalente
(TRATAMIENTO DE MODESTIA GENERAL) Desinencia de terminación que se usa cuando se admira cierto hecho del pasado esperando la reacción del oyente.

< 12 단원(unidad) >

제목 : 이 늦은 시간에 여기서 뭐 하고 계세요?

● 본문 (contexto principal)

늦은 밤 담력 훈련에 참가한 두 여자가 마지막 코스인 공동묘지를 지나가고 있었다.

그녀들은 무서웠지만 애써 태연한 모습으로 걸어가고 있었는데 갑자기 '톡탁톡탁' 하는 소리가 들려오기 시작했다.

깜짝 놀란 두 여자는 공포에 질려 가까스로 천천히 발걸음을 내딛고 있었다.

그때 눈앞에 망치를 들고 정으로 묘비를 쪼고 있는 노인의 모습이 희미하게 보였다.

순간 두 여자는 안도의 한숨을 내쉬며 말했다.

여자 1 : 할아버지, 귀신인 줄 알고 깜짝 놀랐잖아요.

그런데 이 늦은 시간에 여기서 뭐 하고 계세요?

여자 2 : 내일 밝을 때 하시는 게 좋을 것 같아요.

지금은 어두워서 위험하세요.

할아버지 : 음, 오늘 안에 빨리 끝내야 돼.

여자 1 : 그런데 묘비에 무슨 문제라도 있나요?

할아버지 : 글쎄, 어떤 멍청한 녀석들이 묘비에 내 이름을 잘못 써 놨잖아.

● 발음 (pronunciación)

늦은 밤 담력 훈련에 참가한 두 여자가 마지막 코스인 공동묘지를 지나가고 있었다.
느즌 밤 담녁 훌려네 참가한 두 여자가 마지막 코스인 공동묘지를 지나가고 이썯따.
neujeun bam damnyeok hullyeone chamgahan du yeojaga majimak koseuin gongdongmyojireul jinagago isseotda.

그녀들은 무서웠지만 애써 태연한 모습으로 걸어가고 있었는데 갑자기 '톡탁톡탁' 하는 소리가 들려오기
그녀드른 무서월찌만 애써 태연한 모스브로 거러가고 이썬는데 갑짜기 '톡탁톡탁' 하는 소리가 들려오기
geunyeodeureun museowotjiman aesseo taeyeonhan moseubeuro georeogago isseonneunde gapjagi 'toktaktoktak' haneun soriga deullyeoogi

시작했다.
시자캗따.
sijakaetda.

깜짝 놀란 두 여자는 공포에 질려 가까스로 천천히 발걸음을 내딛고 있었다.
깜짝 놀란 두 여자는 공포에 질려 가까스로 천천히 발꺼르믈 내딛꼬 이썯따.
kkamjjak nollan du yeojaneun gongpoe jillyeo gakkaseuro cheoncheonhi balgeoreumeul naeditgo isseotda.

그때 눈앞에 망치를 들고 정으로 묘비를 쪼고 있는 노인의 모습이 희미하게 보였다.
그때 누나페 망치를 들고 정으로 묘비를 쪼고 인는 노이네 모스비 히미하게 보엳따.
geuttae nunape mangchireul deulgo jeongeuro myobireul jjogo inneun noinui(noine) moseubi huimihage(himihage) boyeotda.

순간 두 여자는 안도의 한숨을 내쉬며 말했다.
순간 두 여자는 안도에 한수믈 내쉬며 말핻따.
sungan du yeojaneun andoui(andoe) hansumeul naeswimyeo malhaetda.

여자 1 : 할아버지, 귀신인 줄 알고 깜짝 놀랐잖아요.
여자 1 : 하라버지, 귀시닌 줄 알고 깜짝 놀랃짜나요.
yeoja 1 : harabeoji, gwisinin jul algo kkamjjak nollatjanayo.

그런데 이 늦은 시간에 여기서 뭐 하고 계세요?
그런데 이 느즌 시가네 여기서 뭐 하고 게세요?
geureonde i neujeun sigane yeogiseo mwo hago gyeseyo(geseyo)?

여자 2 : 내일 밝을 때 하시는 게 좋을 것 같아요.
여자 2 : 내일 발글 때 하시는 게 조을 껃 가타요.
yeoja 2 : naeil balgeul ttae hasineun ge joeul geot gatayo.

지금은 어두워서 위험하세요.
지그믄 어두워서 위험하세요.
jigeumeun eoduwoseo wiheomhaseyo.

할아버지 : 음, 오늘 안에 빨리 끝내야 돼.
하라버지 : 음, 오늘 아네 빨리 끈내에 돼.
harabeoji : eum, oneul ane ppalli kkeunnaeya dwae.

여자 1 : 그런데 묘비에 무슨 문제라도 있나요?
여자 1 : 그런데 묘비에 무슨 문제라도 인나요?
yeoja 1 : geureonde myobie museun munjerado innayo?

할아버지 : 글쎄, 어떤 멍청한 녀석들이 묘비에 내 이름을 잘못 써 놨잖아.
하라버지 : 글쎄, 어떤 멍청한 녀석드리 묘비에 내 이르믈 잘몯 써 놛짜나.
harabeoji : geulsse, eotteon meongcheonghan nyeoseokdeuri myobie nae ireumeul jalmot sseo nwatjana.

● 어휘 (palabra) / 문법 (gramática)

늦+은 밤 담력 훈련+에 참가하+ㄴ 두 여자+가 마지막 코스+이+ㄴ 공동묘지+를 지나가+고 있+었+다.

그녀+들+은 무섭(무서우)+었+지만 애쓰(애ㅆ)+어 태연하+ㄴ 모습+으로 걸어가+고 있+었+는데 갑자기

'톡탁톡탁' 하+는 소리+가 들려오+기 시작하+였+다.

깜짝 놀라+ㄴ 두 여자+는 공포+에 질리+어 가까스로 천천히 발걸음+을 내딛+고 있+었+다.

그때 눈앞+에 망치+를 들+고 정+으로 묘비+를 쪼+고 있+는 노인+의 모습+이 희미하+게 보이+었+다.

순간 두 여자+는 안도+의 한숨+을 내쉬+며 말하+였+다.

여자 1 : 할아버지, 귀신+이+ㄴ 줄 알+고 깜짝 놀라+았+잖아요.

그런데 이 늦+은 시간+에 여기+서 뭐 하+고 계시+어요?

여자 2 : 내일 밝+을 때 하+시+는 것(거)+이 좋+을 것 같+아요.

지금+은 어둡(어두우)+어서 위험하+세요.

할아버지 : 음, 오늘 안+에 빨리 끝내+(어)야 되+어.

여자 1 : 그런데 묘비+에 무슨 문제+라도 있+나요?

할아버지 : 글쎄, 어떤 멍청하+ㄴ 녀석+들+이 묘비+에 나+의 이름+을 잘못

쓰(ㅆ)+어 놓+았+잖아.

늦+은 밤 담력 훈련+에 참가하+ㄴ 두 여자+가 마지막 코스+이+ㄴ 공동묘지+를 지나가+[고 있]+었+다. 참가한 코스인

• **늦다 (adjetivo)** : 적당한 때를 지나 있다. 또는 시기가 한창인 때를 지나 있다.
atrasado, retrasado
Que se ha pasado el momento oportuno. O que ha pasado su apogeo.

• -은 : 앞의 말이 관형어의 기능을 하게 만들고 현재의 상태를 나타내는 어미.
No hay expresión equivalente
Desinencia que hace que la palabra antecedente ejerza la función de un componente determinante, e indica que el estado del presente.

• **밤 (sustantivo)** : 해가 진 후부터 다음 날 해가 뜨기 전까지의 어두운 동안.
noche
Periodo de tiempo en que permanece la oscuridad, entre la puesta del sol y su salida al día siguiente.

• **담력 (sustantivo)** : 겁이 없고 용감한 기운.
osadía, valentía, coraje, bravura, audacia
Espíritu o ánimo de una persona sin temor y con mucho atrevimiento.

• **훈련 (sustantivo)** : 가르쳐서 익히게 함.
entrenamiento, educación
Acción de enseñar a alguien para ayudarle a aprender una habilidad, trabajo, etc.

• 에 : 앞말이 목적지이거나 어떤 행위의 진행 방향임을 나타내는 조사.
No hay expresión equivalente
Posposición que se usa cuando la palabra anterior indica el destino o la dirección de avance de cierta acción.

• **참가하다 (verbo)** : 모임이나 단체, 경기, 행사 등의 자리에 가서 함께하다.
participar, asistir
Formar parte e integrar una reunión, agrupación, competencia o evento.

• -ㄴ : 앞의 말이 관형어의 기능을 하게 만들고 사건이나 동작이 과거에 일어났음을 나타내는 어미.
No hay expresión equivalente
Desinencia que hace que la palabra antecedente ejerza la función de una palabra determinante, e indica que un suceso o una acción se produjo en el pasado.

• **두 (determinante)** : 둘의.
dos
Dos.

• **여자 (sustantivo)** : 여성으로 태어난 사람.
mujer
Persona del sexo femenino.

• 가 : 어떤 상태나 상황에 놓인 대상이나 동작의 주체를 나타내는 조사.
No hay expresión equivalente
Posposición que se usa para indicar el objeto de cierto estado o situación o el agente de un movimiento.

• **마지막 (sustantivo)** : 시간이나 순서의 맨 끝.
lo último, lo postrero
En una sucesión de tiempo o serie, lo que está de último.

• **코스 (sustantivo)** : 어떤 목적에 따라 정해진 길.
curso, rumbo, trayectoria
Camino designado acorde al objetivo.

• 이다 : 주어가 지시하는 대상의 속성이나 부류를 지정하는 뜻을 나타내는 서술격 조사.
No hay expresión equivalente
Posposición de caso atributivo, que se usa para designar el atributo o la clase del objeto al que se refiere el sujeto.

• -ㄴ : 앞의 말이 관형어의 기능을 하게 만들고 현재의 상태를 나타내는 어미.
No hay expresión equivalente
Desinencia que hace que la palabra antecedente ejerza la función de un componente determinante, e indica que el estado del presente.

• **공동묘지 (sustantivo)** : 한 지역에 여러 사람의 무덤이 있어 공동으로 관리하는 무덤.
cementerio, campo santo, necrópolis
Terreno que acoge sepulcros de varias personas y es administrado conjuntamente.

• 를 : 동작의 도착지나 동작이 이루어지는 장소를 나타내는 조사.
No hay expresión equivalente
Posposición que indica el destino del movimiento o el lugar en que se realiza una acción.

• **지나가다 (verbo)** : 어떤 곳을 통과하여 가다.
atravesar
Llegar a un lugar atravesando algo.

• -고 있다 : 앞의 말이 나타내는 행동이 계속 진행됨을 나타내는 표현.
No hay expresión equivalente
Expresión que indica que la acción que representa la parte anterior de la cláusula continúa.

• -었- : 사건이 과거에 일어났음을 나타내는 어미.
No hay expresión equivalente
Desinencia que se usa cuando indica que el suceso ocurrió en el pasado.

• -다 : 어떤 사건이나 사실, 상태를 서술함을 나타내는 종결 어미.
No hay expresión equivalente
Desinencia de terminación que se usa cuando se describe un suceso o hecho del presente.

그녀+들+은 무섭(무서우)+었+지만 애쓰(애ㅆ)+어 태연하+ㄴ 모습+으로 걸어가+[고 있]+었+는데
무서웠지만 **애써** **태연한**

갑자기 '톡탁톡탁' 하+는 소리+가 들려오+기 시작하+였+다.
시작했다

• **그녀 (pronombre)** : 앞에서 이미 이야기한 여자를 가리키는 말.
ella
Pronombre que designa a una mujer ya mencionada.

• 들 : '복수'의 뜻을 더하는 접미사.
No hay expresión equivalente
Sufijo que añade el significado de 'plural'.

• 은 : 문장 속에서 어떤 대상이 화제임을 나타내는 조사.
No hay expresión equivalente
Posposición que se usa para indicar que cierto objeto es tópico en la oración.

• **무섭다 (adjetivo)** : 어떤 대상이 꺼려지거나 무슨 일이 일어날까 두렵다.
temeroso, miedoso
Que tiene miedo a alguien o algo, o teme que suceda algún siniestro.

• -었- : 사건이 과거에 일어났음을 나타내는 어미.
No hay expresión equivalente
Desinencia que se usa cuando indica que el suceso ocurrió en el pasado.

• -지만 : 앞에 오는 말을 인정하면서 그와 반대되거나 다른 사실을 덧붙일 때 쓰는 연결 어미.
No hay expresión equivalente
Desinencia conectora que se usa cuando alguien acepta el contenido anterior pero agrega otro hecho o un hecho contario a él.

• **애쓰다 (verbo)** : 무엇을 이루기 위해 힘을 들이다.
esforzarse, esmerarse, empeñarse
Poner empeño en algo que se desea conseguir.

• -어 : 앞의 말이 뒤의 말보다 먼저 일어났거나 뒤의 말에 대한 방법이나 수단이 됨을 나타내는 연결 어미.
No hay expresión equivalente
Desinencia conectora que se usa cuando la palabra anterior se realiza antes de que la posterior, o es un método o medio de la palabra posterior.

• **태연하다 (adjetivo)** : 당연히 머뭇거리거나 두려워할 상황에서 태도나 얼굴빛이 아무렇지도 않다.
tranquilo, quieto, sosegado, sereno, impasible
Actuar como si nada sin cambiar de actitud o expresión facial en una situación temida o que obviamente se debería vacilar.

• -ㄴ : 앞의 말이 관형어의 기능을 하게 만들고 현재의 상태를 나타내는 어미.
No hay expresión equivalente
Desinencia que hace que la palabra antecedente ejerza la función de un componente determinante, e indica que el estado del presente.

• **모습 (sustantivo)** : 겉으로 드러난 상태나 모양.
forma, aspecto, estructura, configuración
Forma o estado que se muestra por fuera.

• 으로 : 어떤 일의 방법이나 방식을 나타내는 조사.
No hay expresión equivalente
Posposición que se usa para indicar el método o la forma de algo.

• **걸어가다 (verbo)** : 목적지를 향하여 다리를 움직여 나아가다.
andar
Avanzar hacia un destino moviendo las piernas.

• -고 있다 : 앞의 말이 나타내는 행동이 계속 진행됨을 나타내는 표현.
No hay expresión equivalente
Expresión que indica que la acción que representa la parte anterior de la cláusula continúa.

• -었- : 사건이 과거에 일어났음을 나타내는 어미.
No hay expresión equivalente
Desinencia que se usa cuando indica que el suceso ocurrió en el pasado.

• -는데 : 뒤의 말을 하기 위하여 그 대상과 관련이 있는 상황을 미리 말함을 나타내는 연결 어미.
No hay expresión equivalente
Desinencia conectora que se usa cuando se habla con antelación una circunstancia pasada relacionada con la palabra posterior.

• **갑자기 (adverbio)** : 미처 생각할 틈도 없이 빨리.
de repente, repentinamente, de golpe, de pronto, súbitamente
Súbitamente, sin tiempo para discurrir.

• **톡탁톡탁 (adverbio)** : 단단한 물건을 계속해서 가볍게 두드리는 소리.
dando golpecitos
Sonido de golpear ligera y continuamente algo duro.

• **하다 (verbo)** : 그런 소리가 나다. 또는 그런 소리를 내다.
sonar
Hacer ruido. O provocar un ruido.

• -는 : 앞의 말이 관형어의 기능을 하게 만들고 사건이나 동작이 현재 일어남을 나타내는 어미.
No hay expresión equivalente
Desinencia que hace que la palabra antecedente ejerza la función de un componente determinante, e indica que un suceso o una acción se produce en el presente.

• **소리 (sustantivo)** : 물체가 진동하여 생긴 음파가 귀에 들리는 것.
sonido, resonancia
Sensación producida en el órgano del oído por el movimiento vibratorio de los cuerpos.

• 가 : 어떤 상태나 상황에 놓인 대상이나 동작의 주체를 나타내는 조사.
No hay expresión equivalente
Posposición que se usa para indicar el objeto de cierto estado o situación o el agente de un movimiento.

• **들려오다 (verbo)** : 어떤 소리나 소식 등이 들리다.
oírse
Percibir sonidos o llegarle a uno noticias, rumores, etc.

• -기 : 앞의 말이 명사의 기능을 하게 하는 어미.
No hay expresión equivalente
Desinencia que se usa cuando la palabra anterior ejerce la función del sustantivo.

• **시작하다 (verbo)** : 어떤 일이나 행동의 처음 단계를 이루거나 이루게 하다.
comenzar
Iniciar una cosa o una acción, o lograr empezar algo.

• -였- : 사건이 과거에 일어났음을 나타내는 어미.
No hay expresión equivalente
Desinencia que se usa cuando indica que el suceso ocurrió en el pasado.

• -다 : 어떤 사건이나 사실, 상태를 서술함을 나타내는 종결 어미.
No hay expresión equivalente
Desinencia de terminación que se usa cuando se describe un suceso o hecho del presente.

깜짝 <u>놀라+ㄴ</u> 두 여자+는 공포+에 <u>질리+어</u> 가까스로 천천히 발걸음+을 내딛+[고 있]+었+다.
놀란 **질려**

• **깜짝** (adverbio) : 갑자기 놀라는 모양.
asustándose de repente, quedándose repentinamente atónito
Modo en que alguien se asusta de súbito.

• **놀라다** (verbo) : 뜻밖의 일을 당하거나 무서워서 순간적으로 긴장하거나 가슴이 뛰다.
asustar, sorprender, atemorizar, aterrar, espantar
Latir el corazón o ponerse tenso repentinamente por temor y un hecho inesperado.

• -ㄴ : 앞의 말이 관형어의 기능을 하게 만들고 사건이나 동작이 과거에 일어났음을 나타내는 어미.
No hay expresión equivalente
Desinencia que hace que la palabra antecedente ejerza la función de una palabra determinante, e indica que un suceso o una acción se produjo en el pasado.

• **두** (determinante) : 둘의.
dos
Dos.

• **여자** (sustantivo) : 여성으로 태어난 사람.
mujer
Persona del sexo femenino.

• 는 : 문장 속에서 어떤 대상이 화제임을 나타내는 조사.
No hay expresión equivalente
Posposición que se usa para indicar que cierto objeto es tópico en la oración.

• **공포** (sustantivo) : 두렵고 무서움.
miedo, temor
Estado de alguien asustado y con miedo.

• 에 : 앞말이 어떤 일의 원인임을 나타내는 조사.
No hay expresión equivalente
Posposición que se usa cuando la palabra anterior indica la causa de algo.

• **질리다** (verbo) : 몹시 놀라거나 무서워서 얼굴빛이 변하다.
asustarse, asombrarse, atemorizarse
Cambiar la expresión facial por un gran susto o miedo.

• -어 : 앞에 오는 말이 뒤에 오는 말에 대한 원인이나 이유임을 나타내는 연결 어미.
No hay expresión equivalente
Desinencia conectora que se usa cuando la palabra anterior es la causa o la razón de la palabra posterior.

• **가까스로** (adverbio) : 매우 어렵게 힘을 들여.
apenas, con dificultad
Difícilmente, haciendo mucho esfuerzo.

• **천천히 (adverbio)** : 움직임이나 태도가 느리게.
despacio, lentamente
Movimiento o actitud pausado.

• **발걸음 (sustantivo)** : 발을 옮겨 걷는 동작.
paso
Movimiento de caminar moviendo los pies.

• 을 : 동작이 직접적으로 영향을 미치는 대상을 나타내는 조사.
No hay expresión equivalente
Posposición que se usa para indicar el objeto que ha sido influido directamente por una acción.

• **내딛다 (verbo)** : 서 있다가 앞쪽으로 발을 옮기다.
avanzar, marchar, adelantarse
Dar un paso hacia adelante tras estar parado.

• -고 있다 : 앞의 말이 나타내는 행동이 계속 진행됨을 나타내는 표현.
No hay expresión equivalente
Expresión que indica que la acción que representa la parte anterior de la cláusula continúa.

• -었- : 사건이 과거에 일어났음을 나타내는 어미.
No hay expresión equivalente
Desinencia que se usa cuando indica que el suceso ocurrió en el pasado.

• -다 : 어떤 사건이나 사실, 상태를 서술함을 나타내는 종결 어미.
No hay expresión equivalente
Desinencia de terminación que se usa cuando se describe un suceso o hecho del presente.

그때 눈앞+에 망치+를 들+고 정+으로 묘비+를 쪼+[고 있]+는 노인+의 모습+이 희미하+게 보이+었+다. **보였다**

• **그때 (sustantivo)** : 앞에서 이야기한 어떤 때.
ese momento, en ese entonces
Cierto momento mencionado con anterioridad.

• **눈앞 (sustantivo)** : 눈에 바로 보이는 곳.
delante de los ojos, ante los ojos, al ojo
Lo que se ve justo ante los ojos.

• 에 : 앞말이 어떤 장소나 자리임을 나타내는 조사.
No hay expresión equivalente
Posposición que se usa cuando la palabra anterior indica cierto lugar o sitio.

• **망치 (sustantivo)** : 쇠뭉치에 손잡이를 달아 단단한 물건을 두드리거나 못을 박는 데 쓰는 연장.
martillo
Herramienta compuesta por una cabeza de hierro y un mango, que se usa para golpear un objeto o introducir un clavo.

• 를 : 동작이 직접적으로 영향을 미치는 대상을 나타내는 조사.
No hay expresión equivalente
Posposición que se usa para indicar el objeto que ha sido influido directamente por una acción.

• **들다 (verbo)** : 손에 가지다.
tomar
Coger, asir con la mano una cosa.

• -고 : 앞의 말이 나타내는 행동이나 그 결과가 뒤에 오는 행동이 일어나는 동안에 그대로 지속됨을 나타내는 연결 어미.
No hay expresión equivalente
Desinencia conectora que se usa cuando la acción y su resultado que indica la palabra anterior siguen igual que durante el desarrollo de la acción que viene después.

• **정 (sustantivo)** : 돌에 구멍을 뚫거나 돌을 쪼아서 다듬는 데 쓰는 쇠로 만든 연장.
cincel
Herramienta de hierro que sirve para labrar o agujerear piedras.

• 으로 : 어떤 일의 수단이나 도구를 나타내는 조사.
No hay expresión equivalente
Posposición que se usa para indicar el medio o la herramienta de algo.

• **묘비 (sustantivo)** : 죽은 사람의 이름, 출생일, 사망일, 행적, 신분 등을 새겨서 무덤 앞에 세우는 비석.
lápida sepulcral, piedra sepulcral
Piedra llana en la cual se inscribe el nombre, la fecha de nacimiento y muerte, la biografía y la posición social del difunto y que se erige frente a su sepulcro o tumba.

• 를 : 동작이 직접적으로 영향을 미치는 대상을 나타내는 조사.
No hay expresión equivalente
Posposición que se usa para indicar el objeto que ha sido influido directamente por una acción.

• **쪼다 (verbo)** : 뾰족한 끝으로 쳐서 찍다.
picotear
Clavar o golpear con la punta.

• -고 있다 : 앞의 말이 나타내는 행동이 계속 진행됨을 나타내는 표현.
No hay expresión equivalente
Expresión que indica que la acción que representa la parte anterior de la cláusula continúa.

• -는 : 앞의 말이 관형어의 기능을 하게 만들고 사건이나 동작이 현재 일어남을 나타내는 어미.
No hay expresión equivalente
Desinencia que hace que la palabra antecedente ejerza la función de un componente determinante, e indica que un suceso o una acción se produce en el presente.

• **노인 (sustantivo)** : 나이가 들어 늙은 사람.
anciano, persona de edad avanzada
Persona de mucha edad.

• 의 : 앞의 말이 뒤의 말에 대하여 소유, 소속, 소재, 관계, 기원, 주체의 관계를 가짐을 나타내는 조사.
No hay expresión equivalente
Posposición que se usa para indicar que la palabra anterior tiene una relación de posesión, pertenencia, integración, conexión, procedencia, sujeto con la posterior.

• **모습 (sustantivo)** : 사람이나 사물의 생김새.
forma, figura, aspecto, estructura
Apariencia de una persona o un objeto.

• 이 : 어떤 상태나 상황의 대상이나 동작의 주체를 나타내는 조사.
No hay expresión equivalente
Posposición que se usa para indicar el objeto de cierto estado o situación o el agente de un movimiento.

• **희미하다 (adjetivo)** : 분명하지 못하고 흐릿하다.
indistinto
Que no está claro sino turbio.

• -게 : 앞의 말이 뒤에서 가리키는 일의 목적이나 결과, 방식, 정도 등이 됨을 나타내는 연결 어미.
No hay expresión equivalente
Desinencia conectora que se usa cuando la palabra anterior es el objetivo, resultado, método, grado, etc. que indica al posterior.

• **보이다 (verbo)** : 눈으로 대상의 존재나 겉모습을 알게 되다.
verse, mirarse
Percibir por los ojos la existencia o la apariencia de un objeto.

• -었- : 사건이 과거에 일어났음을 나타내는 어미.
No hay expresión equivalente
Desinencia que se usa cuando indica que el suceso ocurrió en el pasado.

• -다 : 어떤 사건이나 사실, 상태를 서술함을 나타내는 종결 어미.
No hay expresión equivalente
Desinencia de terminación que se usa cuando se describe un suceso o hecho del presente.

순간 두 여자+는 안도+의 한숨+을 내쉬+며 말하+였+다.
말했다

• **순간 (sustantivo)** : 어떤 일이 일어나거나 어떤 행동이 이루어지는 바로 그때.
instante
Tiempo que se realiza en el momento de ocurrir cierta cosa o acción.

• **두 (determinante)** : 둘의.
dos
Dos.

• **여자 (sustantivo)** : 여성으로 태어난 사람.
mujer
Persona del sexo femenino.

• 는 : 문장 속에서 어떤 대상이 화제임을 나타내는 조사.
No hay expresión equivalente
Posposición que se usa para indicar que cierto objeto es tópico en la oración.

• **안도 (sustantivo)** : 어떤 일이 잘되어 마음을 놓음.
alivio, consuelo, sosiego
Acción de tranquilizarse ante el éxito o la seguridad de algo.

• 의 : 앞의 말이 뒤의 말에 대하여 속성이나 수량을 한정하거나 같은 자격임을 나타내는 조사.
No hay expresión equivalente
Posposición que se usa para indicar que la palabra anterior limita el atributo o la cantidad a la posterior; o que estas son de mismo atributo.

• **한숨 (sustantivo)** : 걱정이 있을 때나 긴장했다가 마음을 놓을 때 길게 몰아서 내쉬는 숨.
suspiro
Un largo aliento que lanza una persona una persona para expresar sentimiento de alivio después de estar preocupado o nervioso.

• 을 : 동작이 직접적으로 영향을 미치는 대상을 나타내는 조사.
No hay expresión equivalente
Posposición que se usa para indicar el objeto que ha sido influido directamente por una acción.

• **내쉬다 (verbo)** : 숨을 몸 밖으로 내보내다.
respirar, exhalar
Despedir respiración al exterior del cuerpo.

• -며 : 두 가지 이상의 동작이나 상태가 함께 일어남을 나타내는 연결 어미.
No hay expresión equivalente
Desinencia conectora que se usa cuando se realizan más de dos acciones, estados, hechos, etc. al mismo tiempo.

• **말하다 (verbo)** : 어떤 사실이나 자신의 생각 또는 느낌을 말로 나타내다.
decir
Expresar oralmente un pensamiento, un hecho, una sensación, etc.

• -였- : 사건이 과거에 일어났음을 나타내는 어미.
No hay expresión equivalente
Desinencia que se usa cuando indica que el suceso ocurrió en el pasado.

• -다 : 어떤 사건이나 사실, 상태를 서술함을 나타내는 종결 어미.
No hay expresión equivalente
Desinencia de terminación que se usa cuando se describe un suceso o hecho del presente.

여자 1 : 할아버지, 귀신+이+[ㄴ 줄] 알+고 깜짝 놀라+았+잖아요. 귀신인 줄 놀랐잖아요

• **할아버지 (sustantivo)** : (친근하게 이르는 말로) 늙은 남자를 이르거나 부르는 말.
harabeoji, abuelo, señor
(AFECTIVO) Palabra usada para referirse o llamar a un hombre mayor.

• **귀신 (sustantivo)** : 사람이 죽은 뒤에 남는다고 하는 영혼.
fantasma, espíritu
Ser inmaterial de quien se dice queda luego del fallecimiento de una persona.

• 이다 : 주어가 지시하는 대상의 속성이나 부류를 지정하는 뜻을 나타내는 서술격 조사.
No hay expresión equivalente
Posposición de caso atributivo, que se usa para designar el atributo o la clase del objeto al que se refiere el sujeto.

• -ㄴ 줄 : 어떤 사실이나 상태에 대해 알고 있거나 모르고 있음을 나타내는 표현.
No hay expresión equivalente
Expresión que se usa para mostrar haber conocido o desconocido algo.

• **알다 (verbo)** : 교육이나 경험, 생각 등을 통해 사물이나 상황에 대한 정보 또는 지식을 갖추다.
saber, conocer, aprender
Adquirir un conocimiento o una información sobre la situación de un objeto mediante la educación, experiencia o pensamiento.

• -고 : 앞의 말과 뒤의 말이 차례대로 일어남을 나타내는 연결 어미.
No hay expresión equivalente
Desinencia conectora que se usa cuando la palabra anterior y la posterior se producen sucesivamente.

• **깜짝 (adverbio)** : 갑자기 놀라는 모양.
asustándose de repente, quedándose repentinamente atónito
Modo en que alguien se asusta de súbito.

• **놀라다 (verbo)** : 뜻밖의 일을 당하거나 무서워서 순간적으로 긴장하거나 가슴이 뛰다.
asustar, sorprender, atemorizar, aterrar, espantar
Latir el corazón o ponerse tenso repentinamente por temor y un hecho inesperado.

• -았- : 어떤 사건이 과거에 완료되었거나 그 사건의 결과가 현재까지 지속되는 상황을 나타내는 어미.
No hay expresión equivalente
Desinencia que se usa cuando cierto suceso fue acabado en el pasado o cuando el resultado de ese suceso continúa hasta el presente.

• -잖아요 : (두루높임으로) 어떤 상황에 대해 말하는 사람이 상대방에게 확인하거나 정정해 주듯이 말함을 나타내는 표현.
No hay expresión equivalente
(TRATAMIENTO HONORÍFICO GENERAL) Expresión que se usa para hablar como si se estuviera corrigiendo o verificando al adversario alguna situación.

여자 1 : 그런데 이 늦+은 시간+에 여기+서 뭐 하+[고 계시]+어요? **하고 계세요**

• **그런데 (adverbio)** : 이야기를 앞의 내용과 관련시키면서 다른 방향으로 바꿀 때 쓰는 말.
a propósito
Se usa para cambiar de tema y hablar de otra cosa, sin interrumpir el flujo de la conversación.

• **이 (determinante)** : 말하는 사람에게 가까이 있거나 말하는 사람이 생각하고 있는 대상을 가리킬 때 쓰는 말.
este
Palabra que se utiliza para designar al sujeto sobre el que se está pensando o se encuentra cerca de la persona que está hablando.

• **늦다 (adjetivo)** : 적당한 때를 지나 있다. 또는 시기가 한창인 때를 지나 있다.
atrasado, retrasado
Que se ha pasado el momento oportuno. O que ha pasado su apogeo.

• -은 : 앞의 말이 관형어의 기능을 하게 만들고 현재의 상태를 나타내는 어미.
No hay expresión equivalente
Desinencia que hace que la palabra antecedente ejerza la función de un componente determinante, e indica que el estado del presente.

• **시간 (sustantivo)** : 어떤 일을 하도록 정해진 때. 또는 하루 중의 어느 한 때.
tiempo
Momento determinado para realizar una tarea. O un momento del día.

• 에 : 앞말이 시간이나 때임을 나타내는 조사.
No hay expresión equivalente
Posposición que se usa cuando la palabra anterior indica hora o tiempo.

• **여기 (pronombre)** : 말하는 사람에게 가까운 곳을 가리키는 말.
aquí, acá
Palabra que señala el lugar cercano al hablante.

• 서 : 앞말이 행동이 이루어지고 있는 장소임을 나타내는 조사.
No hay expresión equivalente
Posposición que se usa para indicar el lugar en el que se realiza la acción de la palabra anterior.

• **뭐 (pronombre)** : 모르는 사실이나 사물을 가리키는 말.
¿qué?, ¿cuál?
Pronombre interrogativo que se usa para inquirir un hecho o una cosa.

• **하다 (verbo)** : 어떤 행동이나 동작, 활동 등을 행하다.
hacer, realizar
Llevar a cabo un acto o una acción.

• -고 계시다 : (높임말로) 앞의 말이 나타내는 행동이 계속 진행됨을 나타내는 표현.
No hay expresión equivalente
(TRATAMIENTO HONORÍFICO) Expresión que indica que la acción que representa la parte anterior de la cláusula continúa.

• -어요 : (두루높임으로) 어떤 사실을 서술하거나 질문, 명령, 권유함을 나타내는 종결 어미.
No hay expresión equivalente
(TRATAMIENTO HONORÍFICO GENERAL) Desinencia de terminación que se usa cuando se describe cierto hecho; o pregunta, ordena o reclama algo.

여자 2 : 내일 밤+[을 때] 하+시+[는 것(거)]+이 좋+[을 것 같]+아요.
하시는 게

• **내일 (adverbio)** : 오늘의 다음 날에.
mañana
En el día que seguirá al de hoy.

• **밝다 (adjetivo)** : 빛을 많이 받아 어떤 장소가 환하다.
claro, brillante
Dícese de un lugar: que está bien iluminado porque recibe mucho sol.

• -을 때 : 어떤 행동이나 상황이 일어나는 동안이나 그 시기 또는 그러한 일이 일어난 경우를 나타내는 표현.
No hay expresión equivalente
Expresión que indica el surgimiento de un mismo hecho o de algo en un mismo tiempo, mientras surge alguna situación o se realiza alguna acción.

• **하다 (verbo)** : 어떤 행동이나 동작, 활동 등을 행하다.
hacer, realizar
Llevar a cabo un acto o una acción.

• -시- : 어떤 동작이나 상태의 주체를 높이는 뜻을 나타내는 어미.
No hay expresión equivalente
Desinencia que se usa para dar un tratamiento honorífico al agente de una acción verbal o de un determinado estado.

• -는 것 : 명사가 아닌 것을 문장에서 명사처럼 쓰이게 하거나 '이다' 앞에 쓰일 수 있게 할 때 쓰는 표현.
No hay expresión equivalente
Expresión que se usa para hacer que una palabra que no es sustantivo sea utilizada como tal en una oración, o para hacer que se use delante de '이다' .

• 이 : 어떤 상태나 상황의 대상이나 동작의 주체를 나타내는 조사.
No hay expresión equivalente
Posposición que se usa para indicar el objeto de cierto estado o situación o el agente de un movimiento.

• **좋다 (adjetivo)** : 어떤 일을 하기가 쉽거나 편하다.
fácil, conveniente
Que es fácil o cómodo realizar un trabajo.

• -을 것 같다 : 추측을 나타내는 표현.
No hay expresión equivalente
Expresión que indica suposición.

• -아요 : (두루높임으로) 어떤 사실을 서술하거나 질문, 명령, 권유함을 나타내는 종결 어미.
No hay expresión equivalente
(TRATAMIENTO HONORÍFICO GENERAL) Desinencia de terminación que se usa cuando se describe cierto hecho; o pregunta, ordena o reclama algo.

여자 2 : 지금+은 어둡(어두우)+어서 위험하+세요. **어두워서**

• **지금 (sustantivo)** : 말을 하고 있는 바로 이때.
ahora
En este preciso momento en que se está hablando.

• 은 : 문장 속에서 어떤 대상이 화제임을 나타내는 조사.
No hay expresión equivalente
Posposición que se usa para indicar que cierto objeto es tópico en la oración.

• **어둡다 (adjetivo)** : 빛이 없거나 약해서 밝지 않다.
oscuro
Que carece de luz o claridad.

• -어서 : 이유나 근거를 나타내는 연결 어미.
No hay expresión equivalente
Desinencia conectora que se usa para indicar causa o fundamento.

• **위험하다 (adjetivo)** : 해를 입거나 다칠 가능성이 있어 안전하지 못하다.
peligroso
Que es inseguro con la posibilidad de un daño o un mal.

• -세요 : (두루높임으로) 설명, 의문, 명령, 요청의 뜻을 나타내는 종결 어미.
No hay expresión equivalente
(TRATAMIENTO HONORÍFICO GENERAL) Desinencia de terminación que se usa cuando se manifiesta el sentido de explicación, duda, orden, reclamación, etc.

할아버지 : 음, 오늘 안+에 빨리 끝내+[(어)야 되]+어. **끝내야 돼**

• **음 (interjección)** : 마음에 들지 않거나 걱정스러울 때 하는 소리.
mm…
Interjección que se usa para expresar disgusto o preocupación.

• **오늘 (sustantivo)** : 지금 지나가고 있는 이날.
hoy
Día actual que está transcurriendo ahora.

• **안 (sustantivo)** : 일정한 기준이나 한계를 넘지 않은 정도.
menos de, dentro de
Grado que no pasa cierto criterio o límite.

• 에 : 앞말이 시간이나 때임을 나타내는 조사.
No hay expresión equivalente
Posposición que se usa cuando la palabra anterior indica hora o tiempo.

• **빨리 (adverbio)** : 걸리는 시간이 짧게.
rápidamente, ágilmente
Demorando poco tiempo.

• **끝내다 (verbo)** : 일을 마지막까지 이루다.
acabar, terminar, concluir, finiquitar, coronar, finalizar, cerrarse
Llegar algo a su término.

• -어야 되다 : 반드시 그럴 필요나 의무가 있음을 나타내는 표현.
No hay expresión equivalente
Expresión que indica que sí o sí tiene tal necesidad u obligación.

• -어 : (두루낮춤으로) 어떤 사실을 서술하거나 물음, 명령, 권유를 나타내는 종결 어미.
No hay expresión equivalente
(TRATAMIENTO DE MODESTIA GENERAL) Desinencia de terminación que se usa cuando se describe cierto hecho; o pregunta, ordena o reclama algo.

여자 1 : 그런데 묘비+에 무슨 문제+라도 있+나요?

• **그런데 (adverbio)** : 이야기를 앞의 내용과 관련시키면서 다른 방향으로 바꿀 때 쓰는 말.
a propósito
Se usa para cambiar de tema y hablar de otra cosa, sin interrumpir el flujo de la conversación.

• **묘비 (sustantivo)** : 죽은 사람의 이름, 출생일, 사망일, 행적, 신분 등을 새겨서 무덤 앞에 세우는 비석.
lápida sepulcral, piedra sepulcral
Piedra llana en la cual se inscribe el nombre, la fecha de nacimiento y muerte, la biografía y la posición social del difunto y que se erige frente a su sepulcro o tumba.

• 에 : 앞말이 어떤 장소나 자리임을 나타내는 조사.
No hay expresión equivalente
Posposición que se usa cuando la palabra anterior indica cierto lugar o sitio.

• **무슨 (determinante)** : 확실하지 않거나 잘 모르는 일, 대상, 물건 등을 물을 때 쓰는 말.
qué
Palabra que se usa para inquirir sobre alguien o algo incierto o desconocido.

• **문제 (sustantivo)** : 난처하거나 해결하기 어려운 일.
problema, inconveniente
Cuestión difícil de solucionar o incómoda.

• 라도 : 불확실한 사실에 대한 말하는 이의 의심이나 의문을 나타내는 조사.
No hay expresión equivalente
Posposición que pone en duda o cuestiona al hablante ante una incertidumbre.

• **있다 (adjetivo)** : 어떤 사람에게 무슨 일이 생긴 상태이다.
existente
Que le ha ocurrido algo a alguien.

• -나요 : (두루높임으로) 앞의 내용에 대해 상대방에게 물어볼 때 쓰는 표현.
No hay expresión equivalente
(TRATAMIENTO HONORÍFICO GENERAL) Expresión que se usa para hacer preguntas al adversario sobre el comentario anterior.

할아버지 : 글쎄, 어떤 <u>멍청하+ㄴ</u> 녀석+들+이 묘비+에 <u>나+의</u> 이름+을 잘못 **멍청한** **내** <u>쓰(ㅆ)+[어 놓]+았+잖아</u>. **써 놨잖아**

• **글쎄 (interjección)** : 말하는 이가 자신의 뜻이나 주장을 다시 강조하거나 고집할 때 쓰는 말.
entonces, por eso
Exclamación para insistir o enfatizar la postura o intención del hablante.

• **어떤 (determinante)** : 굳이 말할 필요가 없는 대상을 뚜렷하게 밝히지 않고 나타낼 때 쓰는 말.
algún, alguna
Palabra que se usa para indicar vagamente un objeto que no vale la pena de mencionar en concreto.

• **멍청하다 (adjetivo)** : 일을 제대로 판단하지 못할 정도로 어리석다.
estúpido, tonto, bobo, idiota, imbécil
Falto de inteligencia y capacidad para razonar debidamente.

• -ㄴ : 앞의 말이 관형어의 기능을 하게 만들고 현재의 상태를 나타내는 어미.
No hay expresión equivalente
Desinencia que hace que la palabra antecedente ejerza la función de un componente determinante, e indica que el estado del presente.

• **녀석 (sustantivo)** : (낮추는 말로) 남자.
No hay expresión equivalente
(EXPRESIÓN DE HUMILDAD) Hombre.

• 들 : '복수'의 뜻을 더하는 접미사.
No hay expresión equivalente
Sufijo que añade el significado de 'plural'.

• 이 : 어떤 상태나 상황의 대상이나 동작의 주체를 나타내는 조사.
No hay expresión equivalente
Posposición que se usa para indicar el objeto de cierto estado o situación o el agente de un movimiento.

• **묘비 (sustantivo)** : 죽은 사람의 이름, 출생일, 사망일, 행적, 신분 등을 새겨서 무덤 앞에 세우는 비석.
lápida sepulcral, piedra sepulcral
Piedra llana en la cual se inscribe el nombre, la fecha de nacimiento y muerte, la biografía y la posición social del difunto y que se erige frente a su sepulcro o tumba.

• 에 : 앞말이 어떤 장소나 자리임을 나타내는 조사.
No hay expresión equivalente
Posposición que se usa cuando la palabra anterior indica cierto lugar o sitio.

• **나 (pronombre)** : 말하는 사람이 친구나 아랫사람에게 자기를 가리키는 말.
yo
Pronombre que usa el hablante para referirse a sí mismo ante alguien de edad igual o menor.

• 의 : 앞의 말이 뒤의 말에 대하여 소유, 소속, 소재, 관계, 기원, 주체의 관계를 가짐을 나타내는 조사.
No hay expresión equivalente
Posposición que se usa para indicar que la palabra anterior tiene una relación de posesión, pertenencia, integración, conexión, procedencia, sujeto con la posterior.

• **이름 (sustantivo)** : 사람의 성과 그 뒤에 붙는 그 사람만을 부르는 말.
nombre
Palabra que se encuentra junto al apellido que designa sólo a esa persona.

• 을 : 동작이 직접적으로 영향을 미치는 대상을 나타내는 조사.
No hay expresión equivalente
Posposición que se usa para indicar el objeto que ha sido influido directamente por una acción.

• **잘못 (adverbio)** : 바르지 않게 또는 틀리게.
incorrectamente, equivocadamente, erróneamente
De modo incorrecto o por equivocación.

• **쓰다 (verbo)** : 연필이나 펜 등의 필기도구로 종이 등에 획을 그어서 일정한 글자를 적다.
escribir, anotar, apuntar
Escribir determinadas letras trazando caracteres en un papel con el uso de utensilios para escribir como lápiz, bolígrafo, etc.

• -어 놓다 : 앞의 말이 나타내는 행동을 끝내고 그 결과를 유지함을 나타내는 표현.
No hay expresión equivalente
Expresión que se refiere a la finalización de una acción que indica el comentario anterior y conserva su resultado.

• -았- : 어떤 사건이 과거에 완료되었거나 그 사건의 결과가 현재까지 지속되는 상황을 나타내는 어미.
No hay expresión equivalente
Desinencia que se usa cuando cierto suceso fue acabado en el pasado o cuando el resultado de ese suceso continúa hasta el presente.

• -잖아 : (두루낮춤으로) 어떤 상황에 대해 말하는 사람이 상대방에게 확인하거나 정정해 주듯이 말함을 나타내는 표현.
No hay expresión equivalente
(TRATAMIENTO DE MODESTIA GENERAL) Expresión que se usa para hablar como si se estuviera corrigiendo o verificando al adversario alguna situación.

< 13 단원(unidad) >

제목 : 엄마는 왜 흰머리가 있어?

● 본문 (contexto principal)

어느 날 설거지를 하고 있는 엄마에게 어린 딸이 머리를 갸우뚱거리며 질문을 했다.

딸 : 엄마 머리 앞쪽에 하얀색 머리카락이 있어.

엄마 : 이제 엄마도 흰머리가 점점 많이 생기네.

딸 : 나는 흰머리가 없는데 엄마는 왜 흰머리가 있어?

흰머리가 왜 생기는지 궁금해.

엄마 : 우리 딸이 엄마 말을 안 들어서 엄마가 속이 상하거나 슬퍼지면 흰머리가

한 개씩 생기더라고.

그러니까 앞으로 엄마가 하는 말 잘 들어야 돼.

딸은 잠시 동안 생각을 하다가 엄마에게 다시 물었다.

딸 : 엄마, 외할머니 머리는 전부 하얀색인데?

● 발음 (pronunciación)

어느 날 설거지를 하고 있는 엄마에게 어린 딸이 머리를 갸우뚱거리며 질문을 했다.
어느 날 설거지를 하고 인는 엄마에게 어린 따리 머리를 갸우뚱거리며 질무늘 핻따.
eoneu nal seolgeojireul hago inneun eommaege eorin ttari meorireul gyauttunggeorimyeo jilmuneul haetda.

딸 : 엄마 머리 앞쪽에 하얀색 머리카락이 있어.
딸 : 엄마 머리 압쪼게 하얀색 머리카라기 이써.
ttal : eomma meori apjjoge hayansaek meorikaragi isseo.

엄마 : 이제 엄마도 흰머리가 점점 많이 생기네.
엄마 : 이제 엄마도 힌머리가 점점 마니 생기네.
eomma : ije eommado hinmeoriga jeomjeom mani saenggine.

딸 : 나는 흰머리가 없는데 엄마는 왜 흰머리가 있어?
딸 : 나는 힌머리가 엄는데 엄마는 왜 힌머리가 이써?
ttal : naneun hinmeoriga eomneunde eommaneun wae hinmeoriga isseo?

흰머리가 왜 생기는지 궁금해.
힌머리가 왜 생기는지 궁금해.
hinmeoriga wae saenggineunji gunggeumhae.

엄마 : 우리 딸이 엄마 말을 안 들어서 엄마가 속이 상하거나 슬퍼지면 흰머리가
엄마 : 우리 따리 엄마 마를 안 드러서 엄마가 소기 상하거나 슬퍼지면 힌머리가
eomma : uri ttari eomma mareul an deureoseo eommaga sogi sanghageona seulpeojimyeon hinmeoriga

한 개씩 생기더라고.
한 개씩 생기더라고.
han gaessik saenggideorago.

그러니까 앞으로 엄마가 하는 말 잘 들어야 돼.
그러니까 아프로 엄마가 하는 말 잘 드러야 돼.
geureonikka apeuro eommaga haneun mal jal deureoya dwae.

딸은 잠시 동안 생각을 하다가 엄마에게 다시 물었다.
따른 잠시 동안 생가글 하다가 엄마에게 다시 무럳따.
ttareun jamsi dongan saenggageul hadaga eommaege dasi mureotda.

딸 : 엄마, 외할머니 머리는 전부 하얀색인데?
딸 : 엄마, 외할머니 머리는 전부 하얀새긴데?
ttal : eomma, oehalmeoni meorineun jeonbu hayansaeginde?

● 어휘 (palabra) / 문법 (gramática)

어느 날 설거지+를 하+고 있+는 엄마+에게 어리+ㄴ 딸+이 머리+를 갸우뚱거리+며 질문+을 하+였+다.

딸 : 엄마 머리 앞쪽+에 하얀색 머리카락+이 있+어.

엄마 : 이제 엄마+도 흰머리+가 점점 많이 생기+네.

딸 : 나+는 흰머리+가 없+는데 엄마+는 왜 흰머리+가 있+어?

흰머리+가 왜 생기+는지 궁금하+여.

엄마 : 우리 딸+이 엄마 말+을 안 들+어서 엄마+가 속+이 상하+거나 슬프(슬ㅍ)+어지+면

흰머리+가 한 개+씩 생기+더라고.

그러니까 앞+으로 엄마+가 하+는 말 잘 들+어야 되+어.

딸+은 잠시 동안 생각+을 하+다가 엄마+에게 다시 묻(물)+었+다.

딸 : 엄마, 외할머니 머리+는 전부 하얀색+이+ㄴ데?

어느 날 설거지+를 하+[고 있]+는 엄마+에게 어리+ㄴ 딸+이 머리+를 갸우뚱거리+며 질문+을 하+였+다.
어린 했다

• **어느 (determinante)** : 확실하지 않거나 분명하게 말할 필요가 없는 사물, 사람, 때, 곳 등을 가리키는 말.
alguno
Palabra que se aplica indeterminadamente o sin especificación a una persona, cosa, lugar o tiempo.

• **날 (sustantivo)** : 밤 열두 시에서 다음 밤 열두 시까지의 이십사 시간 동안.
día
Equivalente a las 24 horas, partiendo de la medianoche y las 12 de la noche del día siguiente.

• **설거지 (sustantivo)** : 음식을 먹고 난 뒤에 그릇을 씻어서 정리하는 일.
limpieza de los platos, lavada de los platos
Acción de lavar y poner aparte los platos después de comer.

• 를 : 동작이 직접적으로 영향을 미치는 대상을 나타내는 조사.
No hay expresión equivalente
Posposición que indica el objeto que influye directamente en la acción.

• **하다 (verbo)** : 어떤 행동이나 동작, 활동 등을 행하다.
hacer, realizar
Llevar a cabo un acto o una acción.

• -고 있다 : 앞의 말이 나타내는 행동이 계속 진행됨을 나타내는 표현.
No hay expresión equivalente
Expresión que indica que la acción que representa la parte anterior de la cláusula continúa.

• -는 : 앞의 말이 관형어의 기능을 하게 만들고 사건이나 동작이 현재 일어남을 나타내는 어미.
No hay expresión equivalente
Desinencia que hace que la palabra antecedente ejerza la función de un componente determinante, e indica que un suceso o una acción se produce en el presente.

• **엄마 (sustantivo)** : 격식을 갖추지 않아도 되는 상황에서 어머니를 이르거나 부르는 말.
mamá
Palabra que se usa para referirse o llamar a la madre de uno en un entorno informal.

• 에게 : 어떤 행동이 미치는 대상임을 나타내는 조사.
No hay expresión equivalente
Posposición que indica ser un objeto influyente de cierta acción.

• **어리다 (adjetivo)** : 나이가 적다.
joven
De poca edad.

• -ㄴ : 앞의 말이 관형어의 기능을 하게 만들고 현재의 상태를 나타내는 어미.
No hay expresión equivalente
Desinencia que hace que la palabra antecedente ejerza la función de una palabra determinante, e indica el estado del presente.

• **딸 (sustantivo)** : 부모가 낳은 아이 중 여자. 여자인 자식.
hija
Respecto de padres, mujer nacida de ellos.

• 이 : 어떤 상태나 상황의 대상이나 동작의 주체를 나타내는 조사.
No hay expresión equivalente
Posposición que se usa para indicar el objeto de cierto estado o situación o el agente de un movimiento.

• **머리 (sustantivo)** : 사람이나 동물의 몸에서 얼굴과 머리털이 있는 부분을 모두 포함한 목 위의 부분.
cabeza
En el cuerpo de personas o animales, parte superior al cuello incluyendo toda la cara y la parte del cabello.

• 를 : 동작이 직접적으로 영향을 미치는 대상을 나타내는 조사.
No hay expresión equivalente
Posposición que indica el objeto que influye directamente en la acción.

• **갸우뚱거리다 (verbo)** : 물체가 자꾸 이쪽저쪽으로 기울어지며 흔들리다. 또는 그렇게 하다.
balancearse
Inclinarse un objeto a un lado y otro de manera repetitiva. O hacer que se mueva así.

• -며 : 두 가지 이상의 동작이나 상태가 함께 일어남을 나타내는 연결 어미.
No hay expresión equivalente
Desinencia conectora que se usa cuando se realizan más de dos acciones, estados, hechos, etc. al mismo tiempo.

• **질문 (sustantivo)** : 모르는 것이나 알고 싶은 것을 물음.
pregunta
Interrogación acerca de algo que se desea saber o se desconoce.

• 을 : 동작이 직접적으로 영향을 미치는 대상을 나타내는 조사.
No hay expresión equivalente
Posposición que indica el objeto que influye directamente en la acción.

• **하다 (verbo)** : 어떤 행동이나 동작, 활동 등을 행하다.
hacer, realizar
Llevar a cabo un acto o una acción.

• -였- : 사건이 과거에 일어났음을 나타내는 어미.
No hay expresión equivalente
Desinencia que se usa para indicar que el suceso ocurrió en el pasado.

• -다 : 어떤 사건이나 사실, 상태를 서술함을 나타내는 종결 어미.
No hay expresión equivalente
Desinencia de terminación que se usa cuando se describe un suceso o hecho del presente.

딸 : 엄마 머리 앞쪽+에 하얀색 머리카락+이 있+어.

• **엄마 (sustantivo)** : 격식을 갖추지 않아도 되는 상황에서 어머니를 이르거나 부르는 말.
mamá
Palabra que se usa para referirse o llamar a la madre de uno en un entorno informal.

• **머리 (sustantivo)** : 사람이나 동물의 몸에서 얼굴과 머리털이 있는 부분을 모두 포함한 목 위의 부분.
cabeza
En el cuerpo de personas o animales, parte superior al cuello incluyendo toda la cara y la parte del cabello.

• **앞쪽 (sustantivo)** : 앞을 향한 방향.
frente, adelante
Parte que se orienta hacia adelante.

• 에 : 앞말이 어떤 장소나 자리임을 나타내는 조사.
No hay expresión equivalente
Posposición que se usa cuando la palabra anterior indica cierto lugar o sitio.

• **하얀색 (sustantivo)** : 눈이나 우유의 빛깔과 같이 밝고 선명한 흰색.
blanco brillante y claro
Color blanco tan brillante y claro como el de la nieve o la leche.

• **머리카락 (sustantivo)** : 머리털 하나하나.
cabello, pelo
Cada uno de los pelos que nacen en la cabeza.

• 이 : 어떤 상태나 상황의 대상이나 동작의 주체를 나타내는 조사.
No hay expresión equivalente
Posposición que se usa para indicar el objeto de cierto estado o situación o el agente de un movimiento.

• **있다 (adjetivo)** : 무엇이 어떤 곳에 자리나 공간을 차지하고 존재하는 상태이다.
existente
Que ocupa o se halla algo en cierto lugar o espacio.

• -어 : (두루낮춤으로) 어떤 사실을 서술하거나 물음, 명령, 권유를 나타내는 종결 어미.
No hay expresión equivalente
(TRATAMIENTO DE MODESTIA GENERAL) Desinencia de terminación que se usa cuando se describe cierto hecho; o pregunta, ordena o reclama algo.

엄마 : 이제 엄마+도 흰머리+가 점점 많이 생기+네.

• **이제 (adverbio)** : 지금의 시기가 되어.
ahora
En el tiempo actual.

• **엄마 (sustantivo)** : 격식을 갖추지 않아도 되는 상황에서 어머니를 이르거나 부르는 말.
mamá
Palabra que se usa para referirse o llamar a la madre de uno en un entorno informal.

• 도 : 이미 있는 어떤 것에 다른 것을 더하거나 포함함을 나타내는 조사.
No hay expresión equivalente
Posposición que añade o incluye algo a cierta cosa ya existente.

• **흰머리 (sustantivo)** : 하얗게 된 머리카락.
canoso, pelo blanco
Cabello que se ha vuelto blanco.

• 가 : 어떤 상태나 상황에 놓인 대상이나 동작의 주체를 나타내는 조사.
No hay expresión equivalente
Posposición que se usa para indicar el objeto de cierto estado o situación o el agente de un movimiento.

• **점점 (adverbio)** : 시간이 지남에 따라 정도가 조금씩 더.
gradualmente, progresivamente
De más grado con el transcurso de tiempo.

• **많이 (adverbio)** : 수나 양, 정도 등이 일정한 기준보다 넘게.
mucho, abundantemente, copiosamente
Más de un determinado número, cantidad o nivel de referencia.

• **생기다 (verbo)** : 없던 것이 새로 있게 되다.
crearse, producirse, fundarse, establecerse
Llegar a existir lo que no existía.

• -네 : (아주낮춤으로) 지금 깨달은 일에 대하여 말함을 나타내는 종결 어미.
No hay expresión equivalente
(TRATAMIENTO DE MODESTIA MÁXIMA) Desinencia de terminación que se usa cuando se habla de lo que se ha enterado ahora.

딸 : 나+는 흰머리+가 없+는데 엄마+는 왜 흰머리+가 있+어?

• **나 (pronombre)** : 말하는 사람이 친구나 아랫사람에게 자기를 가리키는 말.
yo
Pronombre que usa el hablante para referirse a sí mismo ante alguien de edad igual o menor.

• 는 : 어떤 대상이 다른 것과 대조됨을 나타내는 조사.
No hay expresión equivalente
Posposición que indica que el referente contrasta con otro.

• **흰머리 (sustantivo)** : 하얗게 된 머리카락.
canoso, pelo blanco
Cabello que se ha vuelto blanco.

• 가 : 어떤 상태나 상황에 놓인 대상이나 동작의 주체를 나타내는 조사.
No hay expresión equivalente
Posposición que se usa para indicar el objeto de cierto estado o situación o el agente de un movimiento.

• **없다 (adjetivo)** : 사람, 사물, 현상 등이 어떤 곳에 자리나 공간을 차지하고 존재하지 않는 상태이다.
inexistente, irreal
Estado en que una persona, un objeto o un fenómeno no ocupa un espacio ni existe.

• -는데 : 뒤의 말을 하기 위하여 그 대상과 관련이 있는 상황을 미리 말함을 나타내는 연결 어미.
No hay expresión equivalente
Desinencia conectora que se usa cuando se habla con antelación una circunstancia pasada relacionada con la palabra posterior.

• **엄마 (sustantivo)** : 격식을 갖추지 않아도 되는 상황에서 어머니를 이르거나 부르는 말.
mamá
Palabra que se usa para referirse o llamar a la madre de uno en un entorno informal.

• 는 : 어떤 대상이 다른 것과 대조됨을 나타내는 조사.
No hay expresión equivalente
Posposición que indica que el referente contrasta con otro.

• **왜 (adverbio)** : 무슨 이유로. 또는 어째서.
por qué, porque
Por qué causa. O el porqué.

• **흰머리 (sustantivo)** : 하얗게 된 머리카락.
canoso, pelo blanco
Cabello que se ha vuelto blanco.

• 가 : 어떤 상태나 상황에 놓인 대상이나 동작의 주체를 나타내는 조사.
No hay expresión equivalente
Posposición que se usa para indicar el objeto de cierto estado o situación o el agente de un movimiento.

• **있다 (adjetivo)** : 무엇이 어떤 곳에 자리나 공간을 차지하고 존재하는 상태이다.
existente
Que ocupa o se halla algo en cierto lugar o espacio.

• -어 : (두루낮춤으로) 어떤 사실을 서술하거나 물음, 명령, 권유를 나타내는 종결 어미.
No hay expresión equivalente
(TRATAMIENTO DE MODESTIA GENERAL) Desinencia de terminación que se usa cuando se describe cierto hecho; o pregunta, ordena o reclama algo.

딸 : 흰머리+가 왜 생기+는지 <u>궁금하+여</u>.
궁금해

• **흰머리 (sustantivo)** : 하얗게 된 머리카락.
canoso, pelo blanco
Cabello que se ha vuelto blanco.

• 가 : 어떤 상태나 상황에 놓인 대상이나 동작의 주체를 나타내는 조사.
No hay expresión equivalente
Posposición que se usa para indicar el objeto de cierto estado o situación o el agente de un movimiento.

• **왜 (adverbio)** : 무슨 이유로. 또는 어째서.
por qué, porque
Por qué causa. O el porqué.

• **생기다 (verbo)** : 없던 것이 새로 있게 되다.
rearse, producirse, fundarse, establecerse
Llegar a existir lo que no existía.

• -는지 : 뒤에 오는 말의 내용에 대한 막연한 이유나 판단을 나타내는 연결 어미.
No hay expresión equivalente
Desinencia conectora que se usa cuando se indica una razón o un juicio vago sobre el contenido de la palabra posterior.

• **궁금하다 (adjetivo)** : 무엇이 무척 알고 싶다.
curioso
Con deseos de conocer o enterarse de algo.

• -여 : (두루낮춤으로) 어떤 사실을 서술하거나 물음, 명령, 권유를 나타내는 종결 어미.
No hay expresión equivalente
(TRATAMIENTO DE MODESTIA GENERAL) Desinencia de terminación que se usa cuando se describe cierto hecho; o pregunta, ordena o reclama algo.

엄마 : 우리 딸+이 엄마 말+을 안 듣(들)+어서 엄마+가 속+이 상하+거나 들어서 슬프(슬ㅍ)+어지+면 흰머리+가 한 개+씩 생기+더라고. 슬퍼지면

• **우리 (pronombre)** : 말하는 사람이 자기보다 높지 않은 사람에게 자기와 관련된 것을 친근하게 나타낼 때 쓰는 말.
el nuestro, la nuestra
Palabra que el hablante usa para mostrar íntimamente lo que está relacionado consigo delante de una persona que no es superior a él.

• **딸 (sustantivo)** : 부모가 낳은 아이 중 여자. 여자인 자식.
hija
Respecto de padres, mujer nacida de ellos.

• 이 : 어떤 상태나 상황의 대상이나 동작의 주체를 나타내는 조사.
No hay expresión equivalente
Posposición que se usa para indicar el objeto de cierto estado o situación o el agente de un movimiento.

• **엄마 (sustantivo)** : 격식을 갖추지 않아도 되는 상황에서 어머니를 이르거나 부르는 말.
mamá
Palabra que se usa para referirse o llamar a la madre de uno en un entorno informal.

• **말 (sustantivo)** : 생각이나 느낌을 표현하고 전달하는 사람의 소리.
habla, palabra,
Voz de una persona que expresa y transmite un pensamiento o un sentimiento.

• 을 : 동작이 직접적으로 영향을 미치는 대상을 나타내는 조사.
No hay expresión equivalente
Posposición que indica el objeto que influye directamente en la acción.

• **안 (adverbio)** : 부정이나 반대의 뜻을 나타내는 말.
no
Palabra que expresa negación u oposición.

• **듣다 (verbo)** : 다른 사람이 말하는 대로 따르다.
condescender
Adaptarse por bondad al gusto y voluntad ajenos.

• -어서 : 이유나 근거를 나타내는 연결 어미.
No hay expresión equivalente
Desinencia conectora que se usa para indicar causa o fundamento.

• **엄마 (sustantivo)** : 격식을 갖추지 않아도 되는 상황에서 어머니를 이르거나 부르는 말.
mamá
Palabra que se usa para referirse o llamar a la madre de uno en un entorno informal.

• 가 : 어떤 상태나 상황에 놓인 대상이나 동작의 주체를 나타내는 조사.
No hay expresión equivalente
Posposición que se usa para indicar el objeto de cierto estado o situación o el agente de un movimiento.

• **속 (sustantivo)** : 품고 있는 마음이나 생각.
interior
Pensamiento o sentimiento que se tiene por dentro.

• 이 : 어떤 상태나 상황의 대상이나 동작의 주체를 나타내는 조사.
No hay expresión equivalente
Posposición que se usa para indicar el objeto de cierto estado o situación o el agente de un movimiento.

• **상하다 (verbo)** : 싫은 일을 당하여 기분이 안 좋아지거나 마음이 불편해지다.
herirse, ofenderse, lastimarse
Sentirse mal o molestarse por haber experimentado algo desagradable.

• -거나 : 앞에 오는 말과 뒤에 오는 말 중에서 하나가 선택될 수 있음을 나타내는 연결 어미.
No hay expresión equivalente
Desinencia conectora que se usa para expresar que entre la palabra anterior y la posterior, puede ser elegida una.

- **슬프다 (adjetivo)** : 눈물이 날 만큼 마음이 아프고 괴롭다.
  triste, afligido, apenado, entristecido
  Que le duele y le aflige como para soltar lágrimas.

- -어지다 : 앞에 오는 말이 나타내는 대로 행동하게 되거나 그 상태로 됨을 나타내는 표현.
  No hay expresión equivalente
  Expresión que indica que está haciendo lo que indica el comentario anterior, o que ha llegado a ese estado.

- -면 : 뒤에 오는 말에 대한 근거나 조건이 됨을 나타내는 연결 어미.
  No hay expresión equivalente
  Desinencia conectora que se usa cuando es un fundamento o condición del contenido posterior.

- **흰머리 (sustantivo)** : 하얗게 된 머리카락.
  canoso, pelo blanco
  Cabello que se ha vuelto blanco.

- 가 : 어떤 상태나 상황에 놓인 대상이나 동작의 주체를 나타내는 조사.
  No hay expresión equivalente
  Posposición que se usa para indicar el objeto de cierto estado o situación o el agente de un movimiento.

- **한 (determinante)** : 하나의.
  No hay expresión equivalente
  uno

- **개 (sustantivo)** : 낱으로 떨어진 물건을 세는 단위.
  No hay expresión equivalente
  Unidad de conteo de objetos.

- 씩 : '그 수량이나 크기로 나뉨'의 뜻을 더하는 접미사.
  No hay expresión equivalente
  Sufijo que añade el significado de 'que se divide por tal número o tamaño'.

- **생기다 (verbo)** : 없던 것이 새로 있게 되다.
  crearse, producirse, fundarse, establecerse
  Llegar a existir lo que no existía.

- -더라고 : (두루낮춤으로) 과거에 경험하여 새로 알게 된 사실에 대해 지금 상대방에게 옮겨 전할 때 쓰는 표현.
  No hay expresión equivalente
  (TRATAMIENTO DE MODESTIA GENERAL) Expresión que se usa cuando el hablante transmite actualmente al adversario algo nuevo que acaba de conocer por haberlo experimentado directamente en el pasado.

엄마 : 그러니까 앞+으로 엄마+가 하+는 말 잘 듣(들)+[어야 되]+어. 들어야 돼

• **그러니까 (adverbio)** : 그런 이유로. 또는 그런 까닭에.
por tal motivo, por eso, por lo tanto, por consiguiente, por lo mismo
Por tal motivo. O por tal razón.

• **앞 (sustantivo)** : 다가올 시간.
futuro
Tiempo que está por llegar.

• 으로 : 시간을 나타내는 조사.
No hay expresión equivalente
Posposición que indica la hora.

• **엄마 (sustantivo)** : 격식을 갖추지 않아도 되는 상황에서 어머니를 이르거나 부르는 말.
mamá
Palabra que se usa para referirse o llamar a la madre de uno en un entorno informal.

• 가 : 어떤 상태나 상황에 놓인 대상이나 동작의 주체를 나타내는 조사.
No hay expresión equivalente
Posposición que se usa para indicar el objeto de cierto estado o situación o el agente de un movimiento.

• **하다 (verbo)** : 어떤 행동이나 동작, 활동 등을 행하다.
hacer, realizar
Llevar a cabo un acto o una acción.

• -는 : 앞의 말이 관형어의 기능을 하게 만들고 사건이나 동작이 현재 일어남을 나타내는 어미.
No hay expresión equivalente
Desinencia que hace que la palabra antecedente ejerza la función de un componente determinante, e indica que un suceso o una acción se produce en el presente.

• **말 (sustantivo)** : 생각이나 느낌을 표현하고 전달하는 사람의 소리.
habla, palabra,
Voz de una persona que expresa y transmite un pensamiento o un sentimiento.

• **잘 (adverbio)** : 관심을 집중해서 주의 깊게.
bien
Con precaución centrando la atención.

• **듣다 (verbo)** : 다른 사람이 말하는 대로 따르다.
condescender
Adaptarse por bondad al gusto y voluntad ajenos.

• -어야 되다 : 반드시 그럴 필요나 의무가 있음을 나타내는 표현.
No hay expresión equivalente
Expresión que indica que sí o sí tiene tal necesidad u obligación.

• -어 : (두루낮춤으로) 어떤 사실을 서술하거나 물음, 명령, 권유를 나타내는 종결 어미.
No hay expresión equivalente
(TRATAMIENTO DE MODESTIA GENERAL) Desinencia de terminación que se usa cuando se describe cierto hecho; o pregunta, ordena o reclama algo.

딸+은 잠시 동안 생각+을 하+다가 엄마+에게 다시 묻(물)+었+다. **물었다**

• **딸 (sustantivo)** : 부모가 낳은 아이 중 여자. 여자인 자식.
hija
Respecto de padres, mujer nacida de ellos.

• 은 : 문장 속에서 어떤 대상이 화제임을 나타내는 조사.
No hay expresión equivalente
Posposición que se usa para indicar que cierto objeto es tópico en la oración.

• **잠시 (sustantivo)** : 잠깐 동안.
momento, instante, segundo, santiamén
Breve tiempo.

• **동안 (sustantivo)** : 한때에서 다른 때까지의 시간의 길이.
periodo, duración, intervalo
Duración del tiempo transcurrido entre un momento y otro.

• **생각 (sustantivo)** : 사람이 머리를 써서 판단하거나 인식하는 것.
pensamiento
Reconocimiento y juicio utilizando la cabeza.

• 을 : 동작이 직접적으로 영향을 미치는 대상을 나타내는 조사.
No hay expresión equivalente
Posposición que indica el objeto que influye directamente en la acción.

• **하다 (verbo)** : 어떤 행동이나 동작, 활동 등을 행하다.
hacer, realizar
Llevar a cabo un acto o una acción.

• -다가 : 어떤 행동이나 상태 등이 중단되고 다른 행동이나 상태로 바뀜을 나타내는 연결 어미.
No hay expresión equivalente
Desinencia conectora que se usa cuando se suspende cierta acción o estado se suspende y se convierte en otra acción o estado.

• **엄마 (sustantivo)** : 격식을 갖추지 않아도 되는 상황에서 어머니를 이르거나 부르는 말.
mamá
Palabra que se usa para referirse o llamar a la madre de uno en un entorno informal.

• 에게 : 어떤 행동이 미치는 대상임을 나타내는 조사.
No hay expresión equivalente
Posposición que indica ser un objeto influyente de cierta acción.

• **다시 (adverbio)** : 같은 말이나 행동을 반복해서 또.
otra vez, nuevamente
Otra vez, volviendo a decir o actuar de la misma manera que antes.

• **묻다 (verbo)** : 대답이나 설명을 요구하며 말하다.
preguntar
Hacer preguntas a alguien exigiendo su respuesta o explicación.

• -었- : 사건이 과거에 일어났음을 나타내는 어미.
No hay expresión equivalente
Desinencia que se usa para indicar que el suceso ocurrió en el pasado.

• -다 : 어떤 사건이나 사실, 상태를 서술함을 나타내는 종결 어미.
No hay expresión equivalente
Desinencia de terminación que se usa cuando se describe un suceso o hecho del presente.

딸 : 엄마, 외할머니 머리+는 전부 하얀색+이+ㄴ데? 하얀색인데

• **엄마 (sustantivo)** : 격식을 갖추지 않아도 되는 상황에서 어머니를 이르거나 부르는 말.
mamá
Palabra que se usa para referirse o llamar a la madre de uno en un entorno informal.

• **외할머니 (sustantivo)** : 어머니의 친어머니를 이르거나 부르는 말.
oehalmeoni, abuela materna
Palabra usada para referirse o llamar a la madre de su madre.

• **머리 (sustantivo)** : 머리에 난 털.
cabello
Pelo que crece en la cabeza.

• 는 : 문장 속에서 어떤 대상이 화제임을 나타내는 조사.
No hay expresión equivalente
Posposición que muestra que el referente es el tópico de una oración.

• **전부 (adverbio)** : 빠짐없이 다.
totalmente, completamente, enteramente
Todo, sin omisión.

• **하얀색 (sustantivo)** : 눈이나 우유의 빛깔과 같이 밝고 선명한 흰색.
blanco brillante y claro
Color blanco tan brillante y claro como el de la nieve o la leche.

• 이다 : 주어가 지시하는 대상의 속성이나 부류를 지정하는 뜻을 나타내는 서술격 조사.
No hay expresión equivalente
Posposición de caso atributivo, que se usa para designar el atributo o la clase del objeto al que se refiere el sujeto.

• -ㄴ데 : (두루낮춤으로) 듣는 사람의 반응을 기대하며 어떤 일에 대해 감탄함을 나타내는 종결 어미.
No hay expresión equivalente
(TRATAMIENTO DE MODESTIA GENERAL) Desinencia de terminación que se usa cuando se admira cierto hecho del pasado esperando la reacción del oyente.

< 14 단원(unidad) >

제목 : 혹시 그 여자가 이 아이였습니까?

● 본문 (contexto principal)

한 택시 기사가 젊은 여자 손님을 태우게 되었다.

그 여자는 집으로 가는 내내 창백한 얼굴로 멍하니 창밖을 바라보고 있었다.

이윽고 택시는 여자의 집에 도착했다.

여자 : 기사님, 잠시만 기다려 주세요.

집에 들어가서 택시비 금방 가지고 나올게요.

하지만 한참을 기다려도 여자가 돌아오지 않자 화가 난 택시 기사는 그 집 문을 두드렸고, 잠시 후 안에서 중년의 남자가 나왔다.

택시 기사가 자초지종을 얘기하자 남자는 깜짝 놀라며 안으로 들어갔다가 사진 한 장을 들고 나와 택시 기사한테 물었다.

남자 : 혹시 그 여자가 이 아이였습니까?

택시 기사 : 네, 맞아요.

남자 : 아이고, 오늘이 네 제삿날인 줄 알고 왔구나.

흐느끼는 남자의 모습을 본 택시 기사는 순간 무서웠는지 그냥 도망가 버렸다.

그때 여자가 나오며 하는 말.

여자 : 아빠, 나 잘했지?

남자 : 오냐, 다음부터는 모범택시를 타도록 해라.

● 발음 (pronunciación)

한 택시 기사가 젊은 여자 손님을 태우게 되었다.
한 택씨 기사가 절믄 여자 손니믈 태우게 되얻따.
han taeksi gisaga jeolmeun yeoja sonnimeul taeuge doeeotda.

그 여자는 집으로 가는 내내 창백한 얼굴로 멍하니 창밖을 바라보고 있었다.
그 여자는 지브로 가는 내내 창배칸 얼굴로 멍하니 창바끌 바라보고 이썯따.
geu yeojaneun jibeuro ganeun naenae changbaekan eolgullo meonghani changbakkeul barabogo isseotda.

이윽고 택시는 여자의 집에 도착했다.
이윽꼬 택씨는 여자에 지베 도차캗따.
ieukgo taeksineun yeojaui(yeojae) jibe dochakaetda.

여자 : 기사님, 잠시만 기다려 주세요.
여자 : 기사님, 잠시만 기다려 주세요.
yeoja : gisanim, jamsiman gidaryeo juseyo.

집에 들어가서 택시비 금방 가지고 나올게요.
지베 드러가서 택씨비 금방 가지고 나올께요.
jibe deureogaseo taeksibi geumbang gajigo naolgeyo.

하지만 한참을 기다려도 여자가 돌아오지 않자 화가 난 택시 기사는 그 집 문을 두드렸고, 잠시 후
하지만 한차믈 기다려도 여자가 도라오지 안차 화가 난 택씨 기사는 그 집 무늘 두드렫꼬, 잠시 후
hajiman hanchameul gidaryeodo yeojaga doraoji ancha hwaga nan taeksi gisaneun geu jip muneul dudeuryeotgo, jamsi hu

안에서 중년의 남자가 나왔다.
아네서 중녀네 남자가 나왇따.
aneseo jungnyeonui(jungnyeone) namjaga nawatda.

택시 기사가 자초지종을 얘기하자 남자는 깜짝 놀라며 안으로 들어갔다가 사진 한 장을 들고 나와
택씨 기사가 자초지종을 얘기하자 남자는 깜짝 놀라며 아느로 드러갇따가 사진 한 장을 들고 나와
taeksi gisaga jachojijongeul yaegihaja namjaneun kkamjjak nollamyeo aneuro deureogatdaga sajin han jangeul deulgo nawa

택시 기사한테 물었다.
택씨 기사한테 무럳따.
taeksi gisahante mureotda.

남자 : 혹시 그 여자가 이 아이였습니까?
남자 : 혹씨 그 여자가 이 아이엳씀니까?
namja : hoksi geu yeojaga i aiyeotseumnikka?

택시 기사 : 네, 맞아요.
택씨 기사 : 네, 마자요.
taeksi gisa : ne, majayo.

남자 : 아이고, 오늘이 네 제삿날인 줄 알고 왔구나.
남자 : 아이고, 오느리 네 제산나린 줄 알고 왇꾸나.
namja : aigo, oneuri ne jesannarin jul algo watguna.

흐느끼는 남자의 모습을 본 택시 기사는 순간 무서웠는지 그냥 도망가 버렸다.
흐느끼는 남자에 모스블 본 택씨 기사는 순간 무서원는지 그냥 도망가 버렫따.
heuneukkineun namjaui(namjae) moseubeul bon taeksi gisaneun sungan museowonneunji geunyang domangga beoryeotda.

그때 여자가 나오며 하는 말.
그때 여자가 나오며 하는 말.
geuttae yeojaga naomyeo haneun mal.

여자 : 아빠, 나 잘했지?
여자 : 아빠, 나 잘핻찌?
yeoja : appa, na jalhaetji?

남자 : 오냐, 다음부터는 모범택시를 타도록 해라.
남자 : 오냐, 다음부터는 모범택씨를 타도록 해라.
namja : onya, daeumbuteoneun mobeomtaeksireul tadorok haera.

● 어휘 (palabra) / 문법 (gramática)

한 택시 기사+가 젊+은 여자 손님+을 태우+게 되+었+다.

그 여자+는 집+으로 가+는 내내 창백하+ㄴ 얼굴+로 멍하니 창밖+을 바라보+고 있+었+다.

이윽고 택시+는 여자+의 집+에 도착하+였+다.

여자 : 기사+님, 잠시+만 기다리+어 주+세요.

집+에 들어가+(아)서 택시+비 금방 가지+고 나오+ㄹ게요.

하지만 한참+을 기다리+어도 여자+가 돌아오+지 않+자 화+가 나+ㄴ 택시 기사+는 그 집 문+을

두드리+었+고, 잠시 후 안+에서 중년+의 남자+가 나오+았+다.

택시 기사+가 자초지종+을 얘기하+자 남자+는 깜짝 놀라+며 안+으로 들어가+았+다가 사진 한 장+을

들+고 나오+아 택시 기사+한테 묻(물)+었+다.

남자 : 혹시 그 여자+가 이 아이+이+었+습니까?

택시 기사 : 네, 맞+아요.

남자 : 아이고, 오늘+이 너+의 제삿날+이+ㄴ 줄 알+고 오+았+구나.

흐느끼+는 남자+의 모습+을 보+ㄴ 택시 기사+는 순간 무섭(무서우)+었+는지 그냥 도망가+(아) 버리+었+다.

그때 여자+가 나오+며 하+는 말.

여자 : 아빠, 나 잘하+였+지?

남자 : 오냐, 다음+부터+는 모범택시+를 타+도록 하+여라.

한 택시 기사+가 젊+은 여자 손님+을 태우+[게 되]+었+다.

• **한 (determinante)** : 여럿 중 하나인 어떤.
No hay expresión equivalente
Uno entre varios.

• **택시 (sustantivo)** : 돈을 받고 손님이 원하는 곳까지 태워 주는 일을 하는 승용차.
taxi
Vehículo que lleva a los pasajeros hasta su destino a cambio de dinero.

• **기사 (sustantivo)** : 직업적으로 자동차나 기계 등을 운전하는 사람.
chofer, conductor
Persona cuyo oficio es manera un automóvil o una máquina.

• 가 : 어떤 상태나 상황에 놓인 대상이나 동작의 주체를 나타내는 조사.
No hay expresión equivalente
Posposición que se usa para indicar el objeto de cierto estado o situación o el agente de un movimiento.

• **젊다 (adjetivo)** : 나이가 한창때에 있다.
joven, juvenil
Estar en la plenitud de la edad.

• -은 : 앞의 말이 관형어의 기능을 하게 만들고 현재의 상태를 나타내는 어미.
No hay expresión equivalente
Desinencia que hace que la palabra antecedente ejerza la función de un componente determinante, e indica que el estado del presente.

• **여자 (sustantivo)** : 여성으로 태어난 사람.
mujer
Persona del sexo femenino.

• **손님 (sustantivo)** : 버스나 택시 등과 같은 교통수단을 이용하는 사람.
cliente
Persona que utiliza los medios de transporte como autobús, taxi, etc.

• 을 : 동작이 직접적으로 영향을 미치는 대상을 나타내는 조사.
No hay expresión equivalente
Posposición que se usa para indicar el objeto que ha sido influido directamente por una acción.

• **태우다 (verbo)** : 차나 배와 같은 탈것이나 짐승의 등에 타게 하다.
subir a bordo, abordar, montar, andar
Hacer subir a un transporte como coche o barco, o sobre la espalda de un animal.

• -게 되다 : 앞의 말이 나타내는 상태나 상황이 됨을 나타내는 표현.
No hay expresión equivalente
Expresión que se usa para mostrar se ha llegado a un estado o una situación descrita previamente.

• -었- : 어떤 사건이 과거에 완료되었거나 그 사건의 결과가 현재까지 지속되는 상황을 나타내는 어미.
No hay expresión equivalente
Desinencia que se usa cuando cierto suceso fue acabado en el pasado o cuando el resultado de ese suceso continúa hasta el presente.

• -다 : 어떤 사건이나 사실, 상태를 서술함을 나타내는 종결 어미.
No hay expresión equivalente
Desinencia de terminación que se usa cuando se describe un suceso o hecho del presente.

그 여자+는 집+으로 가+는 내내 창백하+ㄴ 얼굴+로 멍하니 창밖+을 바라보+[고 있]+었+다. **창백한**

• **그 (determinante)** : 앞에서 이미 이야기한 대상을 가리킬 때 쓰는 말.
ese
Expresión usada para designar algo que se acaba de mencionar.

• **여자 (sustantivo)** : 여성으로 태어난 사람.
mujer
Persona del sexo femenino.

• 는 : 문장 속에서 어떤 대상이 화제임을 나타내는 조사.
No hay expresión equivalente
Posposición que muestra que el referente es el tópico de una oración.

• **집 (sustantivo)** : 사람이나 동물이 추위나 더위 등을 막고 그 속에 들어 살기 위해 지은 건물.
casa, vivienda, hogar
Edificio que construye una persona o un animal para bloquear el frío o el calor y vivir dentro del mismo.

• 으로 : 움직임의 방향을 나타내는 조사.
No hay expresión equivalente
Posposición que se usa para indicar la dirección del movimiento.

• **가다 (verbo)** : 한 곳에서 다른 곳으로 장소를 이동하다.
Ir
Trasladarse de un lugar a otro.

• -는 : 앞의 말이 관형어의 기능을 하게 만들고 사건이나 동작이 현재 일어남을 나타내는 어미.
No hay expresión equivalente
Desinencia que hace que la palabra antecedente ejerza la función de un componente determinante, e indica que un suceso o una acción se produce en el presente.

• **내내 (adverbio)** : 처음부터 끝까지 계속해서.
todo el tiempo, siempre, desde el principio hasta el fin, continuamente
Desde el comienzo hasta el final, sin interrupción.

• **창백하다 (adjetivo)** : 얼굴이나 피부가 푸른빛이 돌 만큼 핏기 없이 하얗다.
pálido
Que no tiene o ha perdido el color rosado de la cara y está blanco.

• -ㄴ : 앞의 말이 관형어의 기능을 하게 만들고 현재의 상태를 나타내는 어미.
No hay expresión equivalente
Desinencia que hace que la palabra antecedente ejerza la función de un componente determinante, e indica que el estado del presente.

• **얼굴 (sustantivo)** : 어떠한 심리 상태가 겉으로 드러난 표정.
rostro, cara
Expresión facial que demuestra un estado psicológico.

• 로 : 어떤 일의 방법이나 방식을 나타내는 조사.
No hay expresión equivalente
Posposición que indica el método o la forma de cierto lugar.

• **멍하니 (adverbio)** : 정신이 나간 것처럼 가만히.
abobadamente, distraídamente
Quietamente, como si hubiera perdido la razón.

• **창밖 (sustantivo)** : 창문의 밖.
fuera de la ventana
Fuera de la ventana.

• 을 : 동작이 직접적으로 영향을 미치는 대상을 나타내는 조사.
No hay expresión equivalente
Posposición que se usa para indicar el objeto que ha sido influido directamente por una acción.

• **바라보다 (verbo)** : 바로 향해 보다.
mirar, ver
Dirigir la vista rectamente.

• -고 있다 : 앞의 말이 나타내는 행동이 계속 진행됨을 나타내는 표현.
No hay expresión equivalente
Expresión que indica que la acción que representa la parte anterior de la cláusula continúa.

• -었- : 어떤 사건이 과거에 완료되었거나 그 사건의 결과가 현재까지 지속되는 상황을 나타내는 어미.
No hay expresión equivalente
Desinencia que se usa cuando cierto suceso fue acabado en el pasado o cuando el resultado de ese suceso continúa hasta el presente.

• -다 : 어떤 사건이나 사실, 상태를 서술함을 나타내는 종결 어미.
No hay expresión equivalente
Desinencia de terminación que se usa cuando se describe un suceso o hecho del presente.

이윽고 택시+는 여자+의 집+에 <u>도착하+였+다</u>. **도착했다**

• **이윽고 (adverbio)** : 시간이 얼마쯤 흐른 뒤에 드디어.
después de un rato, al cabo de un rato, luego
Poco después de transcurrir el tiempo.

• **택시 (sustantivo)** : 돈을 받고 손님이 원하는 곳까지 태워 주는 일을 하는 승용차.
taxi
Vehículo que lleva a los pasajeros hasta su destino a cambio de dinero.

• 는 : 문장 속에서 어떤 대상이 화제임을 나타내는 조사.
No hay expresión equivalente
Posposición que muestra que el referente es el tópico de una oración.

• **여자 (sustantivo)** : 여성으로 태어난 사람.
mujer
Persona del sexo femenino.

• 의 : 앞의 말이 뒤의 말에 대하여 소유, 소속, 소재, 관계, 기원, 주체의 관계를 가짐을 나타내는 조사.
No hay expresión equivalente
Posposición que se usa para indicar que la palabra anterior tiene una relación de posesión, pertenencia, integración, conexión, procedencia, sujeto con la posterior.

• **집 (sustantivo)** : 사람이나 동물이 추위나 더위 등을 막고 그 속에 들어 살기 위해 지은 건물.
casa, vivienda, hogar
Edificio que construye una persona o un animal para bloquear el frío o el calor y vivir dentro del mismo.

• 에 : 앞말이 목적지이거나 어떤 행위의 진행 방향임을 나타내는 조사.
No hay expresión equivalente
Posposición que se usa cuando la palabra anterior indica el destino o la dirección de avance de cierta acción.

• **도착하다 (verbo)** : 목적지에 다다르다.
llegar
Arribar a un determinado lugar.

• -였- : 어떤 사건이 과거에 완료되었거나 그 사건의 결과가 현재까지 지속되는 상황을 나타내는 어미.
No hay expresión equivalente
Desinencia que se usa cuando cierto suceso fue acabado en el pasado o cuando el resultado de ese suceso continúa hasta el presente.

• -다 : 어떤 사건이나 사실, 상태를 서술함을 나타내는 종결 어미.
No hay expresión equivalente
Desinencia de terminación que se usa cuando se describe un suceso o hecho del presente.

여자 : 기사+님, 잠시+만 기다리+[어 주]+세요. 기다려 주세요

• **기사 (sustantivo)** : 직업적으로 자동차나 기계 등을 운전하는 사람.
chofer, conductor
Persona cuyo oficio es manera un automóvil o una máquina.

• 님 : '높임'의 뜻을 더하는 접미사.
No hay expresión equivalente
Sufijo que añade tono honorífico.

• **잠시 (adverbio)** : 잠깐 동안에.
momentáneamente
Por un momento.

• 만 : 무엇을 강조하는 뜻을 나타내는 조사.
No hay expresión equivalente
Posposición que indica énfasis en algo.

• **기다리다 (verbo)** : 사람, 때가 오거나 어떤 일이 이루어질 때까지 시간을 보내다.
esperar, aguardar, permanecer, quedarse
Dejar pasar el tiempo hasta que llegue una persona o una oportunidad, o se realice cierto hecho.

• -어 주다 : 남을 위해 앞의 말이 나타내는 행동을 함을 나타내는 표현.
No hay expresión equivalente
Expresión que indica la realización de una acción que indica el comentario anterior para el bien del otro.

• -세요 : (두루높임으로) 설명, 의문, 명령, 요청의 뜻을 나타내는 종결 어미.
No hay expresión equivalente
(TRATAMIENTO HONORÍFICO GENERAL) Desinencia de terminación que se usa cuando se manifiesta el sentido de explicación, duda, orden, reclamación, etc.

여자 : 집+에 들어가+(아)서 택시+비 금방 가지+고 나오+ㄹ게요. **들어가서 나올게요**

• **집 (sustantivo)** : 사람이나 동물이 추위나 더위 등을 막고 그 속에 들어 살기 위해 지은 건물.
casa, vivienda, hogar
Edificio que construye una persona o un animal para bloquear el frío o el calor y vivir dentro del mismo.

• 에 : 앞말이 목적지이거나 어떤 행위의 진행 방향임을 나타내는 조사.
No hay expresión equivalente
Posposición que se usa cuando la palabra anterior indica el destino o la dirección de avance de cierta acción.

• **들어가다 (verbo)** : 밖에서 안으로 향하여 가다.
entrar
Pasar de fuera hacia adentro.

• -아서 : 앞의 말과 뒤의 말이 순차적으로 일어남을 나타내는 연결 어미.
No hay expresión equivalente
Desinencia conectora que se usa cuando la palabra anterior y la posterior ocurren consecutivamente.

• **택시 (sustantivo)** : 돈을 받고 손님이 원하는 곳까지 태워 주는 일을 하는 승용차.
taxi
Vehículo que lleva a los pasajeros hasta su destino a cambio de dinero.

• 비 : '비용', '돈'의 뜻을 더하는 접미사.
No hay expresión equivalente
Sufijo que añade el significado de 'coste' o 'dinero'.

• **금방 (adverbio)** : 시간이 얼마 지나지 않아 곧바로.
en seguida, pronto, dentro de poco, inmediatamente
Inmediatamente, sin que transcurra mucho tiempo.

• **가지다 (verbo)** : 무엇을 손에 쥐거나 몸에 지니다.
tener
Asir alguna cosa con la mano o llevar algo en el cuerpo.

• -고 : 앞의 말과 뒤의 말이 차례대로 일어남을 나타내는 연결 어미.
No hay expresión equivalente
Desinencia conectora que se usa cuando la palabra anterior y la posterior se producen sucesivamente.

• **나오다 (verbo)** : 안에서 밖으로 오다.
salir, partir, marchar, ausentarse
Pasar de dentro a fuera.

• -ㄹ게요 : (두루높임으로) 말하는 사람이 어떤 행동을 할 것을 듣는 사람에게 약속하거나 의지를 나타내는 표현.
No hay expresión equivalente
(TRATAMIENTO HONORÍFICO GENERAL) Expresión que se usa para prometer o anunciar al oyente una acción que realizará el hablante.

하지만 한참+을 기다리+어도 여자+가 돌아오+[지 않]+자 화+가 나+ㄴ 택시 기사+는 그 집 문+을
기다려도 **난**

두드리+었+고, 잠시 후 안+에서 중년+의 남자+가 나오+았+다.
두드렸고 **나왔다**

• **하지만 (adverbio)** : 내용이 서로 반대인 두 개의 문장을 이어 줄 때 쓰는 말.
pero, sin embargo
Palabra que se utiliza para contraponer dos oraciones de contenidos opuestos.

• **한참 (sustantivo)** : 시간이 꽤 지나는 동안.
mucho tiempo
Lapso de un tiempo bastante largo.

• 을 : 동작 대상의 수량이나 동작의 순서를 나타내는 조사.
No hay expresión equivalente
Posposición que indica la cantidad o el orden en que se realiza una acción

• **기다리다 (verbo)** : 사람, 때가 오거나 어떤 일이 이루어질 때까지 시간을 보내다.
esperar, aguardar, permanecer, quedarse
Dejar pasar el tiempo hasta que llegue una persona o una oportunidad, o se realice cierto hecho.

• -어도 : 앞에 오는 말을 가정하거나 인정하지만 뒤에 오는 말에는 관계가 없거나 영향을 끼치지 않음을 나타내는 연결 어미.
No hay expresión equivalente
Desinencia conectora que se usa cuando se conjetura o se acepta el contenido anterior pero no se relaciona con el contenido posterior ni influye en él.

• **여자 (sustantivo)** : 여성으로 태어난 사람.
mujer
Persona del sexo femenino.

• 가 : 어떤 상태나 상황에 놓인 대상이나 동작의 주체를 나타내는 조사.
No hay expresión equivalente
Posposición que se usa para indicar el objeto de cierto estado o situación o el agente de un movimiento.

• **돌아오다 (verbo)** : 원래 있던 곳으로 다시 오거나 다시 그 상태가 되다.
regresar, volver
Retornar al lugar de donde se partió o al estado que antes se tenía.

• -지 않다 : 앞의 말이 나타내는 행위나 상태를 부정하는 뜻을 나타내는 표현.
No hay expresión equivalente
Expresión para negar la acción o la situación de lo que se mencionó anteriormente.

• -자 : 앞에 오는 말이 뒤에 오는 말의 원인이나 동기가 됨을 나타내는 연결 어미.
No hay expresión equivalente
Desinencia conectora que se usa cuando el contenido anterior es una causa o motivo del contenido posterior.

• **화 (sustantivo)** : 몹시 못마땅하거나 노여워하는 감정.
cólera, ira
Pasión del alma que causa indignación y enojo.

• 가 : 어떤 상태나 상황에 놓인 대상이나 동작의 주체를 나타내는 조사.
No hay expresión equivalente
Posposición que se usa para indicar el objeto de cierto estado o situación o el agente de un movimiento.

• **나다 (verbo)** : 어떤 감정이나 느낌이 생기다.
surgirse, producirse, generarse, ocasionarse, suscitarse
Producirse algún sentimiento o alguna sensación.

• -ㄴ : 앞의 말이 관형어의 기능을 하게 만들고 사건이나 동작이 완료되어 그 상태가 유지되고 있음을 나타내는 어미.

No hay expresión equivalente

Desinencia que hace que la palabra antecedente ejerza la función de una palabra determinante, e indica que un suceso o una acción se mantiene en el mismo estado que cuando concluyó en un momento del pasado.

• **택시 (sustantivo)** : 돈을 받고 손님이 원하는 곳까지 태워 주는 일을 하는 승용차.

taxi

Vehículo que lleva a los pasajeros hasta su destino a cambio de dinero.

• **기사 (sustantivo)** : 직업적으로 자동차나 기계 등을 운전하는 사람.

chofer, conductor

Persona cuyo oficio es manera un automóvil o una máquina.

• 는 : 문장 속에서 어떤 대상이 화제임을 나타내는 조사.

No hay expresión equivalente

Posposición que muestra que el referente es el tópico de una oración.

• **그 (determinante)** : 앞에서 이미 이야기한 대상을 가리킬 때 쓰는 말.

ese

Expresión usada para designar algo que se acaba de mencionar.

• **집 (sustantivo)** : 사람이나 동물이 추위나 더위 등을 막고 그 속에 들어 살기 위해 지은 건물.

casa, vivienda, hogar

Edificio que construye una persona o un animal para bloquear el frío o el calor y vivir dentro del mismo.

• **문 (sustantivo)** : 사람이 안과 밖을 드나들거나 물건을 넣고 꺼낼 수 있게 하기 위해 열고 닫을 수 있도록 만든 시설.

puerta, portón, entrada

Instalación que se abre y se cierra, creada para que la persona pueda entrar y salir o para guardar y sacar cosas.

• 을 : 동작이 직접적으로 영향을 미치는 대상을 나타내는 조사.

No hay expresión equivalente

Posposición que se usa para indicar el objeto que ha sido influido directamente por una acción.

• **두드리다 (verbo)** : 소리가 나도록 잇따라 치거나 때리다.

golpear

Dar uno o varios golpes a algo de modo que se produzcan ruidos.

• -었- : 어떤 사건이 과거에 완료되었거나 그 사건의 결과가 현재까지 지속되는 상황을 나타내는 어미.
No hay expresión equivalente
Desinencia que se usa cuando cierto suceso fue acabado en el pasado o cuando el resultado de ese suceso continúa hasta el presente.

• -고 : 앞의 말과 뒤의 말이 차례대로 일어남을 나타내는 연결 어미.
No hay expresión equivalente
Desinencia conectora que se usa cuando la palabra anterior y la posterior se producen sucesivamente.

• **잠시 (sustantivo)** : 잠깐 동안.
momento, instante, segundo, santiamén
Breve tiempo.

• **후 (sustantivo)** : 얼마만큼 시간이 지나간 다음.
después, luego
Algún tiempo después de un punto específico en el tiempo.

• **안 (sustantivo)** : 어떤 물체나 공간의 둘레에서 가운데로 향한 쪽. 또는 그러한 부분.
interior
Dirección hacia el centro o parte céntrica en oposición a la periferia de cierto cuerpo o espacio.

• 에서 : 앞말이 출발점의 뜻을 나타내는 조사.
No hay expresión equivalente
Posposición que se usa para indicar que la palabra anterior implica el punto de partida.

• **중년 (sustantivo)** : 마흔 살 전후의 나이. 또는 그 나이의 사람.
mediana edad
Edad un poco antes y después de los cuarenta años. O persona que tiene esa edad.

• 의 : 앞의 말이 뒤의 말에 대하여 속성이나 수량을 한정하거나 같은 자격임을 나타내는 조사.
No hay expresión equivalente
Posposición que se usa para indicar que la palabra anterior limita el atributo o la cantidad a la posterior; o que estas son de mismo atributo.

• **남자 (sustantivo)** : 남성으로 태어난 사람.
hombre, varón
Persona que nace como hombre.

• 가 : 어떤 상태나 상황에 놓인 대상이나 동작의 주체를 나타내는 조사.
No hay expresión equivalente
Posposición que se usa para indicar el objeto de cierto estado o situación o el agente de un movimiento.

• **나오다 (verbo)** : 안에서 밖으로 오다.
salir, partir, marchar, ausentarse
Pasar de dentro a fuera.

• -았- : 어떤 사건이 과거에 완료되었거나 그 사건의 결과가 현재까지 지속되는 상황을 나타내는 어미.
No hay expresión equivalente
Desinencia que se usa cuando cierto suceso fue acabado en el pasado o cuando el resultado de ese suceso continúa hasta el presente.

• -다 : 어떤 사건이나 사실, 상태를 서술함을 나타내는 종결 어미.
No hay expresión equivalente
Desinencia de terminación que se usa cuando se describe un suceso o hecho del presente.

택시 기사+가 자초지종+을 얘기하+자 남자+는 깜짝 놀라+며 안+으로 들어가+았+다가 사진 한 장+을 **들어갔다가** 들+고 나오+아 택시 기사+한테 묻(물)+었+다. **나와** **물었다**

• **택시 (sustantivo)** : 돈을 받고 손님이 원하는 곳까지 태워 주는 일을 하는 승용차.
taxi
Vehículo que lleva a los pasajeros hasta su destino a cambio de dinero.

• **기사 (sustantivo)** : 직업적으로 자동차나 기계 등을 운전하는 사람.
chofer, conductor
Persona cuyo oficio es manera un automóvil o una máquina.

• 가 : 어떤 상태나 상황에 놓인 대상이나 동작의 주체를 나타내는 조사.
No hay expresión equivalente
Posposición que se usa para indicar el objeto de cierto estado o situación o el agente de un movimiento.

• **자초지종 (sustantivo)** : 처음부터 끝까지의 모든 과정.
todo lo ocurrido
Desde el inicio hasta el fin de todo el proceso.

• 을 : 동작이 직접적으로 영향을 미치는 대상을 나타내는 조사.
No hay expresión equivalente
Posposición que se usa para indicar el objeto que ha sido influido directamente por una acción.

• **얘기하다 (verbo)** : 어떠한 사실이나 상태, 현상, 경험, 생각 등에 관해 누군가에게 말을 하다.
contar, relatar, narrar, referir, detallar, expresar
Referir cierto hecho, estado, fenómeno, experiencia, pensamiento, etc. a alguien.

• -자 : 앞에 오는 말이 뒤에 오는 말의 원인이나 동기가 됨을 나타내는 연결 어미.
No hay expresión equivalente
Desinencia conectora que se usa cuando el contenido anterior es una causa o motivo del contenido posterior.

• **남자 (sustantivo)** : 남성으로 태어난 사람.
hombre, varón
Persona que nace como hombre.

• 는 : 문장 속에서 어떤 대상이 화제임을 나타내는 조사.
No hay expresión equivalente
Posposición que muestra que el referente es el tópico de una oración.

• **깜짝 (adverbio)** : 갑자기 놀라는 모양.
asustándose de repente, quedándose repentinamente atónito
Modo en que alguien se asusta de súbito.

• **놀라다 (verbo)** : 뜻밖의 일을 당하거나 무서워서 순간적으로 긴장하거나 가슴이 뛰다.
asustar, sorprender, atemorizar, aterrar, espantar
Latir el corazón o ponerse tenso repentinamente por temor y un hecho inesperado.

• -며 : 두 가지 이상의 동작이나 상태가 함께 일어남을 나타내는 연결 어미.
No hay expresión equivalente
Desinencia conectora que se usa cuando se realizan más de dos acciones, estados, hechos, etc. al mismo tiempo.

• **안 (sustantivo)** : 어떤 물체나 공간의 둘레에서 가운데로 향한 쪽. 또는 그러한 부분.
interior
Dirección hacia el centro o parte céntrica en oposición a la periferia de cierto cuerpo o espacio.

• 으로 : 움직임의 방향을 나타내는 조사.
No hay expresión equivalente
Posposición que se usa para indicar la dirección del movimiento.

• **들어가다 (verbo)** : 밖에서 안으로 향하여 가다.
entrar
Pasar de fuera hacia adentro.

• -았- : 어떤 사건이 과거에 완료되었거나 그 사건의 결과가 현재까지 지속되는 상황을 나타내는 어미.
No hay expresión equivalente
Desinencia que se usa cuando cierto suceso fue acabado en el pasado o cuando el resultado de ese suceso continúa hasta el presente.

• -다가 : 어떤 행동이나 상태 등이 중단되고 다른 행동이나 상태로 바뀜을 나타내는 연결 어미.
No hay expresión equivalente
Desinencia conectora que se usa cuando se suspende cierta acción o estado se suspende y se convierte en otra acción o estado.

• **사진 (sustantivo)** : 사물의 모습을 오래 보존할 수 있도록 사진기로 찍어 종이나 컴퓨터 등에 나타낸 영상.
fotografía, foto
Imagen que aparece en computadora o papel al tomarla a través de una cámara para conservar un objeto por mucho tiempo.

• **한 (determinante)** : 하나의.
No hay expresión equivalente
uno

• **장 (sustantivo)** : 종이나 유리와 같이 얇고 넓적한 물건을 세는 단위.
No hay expresión equivalente
Unidad de conteo de cosas finas y planas como el papel, el vidrio, etc.

• 을 : 동작이 직접적으로 영향을 미치는 대상을 나타내는 조사.
No hay expresión equivalente
Posposición que se usa para indicar el objeto que ha sido influido directamente por una acción.

• **들다 (verbo)** : 손에 가지다.
tomar
Coger, asir con la mano una cosa.

• -고 : 앞의 말이 나타내는 행동이나 그 결과가 뒤에 오는 행동이 일어나는 동안에 그대로 지속됨을 나타내는 연결 어미.
No hay expresión equivalente
Desinencia conectora que se usa cuando la acción y su resultado que indica la palabra anterior siguen igual que durante el desarrollo de la acción que viene después.

• **나오다 (verbo)** : 안에서 밖으로 오다.
salir, partir, marchar, ausentarse
Pasar de dentro a fuera.

• -아 : 앞의 말이 뒤의 말보다 먼저 일어났거나 뒤의 말에 대한 방법이나 수단이 됨을 나타내는 연결 어미.
No hay expresión equivalente
Desinencia conectora que se usa cuando la palabra anterior se realiza antes de que la posterior, o es un método o medio de la palabra posterior.

• **택시** (sustantivo) : 돈을 받고 손님이 원하는 곳까지 태워 주는 일을 하는 승용차.
taxi
Vehículo que lleva a los pasajeros hasta su destino a cambio de dinero.

• **기사** (sustantivo) : 직업적으로 자동차나 기계 등을 운전하는 사람.
chofer, conductor
Persona cuyo oficio es manera un automóvil o una máquina.

• 한테 : 어떤 행동이 미치는 대상임을 나타내는 조사.
No hay expresión equivalente
Posposición que se usa para indicar el objeto de una acción.

• **묻다** (verbo) : 대답이나 설명을 요구하며 말하다.
preguntar
Hacer preguntas a alguien exigiendo su respuesta o explicación.

• -었- : 어떤 사건이 과거에 완료되었거나 그 사건의 결과가 현재까지 지속되는 상황을 나타내는 어미.
No hay expresión equivalente
Desinencia que se usa cuando cierto suceso fue acabado en el pasado o cuando el resultado de ese suceso continúa hasta el presente.

• -다 : 어떤 사건이나 사실, 상태를 서술함을 나타내는 종결 어미.
No hay expresión equivalente
Desinencia de terminación que se usa cuando se describe un suceso o hecho del presente.

남자 : 혹시 그 여자+가 이 아이+이+었+습니까?
아이였습니까

• **혹시** (adverbio) : 그러리라 생각하지만 분명하지 않아 말하기를 망설일 때 쓰는 말.
a lo mejor, puede ser, por las dudas
Palabra que se usa para dudar de cosas de las que no se está seguro, pese a que se piense que podrían ser así.

• **그** (determinante) : 앞에서 이미 이야기한 대상을 가리킬 때 쓰는 말.
ese
Expresión usada para designar algo que se acaba de mencionar.

• **여자 (sustantivo)** : 여성으로 태어난 사람.
mujer
Persona del sexo femenino.

• 가 : 어떤 상태나 상황에 놓인 대상이나 동작의 주체를 나타내는 조사.
No hay expresión equivalente
Posposición que se usa para indicar el objeto de cierto estado o situación o el agente de un movimiento.

• **이 (determinante)** : 말하는 사람에게 가까이 있거나 말하는 사람이 생각하고 있는 대상을 가리킬 때 쓰는 말.
este
Palabra que se utiliza para designar al sujeto sobre el que se está pensando o se encuentra cerca de la persona que está hablando.

• **아이 (sustantivo)** : (낮추는 말로) 자기의 자식.
niño, nene, chico
(EXPRESIÓN DE HUMILDAD) Hijo de uno mismo.

• 이다 : 주어가 지시하는 대상의 속성이나 부류를 지정하는 뜻을 나타내는 서술격 조사.
No hay expresión equivalente
Posposición de caso atributivo, que se usa para designar el atributo o la clase del objeto al que se refiere el sujeto.

• -었- : 어떤 사건이 과거에 완료되었거나 그 사건의 결과가 현재까지 지속되는 상황을 나타내는 어미.
No hay expresión equivalente
Desinencia que se usa cuando cierto suceso fue acabado en el pasado o cuando el resultado de ese suceso continúa hasta el presente.

• -습니까 : (아주높임으로) 말하는 사람이 듣는 사람에게 정중하게 물음을 나타내는 종결 어미.
No hay expresión equivalente
(TRATAMIENTO HONORÍFICO MÁXIMO) Desinencia de terminación que se usa cuando el hablante interroga respetuosamente al oyente.

택시 기사 : 네, 맞+아요.

• **네 (interjección)** : 윗사람의 물음이나 명령 등에 긍정하여 대답할 때 쓰는 말.
sí
Exclamación para responder positivamente a una pregunta u orden de un mayor.

• **맞다 (verbo)** : 그렇거나 옳다.
acertarse
Hacerse una cosa conforme a la razón.

• -아요 : (두루높임으로) 어떤 사실을 서술하거나 질문, 명령, 권유함을 나타내는 종결 어미.
No hay expresión equivalente
(TRATAMIENTO HONORÍFICO GENERAL) Desinencia de terminación que se usa cuando se describe cierto hecho; o pregunta, ordena o reclama algo.

남자 : 아이고, 오늘+이 너+의 제삿날+이+[ㄴ 줄] 알+고 오+았+구나!
네 제삿날인 줄 왔구나

• **아이고 (interjección)** : 절망하거나 매우 속상하여 한숨을 쉬면서 내는 소리.
¡ay!, ¡caramba!, ¡qué lástima!
Interjección que se usa lanzando un suspiro cuando uno está desesperado o muy enojado.

• **오늘 (sustantivo)** : 지금 지나가고 있는 이날.
hoy
Día actual que está transcurriendo ahora.

• 이 : 어떤 상태나 상황에 놓인 대상이나 동작의 주체를 나타내는 조사.
No hay expresión equivalente
Posposición que se usa para indicar el objeto de cierto estado o situación o el agente de un movimiento.

• **너 (pronombre)** : 듣는 사람이 친구나 아랫사람일 때, 그 사람을 가리키는 말.
tú, vos
Pronombre que designa al oyente cuando éste es de la misma edad o menor que el hablante.

• 의 : 앞의 말이 뒤의 말에 대하여 소유, 소속, 소재, 관계, 기원, 주체의 관계를 가짐을 나타내는 조사.
No hay expresión equivalente
Posposición que se usa para indicar que la palabra anterior tiene una relación de posesión, pertenencia, integración, conexión, procedencia, sujeto con la posterior.

• **제삿날 (sustantivo)** : 제사를 지내는 날.
día de ritos ancestrales
Día en el que se practican los ritos ancestrales.

• 이다 : 주어가 지시하는 대상의 속성이나 부류를 지정하는 뜻을 나타내는 서술격 조사.
No hay expresión equivalente
Posposición de caso atributivo, que se usa para designar el atributo o la clase del objeto al que se refiere el sujeto.

• -ㄴ 줄 : 어떤 사실이나 상태에 대해 알고 있거나 모르고 있음을 나타내는 표현.
No hay expresión equivalente
Expresión que se usa para mostrar haber conocido o desconocido algo.

• **알다 (verbo)** : 교육이나 경험, 생각 등을 통해 사물이나 상황에 대한 정보 또는 지식을 갖추다.
saber, conocer, aprender
Adquirir un conocimiento o una información sobre la situación de un objeto mediante la educación, experiencia o pensamiento.

• -고 : 앞의 말이 나타내는 행동이나 그 결과가 뒤에 오는 행동이 일어나는 동안에 그대로 지속됨을 나타내는 연결 어미.
No hay expresión equivalente
Desinencia conectora que se usa cuando la acción y su resultado que indica la palabra anterior siguen igual que durante el desarrollo de la acción que viene después.

• **오다 (verbo)** : 무엇이 다른 곳에서 이곳으로 움직이다.
venir, llegar
Trasladarse de otro lugar a donde está la persona que habla.

• -았- : 어떤 사건이 과거에 완료되었거나 그 사건의 결과가 현재까지 지속되는 상황을 나타내는 어미.
No hay expresión equivalente
Desinencia que se usa cuando cierto suceso fue acabado en el pasado o cuando el resultado de ese suceso continúa hasta el presente.

• -구나 : (아주낮춤으로) 새롭게 알게 된 사실에 어떤 느낌을 실어 말함을 나타내는 종결 어미.
No hay expresión equivalente
(TRATAMIENTO DE MODESTIA MÁXIMA) Desinencia de terminación que se usa cuando se suma cierto sentimiento en el nuevo hecho enterado.

흐느끼+는 남자+의 모습+을 보+ㄴ 택시 기사+는 순간 무섭(무서우)+었+는지 그냥
본 **무서웠는지**

도망가+[(아) 버리]+었+다.
도망가 버렸다

• **흐느끼다 (verbo)** : 몹시 슬프거나 감격에 겨워 흑흑 소리를 내며 울다.
llorar, sollozo
Llorar con sollozos estando muy triste o conmocionado.

• -는 : 앞의 말이 관형어의 기능을 하게 만들고 사건이나 동작이 현재 일어남을 나타내는 어미.
No hay expresión equivalente
Desinencia que hace que la palabra antecedente ejerza la función de un componente determinante, e indica que un suceso o una acción se produce en el presente.

• **남자 (sustantivo)** : 남성으로 태어난 사람.
hombre, varón
Persona que nace como hombre.

• 의 : 앞의 말이 뒤의 말에 대하여 소유, 소속, 소재, 관계, 기원, 주체의 관계를 가짐을 나타내는 조사.
No hay expresión equivalente
Posposición que se usa para indicar que la palabra anterior tiene una relación de posesión, pertenencia, integración, conexión, procedencia, sujeto con la posterior.

• **모습 (sustantivo)** : 겉으로 드러난 상태나 모양.
forma, aspecto, estructura, configuración
Forma o estado que se muestra por fuera.

• 을 : 동작이 직접적으로 영향을 미치는 대상을 나타내는 조사.
No hay expresión equivalente
Posposición que se usa para indicar el objeto que ha sido influido directamente por una acción.

• **보다 (verbo)** : 눈으로 대상의 존재나 겉모습을 알다.
ver, mirar, observar
Percibir por los ojos la existencia o la apariencia de un objeto.

• -ㄴ : 앞의 말이 관형어의 기능을 하게 만들고 사건이나 동작이 완료되어 그 상태가 유지되고 있음을 나타내는 어미.
No hay expresión equivalente
Desinencia que hace que la palabra antecedente ejerza la función de una palabra determinante, e indica que un suceso o una acción se mantiene en el mismo estado que cuando concluyó en un momento del pasado.

• **택시 (sustantivo)** : 돈을 받고 손님이 원하는 곳까지 태워 주는 일을 하는 승용차.
taxi
Vehículo que lleva a los pasajeros hasta su destino a cambio de dinero.

• **기사 (sustantivo)** : 직업적으로 자동차나 기계 등을 운전하는 사람.
chofer, conductor
Persona cuyo oficio es manera un automóvil o una máquina.

• 는 : 문장 속에서 어떤 대상이 화제임을 나타내는 조사.
No hay expresión equivalente
Posposición que muestra que el referente es el tópico de una oración.

• **순간 (sustantivo)** : 어떤 일이 일어나거나 어떤 행동이 이루어지는 바로 그때.
instante
Tiempo que se realiza en el momento de ocurrir cierta cosa o acción.

• **무섭다 (adjetivo)** : 어떤 사람이나 상황이 대하기 어렵거나 피하고 싶다.
terrible, espantoso, horrible, temible
Que encuentra difícil o quiere evitar encarar a una determinada persona o situación.

• -었- : 어떤 사건이 과거에 완료되었거나 그 사건의 결과가 현재까지 지속되는 상황을 나타내는 어미.
No hay expresión equivalente
Desinencia que se usa cuando cierto suceso fue acabado en el pasado o cuando el resultado de ese suceso continúa hasta el presente.

• -는지 : 뒤에 오는 말의 내용에 대한 막연한 이유나 판단을 나타내는 연결 어미.
No hay expresión equivalente
Desinencia conectora que se usa cuando se indica una razón o un juicio vago sobre el contenido de la palabra posterior.

• **그냥** (adverbio) : 아무 것도 하지 않고 있는 그대로.
tal como está
Tal y como está, sin hacer nada.

• **도망가다** (verbo) : 피하거나 쫓기어 달아나다.
escaparse, irse
Apartarse de prisa de alguien o de algo para alejarse de un peligro o una molestia.

• -아 버리다 : 앞의 말이 나타내는 행동이 완전히 끝났음을 나타내는 표현.
No hay expresión equivalente
Expresión que indica que la acción que indica el comentario anterior ha finalizado completamente.

• -었- : 어떤 사건이 과거에 완료되었거나 그 사건의 결과가 현재까지 지속되는 상황을 나타내는 어미.
No hay expresión equivalente
Desinencia que se usa cuando cierto suceso fue acabado en el pasado o cuando el resultado de ese suceso continúa hasta el presente.

• -다 : 어떤 사건이나 사실, 상태를 서술함을 나타내는 종결 어미.
No hay expresión equivalente
Desinencia de terminación que se usa cuando se describe un suceso o hecho del presente.

그때 여자+가 나오+며 하+는 말.

• **그때** (sustantivo) : 앞에서 이야기한 어떤 때.
ese momento, en ese entonces
Cierto momento mencionado con anterioridad.

• **여자** (sustantivo) : 여성으로 태어난 사람.
mujer
Persona del sexo femenino.

• 가 : 어떤 상태나 상황에 놓인 대상이나 동작의 주체를 나타내는 조사.
No hay expresión equivalente
Posposición que se usa para indicar el objeto de cierto estado o situación o el agente de un movimiento.

• **나오다** (verbo) : 안에서 밖으로 오다.
salir, partir, marchar, ausentarse
Pasar de dentro a fuera.

• -며 : 두 가지 이상의 동작이나 상태가 함께 일어남을 나타내는 연결 어미.
No hay expresión equivalente
Desinencia conectora que se usa cuando se realizan más de dos acciones, estados, hechos, etc. al mismo tiempo.

• **하다** (verbo) : 다른 사람의 말이나 생각 등을 나타내는 문장을 받아 뒤에 오는 단어를 꾸미는 말.
No hay expresión equivalente
Lo que acompaña a la palabra que representa un pensamiento o el comentario de la otra persona, que se acaba de mencionar.

• -는 : 앞의 말이 관형어의 기능을 하게 만들고 사건이나 동작이 현재 일어남을 나타내는 어미.
No hay expresión equivalente
Desinencia que hace que la palabra antecedente ejerza la función de un componente determinante, e indica que un suceso o una acción se produce en el presente.

• **말** (sustantivo) : 생각이나 느낌을 표현하고 전달하는 사람의 소리.
habla, palabra,
Voz de una persona que expresa y transmite un pensamiento o un sentimiento.

여자 : 아빠, 나 잘하+였+지?
잘했지

• **아빠** (sustantivo) : 격식을 갖추지 않아도 되는 상황에서 아버지를 이르거나 부르는 말.
papá, papi
Palabra que se usa para referirse o llamar al padre de uno en un entorno informal.

• **나** (pronombre) : 말하는 사람이 친구나 아랫사람에게 자기를 가리키는 말.
yo
Pronombre que usa el hablante para referirse a sí mismo ante alguien de edad igual o menor.

• **잘하다 (verbo)** : 좋고 훌륭하게 하다.
hacer perfectamente
Hacer bien y magníficamente.

• -였- : 어떤 사건이 과거에 완료되었거나 그 사건의 결과가 현재까지 지속되는 상황을 나타내는 어미.
No hay expresión equivalente
Desinencia que se usa cuando cierto suceso fue acabado en el pasado o cuando el resultado de ese suceso continúa hasta el presente.

• -지 : (두루낮춤으로) 말하는 사람이 듣는 사람에게 친근함을 나타내며 물을 때 쓰는 종결 어미.
No hay expresión equivalente
(TRATAMIENTO DE MODESTIA GENERAL) Desinencia de terminación que se usa cuando el hablante interroga íntimamente al oyente.

남자 : 오냐, 다음+부터+는 모범택시+를 타+[도록 하]+여라. 타도록 해라

• **오냐 (interjección)** : 아랫사람의 물음이나 부탁에 긍정하여 대답할 때 하는 말.
sí, bueno
Interjección que se usa para contestar afirmativamente a la pregunta o la petición de una persona de edad o rango menor.

• **다음 (sustantivo)** : 이번 차례의 바로 뒤.
próximo, siguiente
Según un orden de sucesión, el que inmediatamente sigue.

• 부터 : 어떤 일의 시작이나 처음을 나타내는 조사.
No hay expresión equivalente
Posposición que indica el inicio o la partida de cierta cosa.

• 는 : 문장 속에서 어떤 대상이 화제임을 나타내는 조사.
No hay expresión equivalente
Posposición que muestra que el referente es el tópico de una oración.

• **모범택시 (sustantivo)** : 일반 택시보다 시설이 좋고 더 나은 서비스를 제공하며 요금이 비싼 택시.
taxi de lujo
Taxi especial con mejor servicio ya que tiene mejores dispositivos y comodidades que los regulares. Es también más costoso.

• 를 : 동작이 직접적으로 영향을 미치는 대상을 나타내는 조사.
No hay expresión equivalente
Posposición que se usa para indicar el objeto que ha sido influido directamente por una acción.

• **타다 (verbo)** : 탈것이나 탈것으로 이용하는 짐승의 몸 위에 오르다
montar, subir, andar
Subir a algún juego o al cuerpo de un animal que se usa como transporte.

• -도록 하다 : 듣는 사람에게 어떤 행동을 명령하거나 권유할 때 쓰는 표현.
No hay expresión equivalente
Expresión que se usa para dar una orden o sugerencia al oyente de que haga algo.

• -여라 : (아주낮춤으로) 명령을 나타내는 종결 어미.
No hay expresión equivalente
(TRATAMIENTO DE MODESTIA MÁXIMA) Desinencia de terminación que se usa para dar órdenes.

< 15 단원(unidad) >

제목 : 왜 아무런 응답이 없으신가요?

● 본문 (contexto principal)

한 남자가 퇴근한 후에 매일 교회에 가서 눈물을 흘리며 기도를 했다.

남자 : 하나님, 복권에 당첨되게 해 주세요.

하나님, 제발 복권에 한 번만 당첨되게 해 주세요.

그렇게 기도한 지 육 개월이 되었지만 남자의 소원은 이뤄지지 않았다.

남자는 너무나 지쳐서 하나님이 원망스러워지기 시작했다.

남자 : 이렇게까지 기도하는데 못 들은 척하시는 무심한 하나님, 정말 너무하세요.

제가 매일 밤 애원하며 기도했는데 왜 아무런 응답이 없으신가요?

그러자 보다 못해 답답한 하나님께서 남자에게 이렇게 말씀하셨다.

하나님 : 일단 복권을 사란 말이야.

● 발음 (pronunciación)

한 남자가 퇴근한 후에 매일 교회에 가서 눈물을 흘리며 기도를 했다.
한 남자가 퇴근한 후에 매일 교회에 가서 눈무를 흘리며 기도를 핻따.
han namjaga toegeunhan hue maeil gyohoee gaseo nunmureul heullimyeo gidoreul haetda.

남자 : 하나님, 복권에 당첨되게 해 주세요.
남자 : 하나님, 복꿔네 당첨되게 해 주세요.
namja : hananim, bokgwone dangcheomdoege hae juseyo.

하나님, 제발 복권에 한 번만 당첨되게 해 주세요.
하나님, 제발 복꿔네 한 번만 당첨되게 해 주세요.
hananim, jebal bokgwone han beonman dangcheomdoege hae juseyo.

그렇게 기도한 지 육 개월이 되었지만 남자의 소원은 이뤄지지 않았다.
그러케 기도한 지 육 개워리 되얻찌만 남자에 소워는 이뤄지지 아낟따.
geureoke gidohan ji yuk gaewori doeeotjiman namjaui(namjauie) sowoneun irwojiji anatda.

남자는 너무나 지쳐서 하나님이 원망스러워지기 시작했다.
남자는 너무나 지쳐서 하나니미 원망스러워지기 시자캗따.
namjaneun neomuna jicheoseo hananimi wonmangseureowojigi sijakaetda.

남자 : 이렇게까지 기도하는데 못 들은 척하시는 무심한 하나님, 정말 너무하세요.
남자 : 이러케까지 기도하는데 몯 드른 처카시는 무심한 하나님, 정말 너무하세요.
namja : ireokekkaji gidohaneunde mot deureun cheokasineun musimhan hananim, jeongmal neomuhaseyo.

제가 매일 밤 애원하며 기도했는데 왜 아무런 응답이 없으신가요?
제가 매일 밤 애원하며 기도핸는데 왜 아무런 응다비 업쓰신가요?
jega maeil bam aewonhamyeo gidohaenneunde wae amureon eungdabi eopseusingayo?

그러자 보다 못해 답답한 하나님께서 남자에게 이렇게 말씀하셨다.
그러자 보다 모태 답따판 하나님께서 남자에게 이러케 말씀하셛따.
geureoja boda motae dapdapan hananimkkeseo namjaege ireoke malsseumhasyeotda.

하나님 : 일단 복권을 사란 말이야.

하나님 : 일딴 복꿔늘 사란 마리야.

hananim : ildan bokgwoneul saran mariya.

● 어휘 (palabra) / 문법 (gramática)

한 남자+가 퇴근하+ㄴ 후에 매일 교회+에 가+(아)서 눈물+을 흘리+며 기도+를 하+였+다.

남자 : 하나님, 복권+에 당첨되+게 하+여 주+세요.

하나님, 제발 복권+에 한 번+만 당첨되+게 하+여 주+세요.

그렇+게 기도하+ㄴ 지 육 개월+이 되+었+지만 남자+의 소원+은 이루어지+지 않+았+다.

남자+는 너무나 지치+어서 하나님+이 원망스럽(원망스러우)+어지+기 시작하+였+다.

남자 : 이렇+게+까지 기도하+는데 못 듣(들)+은 척하+시+는 무심하+ㄴ 하나님,

정말 너무하+세요.

제+가 매일 밤 애원하+며 기도하+였+는데 왜 아무런 응답+이 없+으시+ㄴ가요?

그리하+자 보+다 못하+여 답답하+ㄴ 하나님+께서 남자+에게 이렇+게 말씀하+시+었+다.

하나님 : 일단 복권+을 사+라는 말+이+야.

한 남자+가 퇴근하+[ㄴ 후에] 매일 교회+에 가+(아)서 눈물+을 흘리+며 기도+를 하+였+다.
퇴근한 후에 가서 했다

• **한** (determinante) : 여럿 중 하나인 어떤.
No hay expresión equivalente
Uno entre varios.

• **남자** (sustantivo) : 남성으로 태어난 사람.
hombre, varón
Persona que nace como hombre.

• 가 : 어떤 상태나 상황에 놓인 대상이나 동작의 주체를 나타내는 조사.
No hay expresión equivalente
Posposición que se usa para indicar el objeto de cierto estado o situación o el agente de un movimiento.

• **퇴근하다** (verbo) : 일터에서 일을 끝내고 집으로 돌아가거나 돌아오다.
retirarse del trabajo, salir de la oficina
Retirarse del trabajo para volver a casa.

• -ㄴ 후에 : 앞에 오는 말이 나타내는 행동을 하고 시간적으로 뒤에 다른 행동을 함을 나타내는 표현.
No hay expresión equivalente
Expresión que denota realizar una acción diferida a la que había realizado antes.

• **매일** (adverbio) : 하루하루마다 빠짐없이.
todos los días, diariamente, día a día
Cada día, sin excepción.

• **교회** (sustantivo) : 예수 그리스도를 구세주로 믿고 따르는 사람들의 공동체. 또는 그런 사람들이 모여 종교 활동을 하는 장소.
iglesia
Comunidad de fieles que creen en Jesucristo como su salvador o lugar donde estas personas se reúnen para sus actividades religiosas.

• 에 : 앞말이 목적지이거나 어떤 행위의 진행 방향임을 나타내는 조사.
No hay expresión equivalente
Posposición que se usa cuando la palabra anterior indica el destino o la dirección de avance de cierta acción.

• **가다** (verbo) : 한 곳에서 다른 곳으로 장소를 이동하다.
Ir
Trasladarse de un lugar a otro.

• -아서 : 앞의 말과 뒤의 말이 순차적으로 일어남을 나타내는 연결 어미.
No hay expresión equivalente
Desinencia conectora que se usa cuando la palabra anterior y la posterior ocurren consecutivamente.

• **눈물 (sustantivo)** : 사람이나 동물의 눈에서 흘러나오는 맑은 액체.
lágrima
Líquido cristalino que segregan los ojos de los seres humanos y animales.

• 을 : 동작이 직접적으로 영향을 미치는 대상을 나타내는 조사.
No hay expresión equivalente
Posposición que se usa para indicar el objeto que ha sido influido directamente por una acción.

• **흘리다 (verbo)** : 몸에서 땀, 눈물, 콧물, 피, 침 등의 액체를 밖으로 내다.
derramar
Expulsar desde el cuerpo de uno hacia afuera el sudor, las lágrimas, los flujos nasales, la sangre, la saliva, etc.

• -며 : 두 가지 이상의 동작이나 상태가 함께 일어남을 나타내는 연결 어미.
No hay expresión equivalente
Desinencia conectora que se usa cuando se realizan más de dos acciones, estados, hechos, etc. al mismo tiempo.

• **기도 (sustantivo)** : 바라는 바가 이루어지도록 절대적 존재 혹은 신앙의 대상에게 비는 것.
rezo, plegaria, oración
Acción de rogar a un ser absoluto u otro objeto de devoción para que se cumpla algo que se desea.

• 를 : 동작이 직접적으로 영향을 미치는 대상을 나타내는 조사.
No hay expresión equivalente
Posposición que se usa para indicar el objeto que ha sido influido directamente por una acción.

• **하다 (verbo)** : 어떤 행동이나 동작, 활동 등을 행하다.
hacer, realizar
Llevar a cabo un acto o una acción.

• -였- : 어떤 사건이 과거에 완료되었거나 그 사건의 결과가 현재까지 지속되는 상황을 나타내는 어미.
No hay expresión equivalente
Desinencia que se usa cuando cierto suceso fue acabado en el pasado o cuando el resultado de ese suceso continúa hasta el presente.

• -다 : 어떤 사건이나 사실, 상태를 서술함을 나타내는 종결 어미.
No hay expresión equivalente
Desinencia de terminación que se usa cuando se describe un suceso o hecho del presente.

남자 : 하나님, 복권+에 당첨되+[게 하]+[여 주]+세요.
당첨되게 해 주세요

• **하나님 (sustantivo)** : 기독교에서 믿는 신을 개신교에서 부르는 이름.
Dios
Nombre por el que los cristianos protestantes coreanos llaman a Dios.

• **복권 (sustantivo)** : 적혀 있는 숫자나 기호가 추첨한 것과 일치하면 상금이나 상품을 받을 수 있게 만든 표.
lotería, billete de lotería
Billete que permite a uno recibir premios en dinero o en mercancías, cuando los números o figuras sacadas al azar en un sorteo coinciden con los del billete.

• 에 : 앞말이 어떤 행위나 작용이 미치는 대상임을 나타내는 조사.
No hay expresión equivalente
Posposición que se usa cuando la palabra anterior es objeto que influye en cierta acción o función.

• **당첨되다 (verbo)** : 여럿 가운데 어느 하나를 골라잡는 추첨에서 뽑히다.
ganar un sorteo
Resultar electo en un sorteo entre varios concursantes.

• -게 하다 : 다른 사람의 어떤 행동을 허용하거나 허락함을 나타내는 표현.
No hay expresión equivalente
Expresión que indica que se ha otorgado permiso o autorización a alguien para realizar cierta acción.

• -여 주다 : 남을 위해 앞의 말이 나타내는 행동을 함을 나타내는 표현.
No hay expresión equivalente
Expresión que indica la realización de una acción que indica el comentario anterior para el bien del otro.

• -세요 : (두루높임으로) 설명, 의문, 명령, 요청의 뜻을 나타내는 종결 어미.
No hay expresión equivalente
(TRATAMIENTO HONORÍFICO GENERAL) Desinencia de terminación que se usa cuando se manifiesta el sentido de explicación, duda, orden, reclamación, etc.

남자 : 하나님, 제발 복권+에 한 번+만 당첨되+[게 하]+[여 주]+세요.
당첨되게 해 주세요

• **하나님 (sustantivo)** : 기독교에서 믿는 신을 개신교에서 부르는 이름.
Dios
Nombre por el que los cristianos protestantes coreanos llaman a Dios.

• **제발 (adverbio)** : 간절히 부탁하는데.
por favor
Formulando ansiosamente una petición.

• **복권 (sustantivo)** : 적혀 있는 숫자나 기호가 추첨한 것과 일치하면 상금이나 상품을 받을 수 있게 만든 표.
lotería, billete de lotería
Billete que permite a uno recibir premios en dinero o en mercancías, cuando los números o figuras sacadas al azar en un sorteo coinciden con los del billete.

• 에 : 앞말이 어떤 행위나 작용이 미치는 대상임을 나타내는 조사.
No hay expresión equivalente
Posposición que se usa cuando la palabra anterior es objeto que influye en cierta acción o función.

• **한 (determinante)** : 하나의.
No hay expresión equivalente
uno

• **번 (sustantivo)** : 일의 횟수를 세는 단위.
vez
Unidad de conteo de número de veces de una cosa.

• 만 : 다른 것은 제외하고 어느 것을 한정함을 나타내는 조사.
No hay expresión equivalente
Posposición que indica la limitación de cierta cosa tras excluir otra cosa.

• **당첨되다 (verbo)** : 여럿 가운데 어느 하나를 골라잡는 추첨에서 뽑히다.
ganar un sorteo
Resultar electo en un sorteo entre varios concursantes.

• -게 하다 : 다른 사람의 어떤 행동을 허용하거나 허락함을 나타내는 표현.
No hay expresión equivalente
Expresión que indica que se ha otorgado permiso o autorización a alguien para realizar cierta acción.

• -여 주다 : 남을 위해 앞의 말이 나타내는 행동을 함을 나타내는 표현.
No hay expresión equivalente
Expresión que indica la realización de una acción que indica el comentario anterior para el bien del otro.

• -세요 : (두루높임으로) 설명, 의문, 명령, 요청의 뜻을 나타내는 종결 어미.
No hay expresión equivalente
(TRATAMIENTO HONORÍFICO GENERAL) Desinencia de terminación que se usa cuando se manifiesta el sentido de explicación, duda, orden, reclamación, etc.

그렇+게 기도하+[ㄴ 지] 육 개월+이 되+었+지만 남자+의 소원+은 이루어지+[지 않]+았+다.
기도한 지   **이뤄지지 않았다**

• **그렇다 (adjetivo)** : 상태, 모양, 성질 등이 그와 같다.
tal, semejante
Que es de tal estado, forma o naturaleza.

• -게 : 앞의 말이 뒤에서 가리키는 일의 목적이나 결과, 방식, 정도 등이 됨을 나타내는 연결 어미.
No hay expresión equivalente
Desinencia conectora que se usa cuando la palabra anterior es el objetivo, resultado, método, grado, etc. que indica al posterior.

• **기도하다 (verbo)** : 바라는 바가 이루어지도록 절대적 존재 혹은 신앙의 대상에게 빌다.
rezar, orar, rogar, invocar, suplicar
Pedir a un ser absoluto o seres religiosos que se realice lo que uno desea.

• -ㄴ 지 : 앞의 말이 나타내는 행동을 한 후 시간이 얼마나 지났는지를 나타내는 표현.
No hay expresión equivalente
Expresión que se usa para mostrar cuánto tiempo ha pasado tras realizarse un acto que muestra el comentario anterior.

• **육 (determinante)** : 여섯의.
seis
Seis.

• **개월 (sustantivo)** : 달을 세는 단위.
mes
Unidad de conteo de meses.

• 이 : 바뀌게 되는 대상이나 부정하는 대상임을 나타내는 조사.
No hay expresión equivalente
Posposición que se usa para indicar el objeto en que se convierte o se niega.

• **되다 (verbo)** : 어떤 때나 시기, 상태에 이르다.
llegar
Alcanzar o acercarse cierto tiempo, momento, período, etc.

• -었- : 어떤 사건이 과거에 완료되었거나 그 사건의 결과가 현재까지 지속되는 상황을 나타내는 어미.
No hay expresión equivalente
Desinencia que se usa cuando cierto suceso fue acabado en el pasado o cuando el resultado de ese suceso continúa hasta el presente.

• -지만 : 앞에 오는 말을 인정하면서 그와 반대되거나 다른 사실을 덧붙일 때 쓰는 연결 어미.
No hay expresión equivalente
Desinencia conectora que se usa cuando alguien acepta el contenido anterior pero agrega otro hecho o un hecho contario a él.

• **남자 (sustantivo)** : 남성으로 태어난 사람.
hombre, varón
Persona que nace como hombre.

• 의 : 앞의 말이 뒤의 말에 대하여 소유, 소속, 소재, 관계, 기원, 주체의 관계를 가짐을 나타내는 조사.
No hay expresión equivalente
Posposición que se usa para indicar que la palabra anterior tiene una relación de posesión, pertenencia, integración, conexión, procedencia, sujeto con la posterior.

• **소원 (sustantivo)** : 어떤 일이 이루어지기를 바람. 또는 바라는 그 일.
deseo, esperanza
Anhelo de que algo que se haga realidad, o aquello que se espera.

• 은 : 문장 속에서 어떤 대상이 화제임을 나타내는 조사.
No hay expresión equivalente
Posposición que se usa para indicar que cierto objeto es tópico en la oración.

• **이루어지다 (verbo)** : 원하거나 뜻하는 대로 되다.
realizarse, efectuarse, cumplirse
Llegar a ser como lo deseado o lo planeado.

• -지 않다 : 앞의 말이 나타내는 행위나 상태를 부정하는 뜻을 나타내는 표현.
No hay expresión equivalente
Expresión para negar la acción o la situación de lo que se mencionó anteriormente.

• -았- : 어떤 사건이 과거에 완료되었거나 그 사건의 결과가 현재까지 지속되는 상황을 나타내는 어미.
No hay expresión equivalente
Desinencia que se usa cuando cierto suceso fue acabado en el pasado o cuando el resultado de ese suceso continúa hasta el presente.

• -다 : 어떤 사건이나 사실, 상태를 서술함을 나타내는 종결 어미.
No hay expresión equivalente
Desinencia de terminación que se usa cuando se describe un suceso o hecho del presente.

남자+는 너무나 <u>지치+어서</u> 하나님+이 <u>원망스럽(원망스러우)+어지+기</u> <u>시작하+였+다</u>.
지쳐서 **원망스러워지기** **시작했다**

• **남자 (sustantivo)** : 남성으로 태어난 사람.
hombre, varón
Persona que nace como hombre.

• 는 : 문장 속에서 어떤 대상이 화제임을 나타내는 조사.
No hay expresión equivalente
Posposición que se usa para indicar que cierto objeto es tópico en la oración.

• **너무나 (adverbio)** : (강조하는 말로) 너무.
demasiado, excesivamente
(ENFÁTICO) Demasiado.

• **지치다 (verbo)** : 힘든 일을 하거나 어떤 일에 시달려서 힘이 없다.
estar cansado, estar exhausto, agotarse
Realizar un trabajo cansador o no tener fuerza al atravesar un hecho agobiante.

• -어서 : 이유나 근거를 나타내는 연결 어미.
No hay expresión equivalente
Desinencia conectora que se usa para indicar causa o fundamento.

• **하나님 (sustantivo)** : 기독교에서 믿는 신을 개신교에서 부르는 이름.
Dios
Nombre por el que los cristianos protestantes coreanos llaman a Dios.

• 이 : 어떤 상태나 상황의 대상이나 동작의 주체를 나타내는 조사.
No hay expresión equivalente
Posposición que se usa para indicar el objeto de cierto estado o situación o el agente de un movimiento.

• **원망스럽다 (adjetivo)** : 마음에 들지 않아서 탓하거나 미워하는 마음이 있다.
resentido
Estar ofendido o enojado por algo o alguien echándole la culpa.

• -어지다 : 앞에 오는 말이 나타내는 상태로 점점 되어 감을 나타내는 표현.
No hay expresión equivalente
Expresión que indica que cada vez se acerca más al estado que indica el comentario anterior.

• -기 : 앞의 말이 명사의 기능을 하게 하는 어미.
No hay expresión equivalente
Desinencia que se usa cuando la palabra anterior ejerce la función del sustantivo.

• **시작하다 (verbo)** : 어떤 일이나 행동의 처음 단계를 이루거나 이루게 하다.
comenzar
Iniciar una cosa o una acción, o lograr empezar algo.

• -였- : 어떤 사건이 과거에 완료되었거나 그 사건의 결과가 현재까지 지속되는 상황을 나타내는 어미.
No hay expresión equivalente
Desinencia que se usa cuando cierto suceso fue acabado en el pasado o cuando el resultado de ese suceso continúa hasta el presente.

• -다 : 어떤 사건이나 사실, 상태를 서술함을 나타내는 종결 어미.
No hay expresión equivalente
Desinencia de terminación que se usa cuando se describe un suceso o hecho del presente.

남자 : 이렇+게+까지 기도하+는데 못 듣(들)+[은 척하]+시+는 무심하+ㄴ
들은 척하시는 무심한

하나님, 정말 너무하+세요.

• **이렇다 (adjetivo)** : 상태, 모양, 성질 등이 이와 같다.
tal
Que la cualidad, la forma, el estado, etc. es como esto.

• -게 : 앞의 말이 뒤에서 가리키는 일의 목적이나 결과, 방식, 정도 등이 됨을 나타내는 연결 어미.
No hay expresión equivalente
Desinencia conectora que se usa cuando la palabra anterior es el objetivo, resultado, método, grado, etc. que indica al posterior.

• 까지 : 정상적인 정도를 지나침을 나타내는 조사.
No hay expresión equivalente
Posposición que indica que algo excede del nivel normal.

• **기도하다 (verbo)** : 바라는 바가 이루어지도록 절대적 존재 혹은 신앙의 대상에게 빌다.
rezar, orar, rogar, invocar, suplicar
Pedir a un ser absoluto o seres religiosos que se realice lo que uno desea.

• -는데 : 뒤의 말을 하기 위하여 그 대상과 관련이 있는 상황을 미리 말함을 나타내는 연결 어미.
No hay expresión equivalente
Desinencia conectora que se usa cuando se habla con antelación una circunstancia pasada relacionada con la palabra posterior.

• **못 (adverbio)** : 동사가 나타내는 동작을 할 수 없게.
no
Para negar la acción indicada por el verbo.

• **듣다 (verbo)** : 다른 사람의 말이나 소리 등에 귀를 기울이다.
escuchar
Prestar atención a lo que se le dice.

• -은 척하다 : 실제로 그렇지 않은데도 어떤 행동이나 상태를 거짓으로 꾸밈을 나타내는 표현.
No hay expresión equivalente
Expresión que se usa para indicar que está tramando una situación o una acción pese a que en verdad no es así.

• -시- : 어떤 동작이나 상태의 주체를 높이는 뜻을 나타내는 어미.
No hay expresión equivalente
Desinencia que se usa para dar un tratamiento honorífico al agente de una acción verbal o de un determinado estado.

• -는 : 앞의 말이 관형어의 기능을 하게 만들고 사건이나 동작이 현재 일어남을 나타내는 어미.
No hay expresión equivalente
Desinencia que hace que la palabra antecedente ejerza la función de un componente determinante, e indica que un suceso o una acción se produce en el presente.

• **무심하다 (adjetivo)** : 어떤 일이나 사람에 대하여 걱정하는 마음이나 관심이 없다.
indiferente, desinteresado, taciturno
Que no está preocupado ni interesado por alguien o algo.

• -ㄴ : 앞의 말이 관형어의 기능을 하게 만들고 현재의 상태를 나타내는 어미.
No hay expresión equivalente
Desinencia que hace que la palabra antecedente ejerza la función de una palabra determinante, e indica el estado del presente.

• **하나님 (sustantivo)** : 기독교에서 믿는 신을 개신교에서 부르는 이름.
Dios
Nombre por el que los cristianos protestantes coreanos llaman a Dios.

• **정말 (adverbio)** : 거짓이 없이 진짜로.
verdaderamente, realmente
De verdad, sin falsedad.

• **너무하다 (adjetivo)** : 일정한 정도나 한계를 넘어서 지나치다.
demasiado, excesivo, extremado
Que supera un determinado nivel o excede el límite.

• -세요 : (두루높임으로) 설명, 의문, 명령, 요청의 뜻을 나타내는 종결 어미.
No hay expresión equivalente
(TRATAMIENTO HONORÍFICO GENERAL) Desinencia de terminación que se usa cuando se manifiesta el sentido de explicación, duda, orden, reclamación, etc.

남자 : 제+가 매일 밤 애원하+며 기도하+였+는데 왜 아무런 응답+이 **기도했는데** 없+으시+ㄴ가요? **없으신가요**

• **제 (pronombre)** : 말하는 사람이 자신을 낮추어 가리키는 말인 '저'에 조사 '가'가 붙을 때의 형태.
yo
Forma que toma '저' -palabra que usa el hablante para referirse a sí mismo en tono de humildad- cuando va antecedida de la posposición '가'.

• 가 : 어떤 상태나 상황에 놓인 대상이나 동작의 주체를 나타내는 조사.
No hay expresión equivalente
Posposición que se usa para indicar el objeto de cierto estado o situación o el agente de un movimiento.

• **매일 (adverbio)** : 하루하루마다 빠짐없이.
todos los días, diariamente, día a día
Cada día, sin excepción.

• **밤 (sustantivo)** : 해가 진 후부터 다음 날 해가 뜨기 전까지의 어두운 동안.
noche
Periodo de tiempo en que permanece la oscuridad, entre la puesta del sol y su salida al día siguiente.

• **애원하다 (verbo)** : 요청이나 소원을 들어 달라고 애처롭게 사정하여 간절히 부탁하다.
rogar, suplicar, implorar
Pedir vehementemente a alguien que acepte su petición o cumpla su deseo.

• -며 : 두 가지 이상의 동작이나 상태가 함께 일어남을 나타내는 연결 어미.
No hay expresión equivalente
Desinencia conectora que se usa cuando se realizan más de dos acciones, estados, hechos, etc. al mismo tiempo.

• **기도하다 (verbo)** : 바라는 바가 이루어지도록 절대적 존재 혹은 신앙의 대상에게 빌다.
rezar, orar, rogar, invocar, suplicar
Pedir a un ser absoluto o seres religiosos que se realice lo que uno desea.

• -였- : 어떤 사건이 과거에 완료되었거나 그 사건의 결과가 현재까지 지속되는 상황을 나타내는 어미.
No hay expresión equivalente
Desinencia que se usa cuando cierto suceso fue acabado en el pasado o cuando el resultado de ese suceso continúa hasta el presente.

• -는데 : 뒤의 말을 하기 위하여 그 대상과 관련이 있는 상황을 미리 말함을 나타내는 연결 어미.
No hay expresión equivalente
Desinencia conectora que se usa cuando se habla con antelación una circunstancia pasada relacionada con la palabra posterior.

• **왜 (adverbio)** : 무슨 이유로. 또는 어째서.
por qué, porque
Por qué causa. O el porqué.

• **아무런 (determinante)** : 전혀 어떠한.
ningún
Nada de lo indicado.

• **응답 (sustantivo)** : 부름이나 물음에 답함.
respuesta, contestación
Acción de responder a un llamado o una pregunta.

• 이 : 어떤 상태나 상황의 대상이나 동작의 주체를 나타내는 조사.
No hay expresión equivalente
Posposición que se usa para indicar el objeto de cierto estado o situación o el agente de un movimiento.

• **없다 (adjetivo)** : 어떤 사실이나 현상이 현실로 존재하지 않는 상태이다.
inexistente, irreal
Que una verdad o un fenómeno no existe en la realidad.

• -으시- : 높이고자 하는 인물과 관계된 소유물이나 신체의 일부가 문장의 주어일 때 그 인물을 높이는 뜻을 나타내는 어미.
No hay expresión equivalente
Desinencia que se usa para dar un tratamiento honorífico a alguien, cuando esa persona y su propiedad, o una parte de su cuerpo, sea el sujeto de la oración.

• -ㄴ가요 : (두루높임으로) 현재의 사실에 대한 물음을 나타내는 종결 어미.
No hay expresión equivalente
(TRATAMIENTO HONORÍFICO GENERAL) Desinencia de terminación que se usa cuando se cuestiona un hecho del presente.

그리하+자	보+[다 못하]+여	답답하+ㄴ	하나님+께서 남자+에게 이렇+게	말씀하+시+었+다.
그러자	**보다 못해**	**답답한**		**말씀하셨다**

• **그리하다 (verbo)** : 앞에서 일어난 일이나 말한 것과 같이 그렇게 하다.
hacer así
Hacer que se realice tal como ha sucedido o se ha mencionado anteriormente.

• -자 : 앞의 말이 나타내는 동작이 끝난 뒤 곧 뒤의 말이 나타내는 동작이 잇따라 일어남을 나타내는 연결 어미.
No hay expresión equivalente
Desinencia conectora que se usa cuando se produce una acción inmediatamente después de haber terminado la acción anterior.

• **보다 (verbo)** : 눈으로 대상의 존재나 겉모습을 알다.
ver, mirar, observar
Percibir por los ojos la existencia o la apariencia de un objeto.

• -다 못하다 : 앞의 말이 나타내는 행동을 더 이상 계속할 수 없음을 나타내는 표현.
No hay expresión equivalente
Expresión que se usa para mostrar que un acto que representa el comentario anterior no puede continuar más.

• -여 : 앞에 오는 말이 뒤에 오는 말에 대한 원인이나 이유임을 나타내는 연결 어미.
No hay expresión equivalente
Desinencia conectora que se usa cuando la palabra anterior es la causa o la razón de la palabra posterior.

• **답답하다 (adjetivo)** : 다른 사람의 태도나 상황이 마음에 차지 않아 안타깝다.
insatisfecho
Que lamenta por no llegar a la expectativa la actitud o situación de otras personas.

• -ㄴ : 앞의 말이 관형어의 기능을 하게 만들고 현재의 상태를 나타내는 어미.
No hay expresión equivalente
Desinencia que hace que la palabra antecedente ejerza la función de una palabra determinante, e indica el estado del presente.

• **하나님 (sustantivo)** : 기독교에서 믿는 신을 개신교에서 부르는 이름.
Dios
Nombre por el que los cristianos protestantes coreanos llaman a Dios.

• 께서 : (높임말로) 가. 이. 어떤 동작의 주체가 높여야 할 대상임을 나타내는 조사.
No hay expresión equivalente
(TRATAMIENTO HONORÍFICO) Posposición que muestra que el agente de una acción es merecedor de tratamiento honorífico.

• **남자 (sustantivo)** : 남성으로 태어난 사람.
hombre, varón
Persona que nace como hombre.

• 에게 : 어떤 행동이 미치는 대상임을 나타내는 조사.
No hay expresión equivalente
Posposición que indica ser un objeto influyente de cierta acción.

• **이렇다 (adjetivo)** : 상태, 모양, 성질 등이 이와 같다.
tal
Que la cualidad, la forma, el estado, etc. es como esto.

• -게 : 앞의 말이 뒤에서 가리키는 일의 목적이나 결과, 방식, 정도 등이 됨을 나타내는 연결 어미.
No hay expresión equivalente
Desinencia conectora que se usa cuando la palabra anterior es el objetivo, resultado, método, grado, etc. que indica al posterior.

• **말씀하다 (verbo)** : (높임말로) 말하다.
decir
(TRATAMIENTO HONORÍFICO) Expresar con palabras.

• -시- : 어떤 동작이나 상태의 주체를 높이는 뜻을 나타내는 어미.
No hay expresión equivalente
Desinencia que se usa para dar un tratamiento honorífico al agente de una acción verbal o de un determinado estado.

• -었- : 어떤 사건이 과거에 완료되었거나 그 사건의 결과가 현재까지 지속되는 상황을 나타내는 어미.
No hay expresión equivalente
Desinencia que se usa cuando cierto suceso fue acabado en el pasado o cuando el resultado de ese suceso continúa hasta el presente.

• -다 : 어떤 사건이나 사실, 상태를 서술함을 나타내는 종결 어미.
No hay expresión equivalente
Desinencia de terminación que se usa cuando se describe un suceso o hecho del presente.

하나님 : 일단 복권+을 사+라는 말+이+야.
사란

• **일단 (adverbio)** : 우선 먼저.
primeramente, antes que nada
Ante todo.

• **복권 (sustantivo)** : 적혀 있는 숫자나 기호가 추첨한 것과 일치하면 상금이나 상품을 받을 수 있게 만든 표.
lotería, billete de lotería
Billete que permite a uno recibir premios en dinero o en mercancías, cuando los números o figuras sacadas al azar en un sorteo coinciden con los del billete.

• 을 : 동작이 직접적으로 영향을 미치는 대상을 나타내는 조사.
No hay expresión equivalente
Posposición que se usa para indicar el objeto que ha sido influido directamente por una acción.

• **사다 (verbo)** : 돈을 주고 어떤 물건이나 권리 등을 자기 것으로 만들다.
comprar, adquirir, obtener
Apoderarse de cierta cosa o derecho tras pagar el dinero.

• -라는 : 명령이나 요청 등의 말을 인용하여 전달하면서 그 뒤에 오는 명사를 꾸며 줄 때 쓰는 표현.
No hay expresión equivalente
Expresión que se usa para determinar el sustantivo que sigue mientras trasmite algún comentario citando orden o petición.

• **말 (sustantivo)** : 다시 강조하거나 확인하는 뜻을 나타내는 말.
confirmación, énfasis, verificación, corroboración
Palabra que denota el significado de enfatizar o corroborar una vez más.

• 이다 : 주어가 지시하는 대상의 속성이나 부류를 지정하는 뜻을 나타내는 서술격 조사.
No hay expresión equivalente
Posposición de caso atributivo, que se usa para designar el atributo o la clase del objeto al que se refiere el sujeto.

• -야 : (두루낮춤으로) 어떤 사실에 대하여 서술하거나 물음을 나타내는 종결 어미.
No hay expresión equivalente
(TRATAMIENTO DE MODESTIA GENERAL) Desinencia de terminación que se usa cuando se describe o interroga sobre cierto hecho.

< 16 단원(unidad) >

제목 : 왜 먹지 못하지요?

● 본문 (contexto principal)

요즘 국내에 반려동물을 키우는 사람들이 많아지면서 건강에 좋은 사료를 개발하는 회사들도 점점 늘어나고 있다.

올해 한 사료 회사에서 유기농 원료를 사용한 신제품 개발에 성공하여 투자자를 위한 모임을 개최하게 되었다.

직원 : 이것으로 신제품 사료에 대한 설명을 마치도록 하겠습니다.

지금부터는 투자자분들의 질문을 받도록 하겠습니다.

투자자 : 자세한 설명 잘 들었습니다.

그런데 혹시 그거 사람도 먹을 수 있습니까?

직원 : 사람은 못 먹습니다.

투자자 : 아니, 유기농 원료에 영양가 높고 위생적으로 만든 개 사료라면서

왜 먹지 못하지요?

직원 : 비싸서 절대 못 먹습니다.

● 발음 (pronunciación)

요즘 국내에 반려동물을 키우는 사람들이 많아지면서 건강에 좋은 사료를 개발하는 회사들도 점점
요즘 궁내에 발려동무를 키우는 사람드리 마나지면서 건강에 조은 사료를 개발하는 회사들도 점점
yojeum gungnaee ballyeodongmureul kiuneun saramdeuri manajimyeonseo geongange joeun saryoreul gaebalhaneun hoesadeuldo jeomjeom

늘어나고 있다.
느러나고 읻따.
neureonago itda.

올해 한 사료 회사에서 유기농 원료를 사용한 신제품 개발에 성공하여 투자자를 위한 모임을 개최하게
올해 한 사료 회사에서 유기농 월료를 사용한 신제품 개바레 성공하여 투자자를 위한 모이믈 개최하게
olhae han saryo hoesaeseo yuginong wollyoreul sayonghan sinjepum gaebare seonggonghayeo tujajareul wihan moimeul gaechoehage

되었다.
되얻따.
doeeotda.

직원 : 이것으로 신제품 사료에 대한 설명을 마치도록 하겠습니다.
지권 : 이거스로 신제품 사료에 대한 설명을 마치도록 하겓씀니다.
jigwon : igeoseuro sinjepum saryoe daehan seolmyeongeul machidorok hagetseumnida.

지금부터는 투자자분들의 질문을 받도록 하겠습니다.
지금부터는 투자자분드릐 질무늘 받또록 하겓씀니다.
jigeumbuteoneun tujajabundeurui(bundeure) jilmuneul batdorok hagetseumnida.

투자자 : 자세한 설명 잘 들었습니다.
투자자 : 자세한 설명 잘 드럳씀니다.
tujaja : jasehan seolmyeong jal deureotseumnida.

그런데 혹시 그거 사람도 먹을 수 있습니까?
그런데 혹씨 그거 사람도 머글 쑤 읻씀니까?
geureonde hoksi geugeo saramdo meogeul su itseumnikka?

직원 : 사람은 못 먹습니다.
지권 : 사라믄 몯 먹씀니다.
jigwon : sarameun mot meokseumnida.

투자자 : 아니, 유기농 원료에 영양가 높고 위생적으로 만든 개 사료라면서
투자자 : 아니, 유기농 월료에 영양까 놉꼬 위생저그로 만든 개 사료라면서
tujaja : ani, yuginong wollyoe yeongyangga nopgo wisaengjeogeuro mandeun gae saryoramyeonseo

왜 먹지 못하지요?
왜 먹찌 모타지요?
wae meokji motajiyo?

직원 : 비싸서 절대 못 먹습니다.
지권 : 비싸서 절때 몯 먹씀니다.
jigwon : bissaseo jeoldae mot meokseumnida.

● 어휘 (palabra) / 문법 (gramática)

요즘 국내+에 반려동물+을 키우+는 사람+들+이 많아지+면서 건강+에 좋+은 사료+를 개발하+는 회사+들+도 점점 늘어나+고 있+다.

올해 한 사료 회사+에서 유기농 원료+를 사용하+ㄴ 신제품 개발+에 성공하+여 투자자+를 위하+ㄴ 모임+을 개최하+게 되+었+다.

직원 : 이것+으로 신제품 사료+에 대한 설명+을 마치+도록 하+겠+습니다.

지금+부터+는 투자자+분+들+의 질문+을 받+도록 하+겠+습니다.

투자자 : 자세하+ㄴ 설명 잘 듣(들)+었+습니다.

그런데 혹시 그거 사람+도 먹+을 수 있+습니까?

직원 : 사람+은 못 먹+습니다.

투자자 : 아니, 유기농 원료+에 영양가 높+고 위생적+으로 만들(만드)+ㄴ

개 사료+(이)+라면서 왜 먹+지 못하+지요?

직원 : 비싸+(아)서 절대 못 먹+습니다.

요즘 국내+에 반려동물+을 키우+는 사람+들+이 많아지+면서 건강+에 좋+은 사료+를 개발하+는

회사+들+도 점점 늘어나+[고 있]+다.

- **요즘 (sustantivo)** : 아주 가까운 과거부터 지금까지의 사이.
  estos días
  Desde un pasado cercano hasta ahora.

- **국내 (sustantivo)** : 나라의 안.
  interior del país, lo nacional
  A propósito de lo que está dentro de un país o lo concerniente a él.

- 에 : 앞말이 어떤 장소나 자리임을 나타내는 조사.
  No hay expresión equivalente
  Posposición que se usa cuando la palabra anterior indica cierto lugar o sitio.

- **반려동물 (sustantivo)**
  반려 (sustantivo) : 짝이 되는 사람이나 동물.
  compañía
  Persona o animal que acompaña a alguien.
  동물 (sustantivo) : 사람을 제외한 길짐승, 날짐승, 물짐승 등의 움직이는 생물.
  animal
  Todo tipo de organismo vivo como las bestias, con excepción del hombre.

- 을 : 동작이 직접적으로 영향을 미치는 대상을 나타내는 조사.
  No hay expresión equivalente
  Posposición que se usa para indicar el objeto que ha sido influido directamente por una acción.

- **키우다 (verbo)** : 동식물을 보살펴 자라게 하다.
  criar
  Cuidar para hacer crecer un vegetal o un animal.

- -는 : 앞의 말이 관형어의 기능을 하게 만들고 사건이나 동작이 현재 일어남을 나타내는 어미.
  No hay expresión equivalente
  Desinencia que hace que la palabra antecedente ejerza la función de un componente determinante, e indica que un suceso o una acción se produce en el presente.

- **사람 (sustantivo)** : 생각할 수 있으며 언어와 도구를 만들어 사용하고 사회를 이루어 사는 존재.
  persona, hombre, ser humano
  Existencia que puede pensar, inventa el lenguaje y la herramienta que utiliza y vive formando una sociedad.

• 들 : '복수'의 뜻을 더하는 접미사.
No hay expresión equivalente
Sufijo que añade el significado de 'plural'.

• 이 : 어떤 상태나 상황의 대상이나 동작의 주체를 나타내는 조사.
No hay expresión equivalente
Posposición que se usa para indicar el objeto de cierto estado o situación o el agente de un movimiento.

• **많아지다 (verbo)** : 수나 양 등이 적지 아니하고 일정한 기준을 넘게 되다.
aumentar
Acrecentar el número o la cantidad de algo, sobrepasando la media o el promedio.

• -면서 : 두 가지 이상의 동작이나 상태가 함께 일어남을 나타내는 연결 어미.
No hay expresión equivalente
Desinencia conectora que se usa cuando se contraponen más de dos acciones o estados.

• **건강 (sustantivo)** : 몸이나 정신이 이상이 없이 튼튼한 상태.
salud
Condición o estado óptimo del cuerpo o la mente.

• 에 : 앞말이 무엇의 목적이나 목표임을 나타내는 조사.
No hay expresión equivalente
Posposición que se usa cuando la palabra anterior es propósito o meta de algo.

• **좋다 (adverbio)** : 어떤 것이 몸이나 건강을 더 나아지게 하는 성질이 있다.
bueno
Que una cosa tiene la propiedad de mejorar el cuerpo o la salud.

• -은 : 앞의 말이 관형어의 기능을 하게 만들고 현재의 상태를 나타내는 어미.
No hay expresión equivalente
Desinencia que hace que la palabra antecedente ejerza la función de un componente determinante, e indica que el estado del presente.

• **사료 (sustantivo)** : 집이나 농장 등에서 기르는 동물에게 주는 먹이.
pienso
Alimento que se da al animal que se cría en casa o granja.

• 를 : 동작이 직접적으로 영향을 미치는 대상을 나타내는 조사.
No hay expresión equivalente
Posposición que indica el objeto que influye directamente en la acción.

• **개발하다 (verbo)** : 새로운 물건을 만들거나 새로운 생각을 내놓다.
inventar
Crear nuevos objetos o desarrollar nuevas ideas.

• -는 : 앞의 말이 관형어의 기능을 하게 만들고 사건이나 동작이 현재 일어남을 나타내는 어미.
No hay expresión equivalente
Desinencia que hace que la palabra antecedente ejerza la función de un componente determinante, e indica que un suceso o una acción se produce en el presente.

• **회사 (sustantivo)** : 사업을 통해 이익을 얻기 위해 여러 사람이 모여 만든 법인 단체.
empresa, compañía, corporación
Persona jurídica creada conjuntamente por muchas personas para obtener beneficios mediante la ejecución de un determinado negocio.

• 들 : '복수'의 뜻을 더하는 접미사.
No hay expresión equivalente
Sufijo que añade el significado de 'plural'.

• 도 : 이미 있는 어떤 것에 다른 것을 더하거나 포함함을 나타내는 조사.
No hay expresión equivalente
Posposición que añade o incluye algo a cierta cosa ya existente.

• **점점 (adverbio)** : 시간이 지남에 따라 정도가 조금씩 더.
gradualmente, progresivamente
De más grado con el transcurso de tiempo.

• **늘어나다 (verbo)** : 부피나 수량이나 정도가 원래보다 점점 커지거나 많아지다.
aumentar, agrandar, extender, ampliar
Sobrepasar cada vez más el volumen, la cantidad o el grado previos.

• -고 있다 : 앞의 말이 나타내는 행동이 계속 진행됨을 나타내는 표현.
No hay expresión equivalente
Expresión que indica que la acción que representa la parte anterior de la cláusula continúa.

• -다 : 어떤 사건이나 사실, 상태를 서술함을 나타내는 종결 어미.
No hay expresión equivalente
Desinencia de terminación que se usa cuando se describe un suceso o hecho del presente.

올해 한 사료 회사+에서 유기농 원료+를 사용하+ㄴ 신제품 개발+에 성공하+여 투자자+를 위하+ㄴ
사용한 **위한**

모임+을 개최하+[게 되]+었+다.

• **올해 (sustantivo)** : 지금 지나가고 있는 이 해.
este año, año en curso
Año que está transcurriendo en el presente.

• **한 (determinante)** : 여럿 중 하나인 어떤.
No hay expresión equivalente
Uno entre varios.

• **사료 (sustantivo)** : 집이나 농장 등에서 기르는 동물에게 주는 먹이.
pienso
Alimento que se da al animal que se cría en casa o granja.

• **회사 (sustantivo)** : 사업을 통해 이익을 얻기 위해 여러 사람이 모여 만든 법인 단체.
empresa, compañía, corporación
Persona jurídica creada conjuntamente por muchas personas para obtener beneficios mediante la ejecución de un determinado negocio.

• 에서 : 앞말이 주어임을 나타내는 조사.
No hay expresión equivalente
Posposición que se usa para indicar que la palabra anterior es el sujeto.

• **유기농 (sustantivo)** : 화학 비료나 농약을 쓰지 않고 생물의 작용으로 만들어진 것만을 사용하는 방식의 농업.
agricultura orgánica
Tipo de cultivo que no introduce fertilizantes e insecticidas químicos y emplea solo los materiales producidos por el efecto biológico.

• **원료 (sustantivo)** : 어떤 것을 만드는 데 들어가는 재료.
material
Ingredientes necesarios para hacer una cosa.

• 를 : 동작이 직접적으로 영향을 미치는 대상을 나타내는 조사.
No hay expresión equivalente
Posposición que indica el objeto que influye directamente en la acción.

• **사용하다 (verbo)** : 무엇을 필요한 일이나 기능에 맞게 쓰다.
usar, utilizar
Utilizar algo adecuadamente a la situación o función.

• -ㄴ : 앞의 말이 관형어의 기능을 하게 만들고 사건이나 동작이 완료되어 그 상태가 유지되고 있음을 나타내는 어미.
No hay expresión equivalente
Desinencia que hace que la palabra antecedente ejerza la función de una palabra determinante, e indica que un suceso o una acción se mantiene en el mismo estado que cuando concluyó en un momento del pasado.

• **신제품 (sustantivo)** : 새로 만든 제품.
nuevo producto
Nuevo producto fabricado.

• **개발 (sustantivo)** : 새로운 물건을 만들거나 새로운 생각을 내놓음.
desarrollo, creación
Producir un artículo nuevo o proponer una nueva idea.

• 에 : 앞말이 어떤 행위나 감정 등의 대상임을 나타내는 조사.
No hay expresión equivalente
Posposición que se usa cuando la palabra anterior es objeto de cierta acción, sentimiento, etc.

• **성공하다 (verbo)** : 원하거나 목적하는 것을 이루다.
alcanzar el éxito
Realizar algo que se desea y se toma como un objetivo.

• -여 : 앞에 오는 말이 뒤에 오는 말에 대한 원인이나 이유임을 나타내는 연결 어미.
No hay expresión equivalente
Desinencia conectora que se usa cuando la palabra anterior es la causa o la razón de la palabra posterior.

• **투자자 (sustantivo)** : 이익을 얻기 위해 어떤 일이나 사업에 돈을 대거나 시간이나 정성을 쏟는 사람.
inversor, inversionista
Persona que invierte dinero, tiempo y esmero en algún proyecto o negocios para lucrarse.

• 를 : 동작이 직접적으로 영향을 미치는 대상을 나타내는 조사.
No hay expresión equivalente
Posposición que indica el objeto que influye directamente en la acción.

• **위하다 (verbo)** : 무엇을 이롭게 하거나 도우려 하다.
pensar
Querer ayudar o hacer algo beneficioso.

• -ㄴ : 앞의 말이 관형어의 기능을 하게 만들고 사건이나 동작이 완료되어 그 상태가 유지되고 있음을 나타내는 어미.
No hay expresión equivalente
Desinencia que hace que la palabra antecedente ejerza la función de una palabra determinante, e indica que un suceso o una acción se mantiene en el mismo estado que cuando concluyó en un momento del pasado.

• **모임 (sustantivo)** : 어떤 일을 하기 위하여 여러 사람이 모이는 일.
reunión, junta, encuentro
Acción de juntarse varias personas para realizar algún trabajo.

• 을 : 동작이 직접적으로 영향을 미치는 대상을 나타내는 조사.
No hay expresión equivalente
Posposición que indica el objeto que influye directamente en la acción.

• **개최하다 (verbo)** : 모임, 행사, 경기 등을 조직적으로 계획하여 열다.
celebrar
Realizar una reunión, un evento o una competición con base en un plan bien organizado.

• -게 되다 : 앞의 말이 나타내는 상태나 상황이 됨을 나타내는 표현.
No hay expresión equivalente
Expresión que se usa para mostrar se ha llegado a un estado o una situación descrita previamente.

• -었- : 어떤 사건이 과거에 완료되었거나 그 사건의 결과가 현재까지 지속되는 상황을 나타내는 어미.
No hay expresión equivalente
Desinencia que se usa cuando cierto suceso fue acabado en el pasado o cuando el resultado de ese suceso continúa hasta el presente.

• -다 : 어떤 사건이나 사실, 상태를 서술함을 나타내는 종결 어미.
No hay expresión equivalente
Desinencia de terminación que se usa cuando se describe un suceso o hecho del presente.

직원 : 이것+으로 신제품 사료+[에 대한] 설명+을 마치+[도록 하]+겠+습니다.

• **이것 (pronombre)** : 바로 앞에서 이야기한 대상을 가리키는 말.
este
Palabra que se utiliza para designar al sujeto mencionado anteriormente.

• 으로 : 어떤 일의 방법이나 방식을 나타내는 조사.
No hay expresión equivalente
Posposición que se usa para indicar el método o la forma de algo.

• **신제품 (sustantivo)** : 새로 만든 제품.
nuevo producto
Nuevo producto fabricado.

• **사료 (sustantivo)** : 집이나 농장 등에서 기르는 동물에게 주는 먹이.
pienso
Alimento que se da al animal que se cría en casa o granja.

• 에 대한 : 뒤에 오는 명사를 수식하며 앞에 오는 명사를 뒤에 오는 명사의 대상으로 함을 나타내는 표현.
No hay expresión equivalente
Expresión que se usa para modificar el sustantivo posterior; el sustantivo anterior es el objeto del sustantivo posterior.

• **설명 (sustantivo)** : 어떤 것을 남에게 알기 쉽게 풀어 말함. 또는 그런 말.
explicación
Acción de exponer algo a otra persona de modo que pueda entenderla de una forma fácil.

• 을 : 동작이 직접적으로 영향을 미치는 대상을 나타내는 조사.
No hay expresión equivalente
Posposición que indica el objeto que influye directamente en la acción.

• **마치다 (verbo)** : 하던 일이나 과정이 끝나다. 또는 그렇게 하다.
finalizar
Dar fin al trabajo o al curso que se efectuaba.

• -도록 하다 : 말하는 사람이 어떤 행위를 할 것이라는 의지나 다짐을 나타내는 표현.
No hay expresión equivalente
Expresión que se usa cuando el hablante muestra su voluntad o intención de hacer algo.

• -겠- : 완곡하게 말하는 태도를 나타내는 어미.
No hay expresión equivalente
Desinencia que se usa para mostrar una actitud de hablar de manera indirecta.

• -습니다 : (아주높임으로) 현재의 동작이나 상태, 사실을 정중하게 설명함을 나타내는 종결 어미.
No hay expresión equivalente
(TRATAMIENTO HONORÍFICO MÁXIMO) Desinencia de terminación que se usa cuando se explica respetuosamente la acción, estado o hecho del presente.

직원 : 지금+부터+는 투자자+분+들+의 질문+을 받+[도록 하]+겠+습니다.

• **지금 (sustantivo)** : 말을 하고 있는 바로 이때.
ahora
En este preciso momento en que se está hablando.

• 부터 : 어떤 일의 시작이나 처음을 나타내는 조사.
No hay expresión equivalente
Posposición que indica el inicio o la partida de cierta cosa.

• 는 : 문장 속에서 어떤 대상이 화제임을 나타내는 조사.
No hay expresión equivalente
Posposición que muestra que el referente es el tópico de una oración.

• **투자자 (sustantivo)** : 이익을 얻기 위해 어떤 일이나 사업에 돈을 대거나 시간이나 정성을 쏟는 사람.
inversor, inversionista
Persona que invierte dinero, tiempo y esmero en algún proyecto o negocios para lucrarse.

• 분 : '높임'의 뜻을 더하는 접미사.
No hay expresión equivalente
Sufijo que añade tono honorífico.

• 들 : '복수'의 뜻을 더하는 접미사.
No hay expresión equivalente
Sufijo que añade el significado de 'plural'.

• 의 : 앞의 말이 뒤의 말에 대하여 소유, 소속, 소재, 관계, 기원, 주체의 관계를 가짐을 나타내는 조사.
No hay expresión equivalente
Posposición que se usa para indicar que la palabra anterior tiene una relación de posesión, pertenencia, integración, conexión, procedencia, sujeto con la posterior.

• **질문 (sustantivo)** : 모르는 것이나 알고 싶은 것을 물음.
pregunta
Interrogación acerca de algo que se desea saber o se desconoce.

• 을 : 동작이 직접적으로 영향을 미치는 대상을 나타내는 조사.
No hay expresión equivalente
Posposición que indica el objeto que influye directamente en la acción.

• **받다 (verbo)** : 요구나 신청, 질문, 공격, 신호 등과 같은 작용을 당하거나 그에 응하다.
recibir, aceptar, acoger, admitir, responder, contestar
Recibir o responder a las acciones como demanda, petición, pregunta, ataque, señal, etc..

• -도록 하다 : 말하는 사람이 어떤 행위를 할 것이라는 의지나 다짐을 나타내는 표현.
No hay expresión equivalente
Expresión que se usa cuando el hablante muestra su voluntad o intención de hacer algo.

• -겠- : 완곡하게 말하는 태도를 나타내는 어미.
No hay expresión equivalente
Desinencia que se usa para mostrar una actitud de hablar de manera indirecta.

• -습니다 : (아주높임으로) 현재의 동작이나 상태, 사실을 정중하게 설명함을 나타내는 종결 어미.
No hay expresión equivalente
(TRATAMIENTO HONORÍFICO MÁXIMO) Desinencia de terminación que se usa cuando se explica respetuosamente la acción, estado o hecho del presente.

투자자 : 자세하+ㄴ 설명 잘 듣(들)+었+습니다.
자세한 **들었습니다**

• **자세하다 (adverbio)** : 아주 사소한 부분까지 구체적이고 분명하다.
detallado, minucioso
Que hasta los pormenores son concretos y claros.

• -ㄴ : 앞의 말이 관형어의 기능을 하게 만들고 현재의 상태를 나타내는 어미.
No hay expresión equivalente
Desinencia que hace que la palabra antecedente ejerza la función de una palabra determinante, e indica el estado del presente.

• **설명 (sustantivo)** : 어떤 것을 남에게 알기 쉽게 풀어 말함. 또는 그런 말.
explicación
Acción de exponer algo a otra persona de modo que pueda entenderla de una forma fácil.

• **잘 (adverbio)** : 관심을 집중해서 주의 깊게.
bien
Con precaución centrando la atención.

• **듣다 (verbo)** : 다른 사람의 말이나 소리 등에 귀를 기울이다.
escuchar
Prestar atención a lo que se le dice.

• -었- : 어떤 사건이 과거에 완료되었거나 그 사건의 결과가 현재까지 지속되는 상황을 나타내는 어미.
No hay expresión equivalente
Desinencia que se usa cuando cierto suceso fue acabado en el pasado o cuando el resultado de ese suceso continúa hasta el presente.

• -습니다 : (아주높임으로) 현재의 동작이나 상태, 사실을 정중하게 설명함을 나타내는 종결 어미.
No hay expresión equivalente
(TRATAMIENTO HONORÍFICO MÁXIMO) Desinencia de terminación que se usa cuando se explica respetuosamente la acción, estado o hecho del presente.

투자자 : 그런데 혹시 그거 사람+도 먹+[을 수 있]+습니까?

• **그런데 (adverbio)** : 이야기를 앞의 내용과 관련시키면서 다른 방향으로 바꿀 때 쓰는 말.
a propósito
Se usa para cambiar de tema y hablar de otra cosa, sin interrumpir el flujo de la conversación.

• **혹시 (adverbio)** : 그러리라 생각하지만 분명하지 않아 말하기를 망설일 때 쓰는 말.
a lo mejor, puede ser, por las dudas
Palabra que se usa para dudar de cosas de las que no se está seguro, pese a que se piense que podrían ser así.

• **그거 (pronombre)** : 앞에서 이미 이야기한 대상을 가리키는 말.
eso, esa persona
Pronombre que designa a alguien o algo ya mencionado.

• **사람 (sustantivo)** : 생각할 수 있으며 언어와 도구를 만들어 사용하고 사회를 이루어 사는 존재.
persona, hombre, ser humano
Existencia que puede pensar, inventa el lenguaje y la herramienta que utiliza y vive formando una sociedad.

• 도 : 이미 있는 어떤 것에 다른 것을 더하거나 포함함을 나타내는 조사.
No hay expresión equivalente
Posposición que añade o incluye algo a cierta cosa ya existente.

• **먹다 (verbo)** : 음식 등을 입을 통하여 배 속에 들여보내다.
comer
Introducir por boca alimentos, etc. en el estómago.

• -을 수 있다 : 어떤 행동이나 상태가 가능함을 나타내는 표현.
No hay expresión equivalente
Expresión que indica que es posible realizar cierta acción, o permanecer en cierto estado.

• -습니까 : (아주높임으로) 말하는 사람이 듣는 사람에게 정중하게 물음을 나타내는 종결 어미.
No hay expresión equivalente
(TRATAMIENTO HONORÍFICO MÁXIMO) Desinencia de terminación que se usa cuando el hablante interroga respetuosamente al oyente.

직원 : 사람+은 못 먹+습니다.

• **사람 (sustantivo)** : 생각할 수 있으며 언어와 도구를 만들어 사용하고 사회를 이루어 사는 존재.
persona, hombre, ser humano
Existencia que puede pensar, inventa el lenguaje y la herramienta que utiliza y vive formando una sociedad.

• 은 : 문장 속에서 어떤 대상이 화제임을 나타내는 조사.
No hay expresión equivalente
Posposición que se usa para indicar que cierto objeto es tópico en la oración.

• **못 (adverbio)** : 동사가 나타내는 동작을 할 수 없게.
no
Para negar la acción indicada por el verbo.

• **먹다 (verbo)** : 음식 등을 입을 통하여 배 속에 들여보내다.
comer
Introducir por boca alimentos, etc. en el estómago.

• -습니다 : (아주높임으로) 현재의 동작이나 상태, 사실을 정중하게 설명함을 나타내는 종결 어미.
No hay expresión equivalente
(TRATAMIENTO HONORÍFICO MÁXIMO) Desinencia de terminación que se usa cuando se explica respetuosamente la acción, estado o hecho del presente.

투자자 : 아니, 유기농 원료+에 영양가 높+고 위생적+으로 만들(만드)+ㄴ
만든

개 사료+(이)+라면서 왜 먹+[지 못하]+지요?
개 사료라면서

• **아니 (interjección)** : 놀라거나 감탄스러울 때, 또는 의심스럽고 이상할 때 하는 말.
¡no!
Interjección que se usa para denotar sorpresa, admiración, duda o curiosidad.

• **유기농 (sustantivo)** : 화학 비료나 농약을 쓰지 않고 생물의 작용으로 만들어진 것만을 사용하는 방식의 농업.
agricultura orgánica
Tipo de cultivo que no introduce fertilizantes e insecticidas químicos y emplea solo los materiales producidos por el efecto biológico.

• **원료 (sustantivo)** : 어떤 것을 만드는 데 들어가는 재료.
material
Ingredientes necesarios para hacer una cosa.

• 에 : 앞말에 무엇이 더해짐을 나타내는 조사.
No hay expresión equivalente
Posposición que se usa cuando se añade algo en la palabra anterior.

• **영양가 (sustantivo)** : 식품이 가진 영양의 가치.
valor nutritivo
Valor nutricional que posee un alimento.

• **높다 (adverbio)** : 품질이나 수준 또는 능력이나 가치가 보통보다 위에 있다.
de nivel elevado, de alto grado
Dícese de la calidad, el nivel, la habilidad o el valor de algo o alguien que supera el promedio.

• -고 : 두 가지 이상의 대등한 사실을 나열할 때 쓰는 연결 어미.
No hay expresión equivalente
Desinencia conectora que se usa cuando se enumeran más de dos hechos similares.

• **위생적 (sustantivo)** : 건강에 이롭거나 도움이 되도록 조건을 갖춘 것.
cualidad higiénica
Cumplimiento de los mínimos requisitos de limpieza y aseo para la conservación de la salud.

• 으로 : 어떤 일의 방법이나 방식을 나타내는 조사.
No hay expresión equivalente
Posposición que se usa para indicar el método o la forma de algo.

• **만들다 (verbo)** : 힘과 기술을 써서 없던 것을 생기게 하다.
crear
Producir algo de la nada, aplicando la fuerza y la técnica.

• -ㄴ : 앞의 말이 관형어의 기능을 하게 만들고 사건이나 동작이 완료되어 그 상태가 유지되고 있음을 나타내는 어미.
No hay expresión equivalente
Desinencia que hace que la palabra antecedente ejerza la función de una palabra determinante, e indica que un suceso o una acción se mantiene en el mismo estado que cuando concluyó en un momento del pasado.

• **개 (sustantivo)** : 냄새를 잘 맡고 귀가 매우 밝으며 영리하고 사람을 잘 따라 사냥이나 애완 등의 목적으로 기르는 동물.
perro, can
Animal inteligente y amigable con el hombre, que se suele criar como mascota. Posee un gran sentido del olfato y un sistema auditivo muy desarrollado.

• **사료 (sustantivo)** : 집이나 농장 등에서 기르는 동물에게 주는 먹이.
pienso
Alimento que se da al animal que se cría en casa o granja.

• 이다 : 주어가 지시하는 대상의 속성이나 부류를 지정하는 뜻을 나타내는 서술격 조사.
No hay expresión equivalente
Posposición de caso atributivo, que se usa para designar el atributo o la clase del objeto al que se refiere el sujeto.

• -라면서 : 듣는 사람이나 다른 사람이 이전에 했던 말이 예상이나 지금의 상황과 다름을 따져 물을 때 쓰는 표현.
No hay expresión equivalente
Expresión que se usa cuando el hablante quiere hacer preguntas para desentrañar lo que ha dicho otra persona mencionando un hecho contrario a ello.

• **왜 (adverbio)** : 무슨 이유로. 또는 어째서.
por qué, porque
Por qué causa. O el porqué.

• **먹다 (verbo)** : 음식 등을 입을 통하여 배 속에 들여보내다.
comer
Introducir por boca alimentos, etc. en el estómago.

• -지 못하다 : 앞의 말이 나타내는 행동을 할 능력이 없거나 주어의 의지대로 되지 않음을 나타내는 표현.
No hay expresión equivalente
Expresión que se usa para indicar que el sujeto no tiene la capacidad para cumplir la acción de la frase anterior o va en contra de la voluntad del sujeto.

• -지요 : (두루높임으로) 말하는 사람이 듣는 사람에게 친근함을 나타내며 물을 때 쓰는 종결 어미.
No hay expresión equivalente
(TRATAMIENTO HONORÍFICO GENERAL) Desinencia de terminación que se usa cuando el hablante interroga íntimamente al oyente.

직원 : 비싸+(아)서 절대 못 먹+습니다. **비싸서**

• **비싸다 (adverbio)** : 물건값이나 어떤 일을 하는 데 드는 비용이 보통보다 높다.
caro, costoso, cotizado, altivo
Que exige un precio o un costo más alto del promedio.

• -아서 : 이유나 근거를 나타내는 연결 어미.
No hay expresión equivalente
Desinencia conectora que se usa para indicar causa o fundamento.

• **절대 (adverbio)** : 어떤 경우라도 반드시.
absolutamente, plenamente, totalmente, completamente, decididamente, definitivamente
De manera absoluta, fuere lo que fuere.

• **못 (adverbio)** : 동사가 나타내는 동작을 할 수 없게.
no
Para negar la acción indicada por el verbo.

• **먹다 (verbo)** : 음식 등을 입을 통하여 배 속에 들여보내다.
comer
Introducir por boca alimentos, etc. en el estómago.

• -습니다 : (아주높임으로) 현재의 동작이나 상태, 사실을 정중하게 설명함을 나타내는 종결 어미.

No hay expresión equivalente

(TRATAMIENTO HONORÍFICO MÁXIMO) Desinencia de terminación que se usa cuando se explica respetuosamente la acción, estado o hecho del presente.

● 숫자 (número)

- 0 (영, 공) : cero
- 1 (일, 하나) : uno
- 2 (이, 둘) : dos
- 3 (삼, 셋) : tres
- 4 (사, 넷) : cuatro
- 5 (오, 다섯) : cinco
- 6 (육, 여섯) : seis
- 7 (칠, 일곱) : siete
- 8 (팔, 여덟) : ocho
- 9 (구, 아홉) : nueve
- 10 (십, 열) : diez
- 20 (이십, 스물) : veinte
- 30 (삼십, 서른) : treinta
- 40 (사십, 마흔) : cuarenta
- 50 (오십, 쉰) : cincuenta
- 60 (육십, 예순) : sesenta
- 70 (칠십, 일흔) : setenta
- 80 (팔십, 여든) : ochenta
- 90 (구십, 아흔) : noventa
- 100 (백) : cien
- 1,000 (천) : mil
- 10,000 (만) : diez mil
- 100,000 (십만) : cien mil
- 1,000,000 (백만) : un millón
- 10,000,000 (천만) : No hay expresión equivalente
- 100,000,000 (억) : cien millones
- 1,000,000,000,000 (조) : billón

● 시간 (tiempo)

• **시 (sustantivo)** : 하루를 스물넷으로 나누었을 때 그 하나를 나타내는 시간의 단위.
No hay expresión equivalente
Unidad de tiempo que indica cada una de las 24 horas en que se divide un día.

• **분 (sustantivo)** : 한 시간의 60분의 1을 나타내는 시간의 단위.
No hay expresión equivalente
Unidad de tiempo que muestra una sexagésima parte de una hora.

• **초 (sustantivo)** : 일 분의 60분의 1을 나타내는 시간의 단위.
segundo
Cada una de las sesenta partes en que se divide el minuto de tiempo

• **새벽 (sustantivo)**
1) 해가 뜰 즈음.
alba, amanecer
Comienzo de la salida del sol.
2) 아주 이른 오전 시간을 가리키는 말.
madrugada
Palabra que indica un momento muy temprano de la mañana.

• **아침 (sustantivo)** : 날이 밝아올 때부터 해가 떠올라 하루의 일이 시작될 때쯤까지의 시간.
mañana
Tiempo que transcurre desde que amanece hasta que sale el sol y comienza la jornada del día.

• **점심 (sustantivo)** : 하루 중에 해가 가장 높이 떠 있는, 아침과 저녁의 중간이 되는 시간.
mediodía
Hora en que el sol está en el punto más alto de su elevación, entre la mañana y la noche.

• **저녁 (sustantivo)** : 해가 지기 시작할 때부터 밤이 될 때까지의 동안.
noche temprana
Periodo de tiempo desde la puesta de sol hasta llegar la noche.

• **낮 (sustantivo)**
1) 해가 뜰 때부터 질 때까지의 동안.
día
Espacio de tiempo entre la salida del sol y el ocaso.
2) 오후 열두 시가 지나고 저녁이 되기 전까지의 동안.
tarde
Espacio de tiempo después del mediodía hasta el anochecer

• **밤 (sustantivo)** : 해가 진 후부터 다음 날 해가 뜨기 전까지의 어두운 동안.
noche
Periodo de tiempo en que permanece la oscuridad, entre la puesta del sol y su salida al día siguiente.

• **오전 (sustantivo)**
1) 아침부터 낮 열두 시까지의 동안.
mañana
Desde la mañana hasta las doce del mediodía.
2) 밤 열두 시부터 낮 열두 시까지의 동안.
mañana
Desde las doce de la noche hasta las doce de la tarde.

• **오후 (sustantivo)**
1) 정오부터 해가 질 때까지의 동안.
tarde
Desde el mediodía hasta que se pone el sol.
2) 정오부터 밤 열두 시까지의 시간.
tarde
Tiempo desde el mediodía hasta las doce de la noche.

• **정오 (sustantivo)** : 낮 열두 시.
mediodía
Las doce del día.

• **자정 (sustantivo)** : 밤 열두 시.
medianoche
Las doce de la noche.

• **그저께 (sustantivo)** : 어제의 전날. 즉 오늘로부터 이틀 전.
anteayer
Día inmediatamente anterior al de ayer. Es decir, dos días antes de hoy.

• **어제 (sustantivo)** : 오늘의 하루 전날.
ayer
Un día antes de hoy.

• **오늘 (sustantivo)** : 지금 지나가고 있는 이날.
hoy
Día actual que está transcurriendo ahora.

• **내일 (sustantivo)** : 오늘의 다음 날.
mañana
El día que sigue a hoy.

• **모레 (sustantivo)** : 내일의 다음 날.
pasado mañana
Día que sigue a mañana.

• **하루 (sustantivo)** : 밤 열두 시부터 다음 날 밤 열두 시까지의 스물네 시간.
día
Veinticuatro horas desde las doce de la noche hasta las doce de la noche del otro día.

• **이틀 (sustantivo)** : 두 날.
ambos días
Dos días.

• **사흘 (sustantivo)** : 세 날.
No hay expresión equivalente
Tres días.

• **나흘 (sustantivo)** : 네 날.
cuatro días
Cuatro jornadas.

• **닷새 (sustantivo)** : 다섯 날.
No hay expresión equivalente
Cinco días.

• **엿새 (sustantivo)** : 여섯 날.
seis días
Seis días.

• **이레 (sustantivo)** : 일곱 날.
siete días
Siete días.

• **여드레 (sustantivo)** : 여덟 날.
ocho días
Ocho días.

• **아흐레 (sustantivo)** : 아홉 날.
nueve días
Nueve días.

• **열흘 (sustantivo)** : 열 날.
No hay expresión equivalente
Diez días.

• **월요일 (sustantivo)** : 한 주가 시작되는 첫 날.
lunes
Primer día de la semana.

• **화요일 (sustantivo)** : 월요일을 기준으로 한 주의 둘째 날.
martes
Segundo día de la semana cuyo comienzo es el lunes.

• **수요일 (sustantivo)** : 월요일을 기준으로 한 주의 셋째 날.
miércoles
Tercer día de la semana a base de lunes.

• **목요일 (sustantivo)** : 월요일을 기준으로 한 주의 넷째 날.
jueves
Cuarto día de la semana, contando desde el lunes.

• **금요일 (sustantivo)** : 월요일을 기준으로 한 주의 다섯째 날.
viernes
Quinto día de la semana contado a partir del lunes.

• **토요일 (sustantivo)** : 월요일을 기준으로 한 주의 여섯째 날.
sábado
Sexto día de la semana contando desde el lunes.

• **일요일 (sustantivo)** : 월요일을 기준으로 한 주의 마지막 날.
domingo
Día último de una semana calculado desde lunes.

• **일주일 (sustantivo)** : 월요일부터 일요일까지 칠 일. 또는 한 주일.
una semana
Siete días desde el lunes al domingo. O una semana.

• **일월 (sustantivo)** : 일 년 열두 달 가운데 첫째 달.
enero
Primer mes entre doce meses del año.

• **이월 (sustantivo)** : 일 년 열두 달 가운데 둘째 달.
febrero
Segundo mes de los doce meses del año.

• **삼월 (sustantivo)** : 일 년 열두 달 가운데 셋째 달.
marzo
Tercer mes de los doce meses del año.

• **사월 (sustantivo)** : 일 년 열두 달 가운데 넷째 달.
abril
Cuarto mes de los doce meses del año.

• **오월 (sustantivo)** : 일 년 열두 달 가운데 다섯째 달.
mayo
Quinto mes de los doce meses del año.

• **유월 (sustantivo)** : 일 년 열두 달 가운데 여섯째 달.
junio
Sexto mes del año.

• **칠월 (sustantivo)** : 일 년 열두 달 가운데 일곱째 달.
julio
Séptimo mes de los doce meses del año.

• **팔월 (sustantivo)** : 일 년 열두 달 가운데 여덟째 달.
agosto
Octavo de los doce meses del año.

• **구월 (sustantivo)** : 일 년 열두 달 가운데 아홉째 달.
septiembre
El noveno de los doce meses del año.

• **시월 (sustantivo)** : 일 년 열두 달 중 열 번째 달.
octubre
Décimo mes de los doce meses del año.

• **십일월 (sustantivo)** : 일 년 열두 달 가운데 열한째 달.
noviembre
Undécimo mes de los doce meses del año.

• **십이월 (sustantivo)** : 일 년 열두 달 가운데 마지막 달.
diciembre
Último mes de los doce meses del año.

• **봄 (sustantivo)** : 네 계절 중의 하나로 겨울과 여름 사이의 계절.
primavera
Estación que se encuentra entre el verano e invierno siendo una de las cuatro estaciones.

• **여름 (sustantivo)** : 네 계절 중의 하나로 봄과 가을 사이의 더운 계절.
verano
Una de las cuatro estaciones que es la más calurosa del año, entre la primavera y el otoño.

• **가을 (sustantivo)** : 네 계절 중의 하나로 여름과 겨울 사이의 계절.
otoño
Una de las cuatro estaciones del año que se encuentra entre verano e invierno.

• **겨울 (sustantivo)** : 네 계절 중의 하나로 가을과 봄 사이의 추운 계절.
invierno
Una de las cuatro estaciones en que hace más frío, y está entre el otoño y la primavera.

• **작년 (sustantivo)** : 지금 지나가고 있는 해의 바로 전 해.
año pasado
Año inmediatamente anterior a este año.

• **올해 (sustantivo)** : 지금 지나가고 있는 이 해.
este año, año en curso
Año que está transcurriendo en el presente.

• **내년 (sustantivo)** : 올해의 바로 다음 해.
año próximo
Año que viene justo después del actual.

• **과거 (sustantivo)** : 지나간 때.
pasado
Tiempo que ya pasó.

• **현재 (sustantivo)** : 지금 이때.
ahora
Este mismo momento.

• **미래 (sustantivo)** : 앞으로 올 때.
futuro
Momento por venir.

< 참고 문헌 (referencia) >

고려대학교 한국어대사전, 고려대학교 민족문화연구원, 2009
우리말샘, 국립국어원, 2016
표준국어대사전, 국립국어원, 1999
한국어교육 문법 자료편, 한글파크, 2016
한국어 교육학 사전, 하우, 2014
한국어기초사전, 국립국어원, 2016
한국어 문법 총론 Ⅰ, 집문당, 2015

유머로 배우는 한국어 español(스페인어) traducción(번역)

발　행 | 2024년 7월 15일
저　자 | 주식회사 한글2119연구소
펴낸이 | 한건희
펴낸곳 | 주식회사 부크크
출판사등록 | 2014.07.15.(제2014-16호)
주　소 | 서울특별시 금천구 가산디지털1로 119 SK트윈타워 A동 305호
전　화 | 1670-8316
이메일 | info@bookk.co.kr

ISBN | 979-11-410-9533-8

www.bookk.co.kr